Barcelona

Von Veronika Schroeder

Inhalt

Repräsentativ: Plaça de Sant Jaume mit Rathaus Casa de la Ciutat im Abendlicht

Architektur mit farbenfroher Fantasie: Musiktempel Palau de la Música Catalana

Feierliches Flair: beim Weinfest in Sitges zeigen die Frauen katalanische Tracht

Künstler und Flaneure: Szene auf Barcelonas berühmter Promenade Les Rambles

Barcelona mit frischer Brise: Sightseeing im renovierten Hafenareal Port Vell

Dies und Das

Musikbegeisterung im üppig dekorierten Palau de la Música Catalana

Barcelona aktuell A bis Z

Treffpunkt am Rande der Rambles: Plaça Reial mit Drei-Grazien-Brunnen

»Barcelona, més que mai« – Barcelona, mehr denn je!

›Barcelona, mehr denn je!‹ und ›Barcelona, mach dich hübsch!‹ waren die beiden Slogans, die Ende der 80er-Jahre des 20. Jh. für die Stadt geprägt wurden. Was steckt dahinter – gut getextete Werbung im Olympiafieber oder ehrliche Begeisterung, Zuneigung gar wie für ein weibliches Wesen? In jedem Fall ist die eigenwillige Metropole am Mittelmeer eine Reise wert. Es sind nicht mehr nur Architektur und Kunst, die Barcelona so attraktiv machen. Quirlig und frech, zieht seine innovative Mode-, Design- und Musikkultur junge Menschen aus aller Welt an, die teilhaben wollen am pulsierenden Leben im ›New York Europas‹.

Pulsierende Stadt auf engstem Raum

Barcelona ist vielgestaltig und schillernd, abweisend und einladend zugleich, uralt und immer wieder prickelnd jung. Es besitzt sowohl melancholische Steinwüste wie auch anheimelnde Viertel. In erster Linie ist Barcelona jedoch eine quicklebendige Metropole auf engstem Raum. Bis ins 19. Jh. war sie in das längst zu eng gewordene Korsett einer mittelalterlichen Stadtmauer gepresst. Reaktion auf diese allzu lange Einschränkung war eine sprunghafte **Stadterweiterung** (Eixample), geplant in großzügigem Rastersystem. Gebaut wurde jedoch keineswegs nüchtern, sondern mit sichtlicher Liebe zum Prunk, zur Repräsentation. Nicht allein neu gewonnener Reichtum wurde zur Schau gestellt, sondern die eigene Geschichte alles andere als schulmeisterlich trocken aufbereitet. Begeisterung und Fantasie beflügelten Architekten und Bauherren und ließen so eine eigene **Jugendstilstadt** entstehen. Die künstlerischen Anleihen des Modernisme vereinen das raffiniert verschlungene Linien-

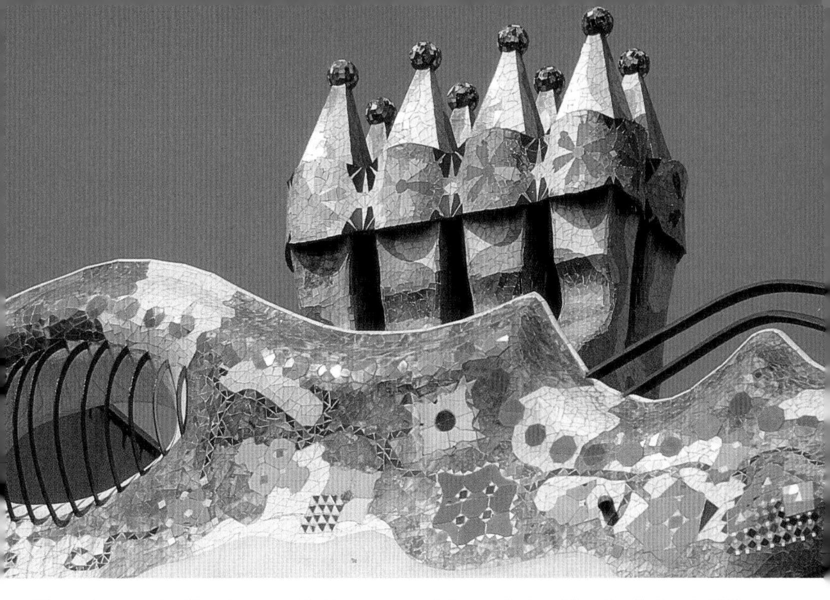

Oben: *Antoni Gaudís schwungvolle Formen und bunte Kachelzier: Dachlandschaft der modernistischen Casa Batlló*

Unten: *Lebenslust und Leidenschaft: ein heißer Tango in der Abendkühle der Rambles findet stets aufmerksame Zuschauer*

spiel maurischer Kunst mit den kräftigen Formen des christlichen Mittelalters.

Barcelona ist seit 1977 wieder stolze **Hauptstadt der autonomen Provinz Katalonien**, vom Rest des Landes beneidet wegen seines hohen Bruttosozialpro-

durch gestyltem **Design à la Barcelona**. Katalanischer Formgestaltung gebührt ein erster Platz innerhalb des viel gerühmten spanischen Designs. Die Barcelonesin versteht es, etwas aus sich zu machen. Der schwarze Mini und die knappe Korsage mancher Schönen auf den Rambles verschlägt den männlichen Spaziergängern den Atem. Auch die Stadt verstand es von jeher, standesgemäß auf-

Links: *Höhepunkt romanischer Malerei – Apsisfresko aus Sant Climent in Taüll im Museu Nacional d'Art de Catalunya*

Unten: *Mirós heitere Kunst der Moderne – ›Frau und Vogel‹ im Parc de Joan Miró*

Ganz unten: *Oase der Ruhe – lauschige Abendstimmung an der Plaça Reial*

Rechts: *Gewagte Akrobatik – Turner als Menschenturm beim Stadtfest La Mercè*

duktes und belächelt wegen seines halsstarrigen Regionalismus. Hier wird Katalanisch nicht nur gesprochen, es ist die erste Sprache in der Öffentlichkeit, oft zum Leidwesen der Touristen.

Spaniens Tor nach Westeuropa

Nicht erst seit der viel beachteten Veranstaltung der **Olympischen Sommerspiele** im Jahre 1992 erwarb die Stadt Interesse und Anerkennung. Barcelona war schon immer Spaniens Tor nach Westeuropa, sein Bürgertum stark an Frankreich orientiert. Barcelona ist Spaniens **Modestadt**. Hier wird hochelegante Mode kreiert, daneben auch Schrilles und Grelles. Spitzenrestaurants und Nobeldiskotheken prangen in kühlem, durch und

zutreten, sich ganz als Dame von Welt zu präsentieren. Eine Anzahl prunkvoller Bauten, vom Mittelalter bis ins 20. Jh., berichtet hiervon. Doch Barcelona ist mehr als Architektur und Museen – in erster Linie ist es lebendig und benötigt immer mehr Raum. So wird äußerst geschickt vielerorts neu gebaut und neu genutzt. In alten Gemäuern sind heute oftmals **moderne Kultur- und Kunstinstitutionen** tätig. Eines der schönsten und schlichtesten Beispiele neuerer katalanischer Architektur ist das Joan-Miró-Museum auf dem Montjuïc. Höchste internationale Anerkennung hat das Projekt ›**Neue Plätze und Parks**‹ für die im Verkehr erstickende Stadt gewonnen. Junge Architekten versuchen seit etlichen Jahren, Stadtraum mit verschiedenen Mitteln prägnant zu gestalten.

Spuren der Geschichte

Eine Stadtbesichtigung sollte der geschichtlichen Entwicklung Barcelonas folgen und in der **Altstadt** beginnen. Die **Rambles**, eine fast 2 km lange Platanenallee, die von der Plaça Catalunya bis hinunter zum Hafen führt, ist zweifellos

die Pulsader der Metropole. Zu beiden Seiten dieser Promenade lohnen Abstecher in die Altstadtteile **Raval** (Barri Xino) und **Barri Gòtic**. Auf der anderen Seite der Via Laietana, die seit Anfang dieses Jahrhunderts das Barri Gòtic vom Barri La Ribera trennt, liegt rund um die Markthalle des Born der Bezirk der neuen Galeristen. Daneben führt der ehem. Fischerbezirk **Barceloneta** zwischen Hafenbecken und Sandstrand zum Meer. Obwohl dieser Stadtteil durch Abriss und Sanierung einen großen Teil seines früheren Charmes einbüßte, lohnt immer noch ein Besuch der zahlreichen Fischbratküchen und ein Spaziergang am Stadtstrand. Dieser, früher von Fabrikanlagen begrenzt, zieht sich inzwischen bis hin zum Olympischen Dorf und weiter bis zum Grenzfluss Besòs.

Der Rückweg zu den Rambles führt über die erst vor wenigen Jahren angelegte Hafenpromenade **Moll de la Fusta**. Dort laden Palmen, Jachten, Bänke und Designerbars zum Schauen und Verweilen ein. Aus der großzügig angelegten **Neustadt** (Eixample) ist ein lebhaftes Geschäftszentrum und eine Schatzkiste des katalanischen Modernisme geworden. Häuser der katalanischen Architekten Antoni Gaudí, Josep Puig i Cadafalch und Lluís Domènech i Montaner sind an jeder zweiten Straßenecke zu bewundern. Mitten durch dieses Viertel führt der Prachtboulevard **Passeig de Gràcia**. Gaudí-Liebhaber und Freunde des katalanischen Jugendstils können in nordwestlicher Richtung zahlreiche weitere Entdeckungen machen: Parc Güell, Sagrada Família und Hospital de Santa Creu i Sant Pau sind mit öffentlichen Verkehrsmitteln bequem zu erreichen.

Weniger pompös geht es in den beschaulichen Stadtteilen **Gràcia** und **Sarrià** zu. Um die Jahrhundertwende waren diese beiden Bezirke noch eigenständige Gemeinden. Ihre Eigenart konnten sie bis heute in vielerlei Hinsicht bewahren. Wer der brodelnden Lebhaftigkeit des

Oben: *Verspielte Architektur des Modernisme – Hauptfassade der Casa Comalat*

Unten: *Katalanische Küche in stilvollem Ambiente – Restaurant Los Caracoles*

Rechts oben: *Internationale zeitgenössische Kunst in Richard Meiers modernem Rahmen – Museu d'Art Contemporani*

Rechts Mitte: *Kulinarische Verlockung – Meeresfrüchte im Mercat de Sant Antoni*

Rechts unten: *Mondfantasien – Designerbar Torres de Avila mit Dachterrasse*

Stadtzentrums entkommen möchte, sollte einen Spaziergang durch die Stadtteile Sant Gervasi, Bonanova oder Pedralbes unternehmen. Schöne Villenhäuser und üppige, mediterrane Vegetation charakterisieren diese Wohnviertel. Stadtplaner und Architekten können auf den neu angelegten Plätzen, Brücken und Umgehungsstraßen der Peripherie einiges über die Umgestaltung einer Stadt lernen.

Der Reiseführer

Dieser Band stellt in neun Kapiteln alle wichtigen Sehenswürdigkeiten Barcelonas vor. **Stadtpläne** in den Umschlagklappen erleichtern die Orientierung. Kurzessays liefern Detailinformationen zu speziellen Barcelona-Themen. Die **Top Tipps** heben besondere Attraktionen, Hotels und Restaurants hervor. Der **Aktuelle Teil** bietet alphabetisch geordnet Nützliches von Informationen vor Reiseantritt bis zu Hinweisen zu Verkehrsmitteln. Ein umfassender praktischer **Sprachführer** in Spanisch und Katalanisch rundet dieses Buch ab.

Geschichte, Kunst, Kultur im Überblick

Ein Grabfund im Carrer Muntaner ist Zeugnis für eine Besiedlung des Gebietes von Barcelona in der Steinzeit.

11.–5. Jh. v. Chr. Siedlungen der Iberer, die sich ab dem 7. Jh. mit von Norden eindringenden Kelten vermischen. Die sog. Keltiberer treffen um 500 v. Chr. mit phönizischen und griechischen Siedlern zusammen.

218 v. Chr. Der Legende nach gründet der Karthager Hamilcar Barca das antike Barcino, das spätere Barcelona.

133 v. Chr. Cornelius Scipio gründet die römische Kolonie ›Faventia Julia Augusta Pia Barcino‹, die zu der Provinz Hispania Citerior gehört, Hauptstadt ist Tarraco (heute: Tarragona).

2. Jh. n. Chr. Barcino hat mehr als 10 000 Einwohner und wird rasch christianisiert.

4. Jh. Die erste Stadtmauer wird angelegt (in Teilen heute noch erhalten).

415 Barcelona wird unter König Athaulf Hauptstadt des westgotischen Reiches. Mit der Verlagerung des westgotischen Hofes 534 nach Toledo verliert Barcelona jedoch seine hervorragende Bedeutung.

717/718 Besetzung durch die Mauren.

801 Eroberung durch die Franken unter Führung Ludwigs des Frommen. Barcelona wird Hauptstadt der Spanischen Mark, die von Pamplona über Barcelona bis zum oberen Ebro (Tortosa) reicht und die Grenze zwischen christlichem Europa und maurischem Spanien bildet.

879–897 Der fränkische Graf Wilfredo el Velloso (der Behaarte) begründet die selbstständige Dynastie der Grafen von Barcelona.

985 Maurische Truppen fallen unter Al-Mansur in die Stadt ein und hinterlassen zahlreiche Zerstörungen.

11. Jh. Berenguer Ramón I. (1018–35) und Ramón Berenguer I. el Viejo (der Alte) (1035–76) erringen die Oberherrschaft Barcelonas über die restlichen Grafschaften der Spanischen Mark, die in ihrer geographischen Ausdehnung etwa dem zukünftigen Katalonien entspricht.

1046–58 Unter Graf Ramón Berenguer el Viejo und seiner Gattin Almodis wird die romanische Kathedrale Barcelonas errichtet. Sie ist Zeichen der neuen Hauptstadtwürde. Barcelona hat zu dieser Zeit etwa 20 000 Einwohner und wächst über seine wieder hergestellten Mauern hinaus.

1137 Die Eheschließung zwischen Ramón Berenguer IV. (1131–62) und Petronella von Aragón, der Thronerbin des Nachbarstaates, begründet die Dynastie der Grafen von Barcelona und Könige von Aragón. Barcelona expandiert zu einer bedeutenden Mittelmeermacht, Genua und Venedig ebenbürtig. Die Katalanen betreiben im gesamten Mittelmeerraum schwungvollen Handel, ihr Einfluss erstreckt sich von Valencia über Sizilien, Sardinien und Korsika bis nach Griechenland.

1213–76 Unter Jaume I. el Conquistador (der Eroberer) werden die Balearen (1229, 1235) und Valencia (1238) unter dem Banner der Reconquista von den Mauren zurückerobert. Barcelona vergrößert sich sprunghaft, eine zweite Stadtmauer wird gebaut, die die Viertel um Sant Pere Mes Alt und Santa Maria del Mar einschließt, der Hafen wird angelegt. Barcelona erhält das Stadtrecht. Es beginnt eine Blütezeit, die bis zum Ende des 14. Jh. andauert und eine reiche Patrizierschicht hervorbringt.

1258 In Barcelona wird der erste Seehandelskodex formuliert. Er bewährt sich und wird später im ganzen Mittelmeerraum übernommen.

1276–85 Pere II. el Grande (der Große) rundet die mittelmeerischen Eroberungen der barcelonesischen Dynastie mit Sizilien (1282) ab, das bis zum 15. Jh. zu Barcelona gehört. Er veranlasst den Bau der heute noch erhaltenen Werft.

1291–1327 Höhepunkt der mittelalterlichen Kultur in Barcelona unter der Herrschaft von Jaume II. el Justo (der Gerechte). In dieser Zeit wird die Mehrzahl der großen gotischen Kirchen der Stadt begonnen.

1329 Alfons III. (1327–36) legt nach der Eroberung Sardiniens den Grundstein zu der Kirche Santa Maria del Mar.

1336–87 Pere IV. el Ceremonioso (der Zeremoniöse) führt die Eroberungspolitik zu Ende und erkämpft die Oberherrschaft über Griechenland. Er lässt den größten Teil des Palau Reial Major errichten (Salò Tinell), stellt die Reials Drassanes (Königliche Werft) fertig und umgibt die Stadt mit einer dritten Mauer, die das Viertel El Raval jenseits der Rambla mit einschließt.

1365 Barcelona hat fast 34 500 Einwohner. Gegen Ende des 14. Jh. führen die fortgesetzten Kriege mit Kastilien zum wirtschaftlichen Niedergang der Stadt. Es ist die Zeit der Judenpogrome, mit denen auch die Abwanderung vieler Händler beginnt. Kastilien erwirbt die wirtschaftliche Vormacht durch seinen Getreidereichtum und den Wollexport in die Niederlande.

1401 Martí I. el Humano (der Mitmenschliche) (1396–1410), letzter König aus der direkten Linie der Dynastie von Barcelona, legt den Grundstein zu dem Hospital de Santa Creu i Sant Pau (heute Staatsbibliothek).

1442 Alfons IV. el Magnánimo (der Großherzige) (1416–58) erobert Neapel. Unter seiner Herrschaft wird der Palau de la Generalitat (Katalanische Landesregierung) gebaut.

1450 Gründung der ersten Universität in Barcelona an den Rambles.

1469 Die Heirat zwischen Ferdinand von Aragón und Isabella von Kastilien, den Katholischen Königen, legt den Grundstein zu einer neuen politischen und wirtschaftlichen Kraft in Spanien, die das Reich, ›in dem die Sonne niemals untergeht‹, hervorbringt. Dies ist der erste Schritt zur Einverleibung Kataloniens in das kastilische Großreich.

1493 Das Königspaar empfängt Christoph Kolumbus bei seiner Rückkehr von der ersten Amerikareise.

16. Jh. Unter den Habsburgern wird Katalonien zu einer wirtschaftlichen Randzone Europas. 1518 werden ›Las Indias‹ zum Besitz der kastilischen Krone erklärt, wodurch Barcelona vom Handel mit der Neuen Welt ausgeschlossen wird. Brückenköpfe Spaniens für den Handel sind nun Sevilla und Cádiz.

1519 Karl V. betritt nach Jugendjahren in den Niederlanden Barcelona als erste Stadt seines spanischen Reiches.

Politisch kraftvolle Verbindung: Isabella von Kastilien und Ferdinand von Aragón

1556–1621 Auch unter seinem Sohn Philipp II. und Enkel Philipp III. sind die Beziehungen zwischen Katalonien und Kastilien gut. Katalonien behält die Autonomie und seine eigenen Institutionen.

1640–53 Bei der ›Guerra de les Segadors‹ (Krieg der Schnitter), einem Aufstand gegen die kastilische Zentralregierung, wird der spanische Vizekönig ermordet. Als Antwort lässt Graf Olivares im Auftrag von Philipp IV. kastilische Truppen in Katalonien einmarschieren, die rasch gegen Barcelona vorrücken. Die Stadt bittet Frankreich um Hilfe. Ludwig XIII. wird zum Grafen von Barcelona ernannt. Die katalanisch-französischen Truppen siegen am 26. Januar 1641 in der Schlacht am Montjuïc. 1651 erobern kastilische Truppen Barcelona und beenden den Aufstand. Gegen eine Generalamnestie wird Katalonien 1653 der kastilischen Oberhoheit unterworfen.

Für die spanische Krone: Christoph Kolumbus ergreift 1492 Besitz von der Insel Haiti

Spanischer Bürgerkrieg 1936: Barcelona ist lange eine Hochburg der Anarchisten

1701–14 Im Spanischen Erbfolgekrieg stellt sich Barcelona auf die Seite des späteren Verlierers, Erzherzog Karl von Österreich, gegen Philipp V. von Bourbon. Nach 13-monatiger Belagerung erobert dieser die Stadt am 11. September 1714 (heute höchster nationaler Feiertag, La Diada). Als Strafe und zur Überwachung lässt er von Festungsbaumeister Prósper de Verboom die Zitadelle errichten, für die ein Stadtteil abgerissen wird.

1716 Katalonien sinkt zur spanischen Provinz ab, mit Ausnahme von Menorca (seit 1708 unter englischer Herrschaft).

1778 Karl III. (1759–88) beendet das Seehandelsmonopol Sevillas und befreit so Barcelona von der über 200 Jahre andauernden wirtschaftlichen Restriktion. Der neue amerikanische Markt lässt in Barcelona die Baumwoll- und Textilindustrie aufblühen.

1808–14 Der wirtschaftliche Aufschwung Kataloniens wird durch die Invasion Napoleons unterbrochen.

1812 Mit Ausrufung der ersten spanischen Verfassung in Cádiz verliert Katalonien seine letzten Freiheiten.

1835 Säkularisierung.

1843–68 Unter der Regierung Isabellas II. wächst die Prosperität des Bürgertums. Im Laufe des 19. Jh. entwickelt sich ein starkes katalanisches Nationalbewusstsein in allen Bevölkerungsschichten (Renaixença). Ausdrucksmittel sind Kunst, Literatur und Architektur.

1848 Die erste spanische Eisenbahn fährt zwischen Barcelona und Mataró.

1854 Die seit langem zu eng gewordenen Stadtmauern dürfen mit Zustimmung der spanischen Regierung abgerissen werden. An ihrer Stelle entstehen Rondas (Avenuen), die den Umfang des alten Barcelona gut am Stadtplan ablesen lassen.

1859 Die Stadt genehmigt die Ausführung eines Stadtentwicklungsplanes, an dem der Bauingenieur Ildefons Cerdà seit 1855 gearbeitet hatte. Auf Grundlage dieses Entwurfs wächst rasch eine Neustadt zwischen der Altstadt und dem Dorf Gràcia, die so genannte Eixample. Sie ist nicht nur stark vom Stil des Modernisme geprägt, sondern wird zum größten Jugendstilviertel Europas. Die drei bedeutendsten Architekten des Modernisme sind Antoni Gaudí (Sagrada Família, Casa Batlló, Casa Milà), Lluís Domènech i Montaner (Palau de la Música Catalana, Casa Lleó Morera) und Josep Puig i Cadafalch (Casa de les Punxes, Casa Amatller, Palau Baró Quadras). Anfang des 20. Jh. entstehen interessante Ansätze zu Planungen von Gartenstädten nach englischem Vorbild (Gaudí: Parc Güell; Domènech i Montaner: Hospital de Santa Creu i Sant Pau).

1887 Barcelona hat 500 000 Einwohner.

1888 Die erste Weltausstellung markiert die Entwicklung Barcelonas zur Großstadt. Sie findet auf dem Areal der 1868 abgetragenen Zitadelle statt, in einer großzügigen Parkanlage (Parc de la Ciutadella) mit interessanten modernistischen Ausstellungspavillons.

1893 Katalanische Anarchisten werfen eine Bombe ins Teatre del Liceu.

Der spanische Staatschef General Franco mit seinem designierten Nachfolger Prinz Juan Carlos bei einer Militärparade 1970

Anfang des 20. Jh. Organisation der Arbeiterbewegung in verschiedenen Gruppierungen: Sozialisten (UGT) und Anarchisten (CNT).

1909 Arbeiteraufstand.

1925 Die vermögendsten Geschäftsleute von Barcelona übereignen Alfonso XIII. (1902–31) den neu erbauten Palau Reial de Pedralbes als Geschenk.

1929 Für die zweite große Weltausstellung auf dem Montjuïc werden verschiedene Parks angelegt, Spanien errichtet ein pompöses Ausstellungsgebäude, das heute das weltberühmte Museu Nacional d'Art de Catalunya beherbergt. Den deutschen Pavillon entwirft Ludwig Mies van der Rohe.

1931 Die Linke setzt erstmals einen katalanischen Autonomiestatus und eine Regionalregierung (Generalitat) durch.

1936 Kirchensturm – zahlreiche Kirchen werden in Brand gesetzt und schwer beschädigt.

1936–39 Grausamer Bürgerkrieg. Barcelona ist Hochburg der Anarchisten, Sozialisten und Kommunisten. Eine Volkserhebung verhindert die rasche Eroberung durch die Faschisten.

1938 General Francisco Franco marschiert in Katalonien ein und erklärt die autonome Regierung für abgesetzt.

26. Januar 1939 Franco erobert Barcelona. Katalanische Kultur und (Schrift-)Sprache werden verboten. Nur die Mönche des Klosters Montserrat dürfen die Schriftsprache weiter benutzen, sie tradieren sie 40 Jahre lang.

Schwungvolle Eröffnung der XXV. Olympischen Sommerspiele 1992 in Barcelona

Frisch vermählt: Prinzessin Cristina und Iñaki Urdangarin nach ihrer Hochzeit in der Kathedrale von Barcelona im Oktober 1997

Ende der 50er-Jahre Formierung der gewaltlosen katalanischen Autonomiebewegung (Künstler, Intellektuelle, Studenten; Protestlieder ›Nova Cançó‹).

1975 Tod Francos. Juan Carlos, der Enkel des 1931 abgedankten Königs Alfonso XIII., wird zum König ausgerufen.

29. September 1977 Die Generalitat wird wieder als Landesregierung eingesetzt, Barcelona ist erneut Regierungssitz der Autonomen Provinz Katalonien.

1979 Katalonien erhält (wie das Baskenland) ein Autonomiestatut: Recht auf eigenes Parlament, eigene Polizei, Justiz, TV- und Radiokanäle, Sprache, Erziehungswesen in eigener Verantwortung, beschränkte Finanzhoheit.

80er-Jahre Das inzwischen international anerkannte Projekt ›Neue Plätze und Parks‹ beginnt. In vernachlässigten Altstadtvierteln und gesichtslos gewachsenen Neubauvierteln werden städtebauliche Akzente gesetzt.

1992 Austragung der XXV. Olympischen Sommerspiele an verschiedenen Schauplätzen in und um Barcelona. Veranstaltungszentrum ist erneut der Montjuïc.

1997 Heirat der Infantin Cristina mit dem baskischen Sportler Iñaki Urdangarin in der Kathedrale von Barcelona.

2002 Anlässlich des 150. Geburtstages von Antoni Gaudí ruft Barcelona das ›Internationale Gaudí-Jahr‹ aus. Zahlreiche Ausstellungen und Festivitäten zelebrieren den berühmten Architekten.

Sehenswürdigkeiten

Barri Gòtic – Flair des Mittelalters im historischen Stadtzentrum

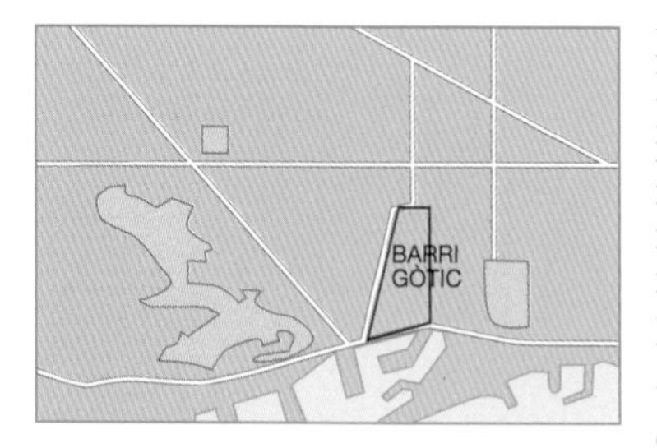

Der Eroberungsdrang der Grafen von Barcelona und Könige von Aragón machte das mittelalterliche Herrscherhaus zu einer bedeutenden **Macht am Mittelmeer**. Auf dem Höhepunkt der Expansionspolitik im 14. Jh. reichten Barcelonas Besitzungen von Valencia über die Balearen bis nach Sizilien und Griechenland. Die reiche Seehandelsstadt verstand es, sich künstlerisch angemessen zu präsentieren und baute, damals ganz ›modern‹, im gotischen Stil . Im Barri Gòtic, dem **gotischen Viertel** und **historischen Stadtkern**, eng um die Kathedrale gedrängt, stehen heute noch zahlreiche schöne architektonische Zeugnisse der mittelalterlichen Königs- und Handelsstadt. In den Fenster- und Türrahmungen, den Wasserspeiern hoch oben unter den Traufen, den Kapitellen und Friesstreifen eröffnet sich eine eigene Welt aus Drachen und Meerweibchen, wilden Männern und Mischwesen. Viele Häuser sind restauriert, einige wurden von anderer Stelle hierherversetzt. Trotzdem bleibt man gefangen von dem besonderen Flair dieses verwinkelten, lebendigen Viertels, einem der geschlossensten und unversehrtesten gotischen Bauensembles Europas.

1 Pla de la Seu

Sonntags ein feierlicher Tanzplatz, zu Weihnachten ist hier Krippenmarkt.

Der kleine Platz direkt vor der Westfassade der Kathedrale – oberhalb der Stufen, die zur Kirche hinaufführen – entstand 1421/22, als einige Kanonikerhäuser zusammen mit einem Teil der römischen Stadtmauer abgerissen wurden. Den erhaltenen Abschnitt der römischen **Stadtmauer**, unterbrochen in regelmäßigen Abschnitten von hohen, rechteckigen Türmen, kann man von hier gut verfolgen. Wo heute die Avinguda de la Catedral entlangführt, stand bis zur Stadtsanierung 1943 eine Reihe schöner mittelalterlicher Häuser. Zu ihnen gehörte auch das *Zunfthaus der Schuhmachergilde* mit einer eleganten Renaissance-Dekoration, das heute an der kleinen Plaça Sant Felip Neri [Nr. 16] steht.

Auf der Pla de la Seu fand alljährlich am 8. Dezember die Fira de Santa Llucía (Markt der hl. Lucia) statt, heute ist daraus ein richtiger *Weihnachtsmarkt* (8. bis 24. Dezember) geworden. Das ganze Jahr hindurch wird jeden Sonntagmittag auf dem Platz die *Sardana* [s. S. 20] zu den eigentümlich schrillen und monotonen Klängen der Cobla getanzt. Die Cobla ist eine elfköpfige Musikkapelle, geführt von Einhandflöte (Flabiol), Einhandtrommel (Tamborí) und einer Art Dudelsack (Gralla). Jung und alt gesellt sich hier zum Reigentanz zusammen, ernst und konzentriert. Emotionen werden erst im Schlussruf laut – »Viva«.

2 La Catedral *Plan Seite 22*

Pla de la Seu

Die reiche Ausstattung der großartigen Kirche versammelt Glanzstücke gotischer Tafelmalerei, Schnitz- und Bildhauerkunst.

Am 5. Mai 1298, dem Fest der Kreuzauffindung Christi, wurde der *Grundstein* zu der gotischen Kathedrale gelegt. Der damalige Neubau wurte am Portal de Sant Iu begonnen und bezog Reste verschiedener Vorgängerbauten ein: eine Basilika aus dem 6. Jh., halb zerstört 985 durch den Maureneinfall unter Al-Mansur, und die romanische Basilika, errichtet unter Ramón Berenguer I. el Viejo (1035–76), geweiht 1058. Über die Baumeister der Kathedrale und über einen ursprünglichen **Gesamtplan** ist wenig bekannt: Ab 1317 wurden die Arbeiten von *Jacobus Faber*

Vorhergehende Doppelseite: *Juwelen modernistischer Architektur am Passeig de Gràcia – Casa Amatller und Casa Batlló*

Himmelstrebendes Dreigetürm auf der Pla de la Seu: der gotische Bau der Kathedrale mit der erst im 19. Jh. vorgeblendeten imposanten Westfassade

(Jaume Fabre) geleitet, er begann mit der Apsis. 1337 wurde der Hauptaltar geweiht. 60 Jahre später plante *Arnau Bargués* den Kapitelsaal. 1413 wurde unter *Bartolomeu Gual* das Fundament für das ›Cimborio‹ (das Kuppelgewölbe über dem ersten Mittelschiffjoch) gelegt. 1448 schloss schließlich *Andreu* (Andrés) *Escuder* die letzte Wölbung des Kreuzgangs. Damit war der Baukomplex in seinen wichtigsten Teilen fertig gestellt.

Der *Glocken-* und der *Uhrturm* über dem Querschiff wurden um 1500 von der Hauptbauhütte der Kathedrale errichtet. 1887–98 fügten die Architekten *Josep Oriol Mestres* und *August Font* die fehlende *Fassade* an, nach Teilen einer gotischen Planzeichnung des picardischen Meisters Carlí von 1408, die heute im Kathedralarchiv aufbewahrt wird. 1906–13 wurde schließlich der wuchtige *Turm* über der Mitte der Fassade, über dem Cimborio, aufgerichtet.

Der majestätische, gedrungene **Innenraum** mit drei nahezu gleich hohen Schiffen gehört zu den schönsten gotischen Hallen Spaniens. Vier Paare mächtiger Bündelpfeiler tragen die vierteiligen Gewölbe. Den freien Blick in die Apsis versperrt der unvermeidliche spanische ›Coro‹, das *Chorgestühl,* in dem die Domherren ihr Chorgebet verrichteten. Das Mittelschiff ist 28 m hoch, 91 m lang und hat die doppelte Breite der Seitenschiffe. Die siebenteilige Apsis besitzt einen Umgangschor mit Kapellenkranz. Die Seitenkapellen des Langschiffes, je zwei pro Joch, sind – wie üblich in der katalanischen Gotik – zwischen die nach innen gezogenen Strebepfeiler eingefügt.

Zu den wichtigsten **Ausstattungsstücken** zählen die **Chorschranken** [**1**] (Trascoro). Sie zeigen herrliche gerahmte *Renaissance-Marmorreliefs*, die das Martyrium der hl. Eulalia schildern. Die flankierenden Statuen stellen die Heili-

Sardana – der katalanische Nationaltanz

»La sardana es la dança més bella de totes les dançes que es fan e es desfan« – »Die Sardana ist der schönste Tanz von allen, die sich zum Kreis formieren und wieder auflösen.« So beginnt der berühmte Vers des katalanischen Poeten Joan Maragall i Gorina, den alle Katalanen zu zitieren wissen. Die Sardana wird in vielen Orten Kataloniens unter freiem Himmel getanzt. Auch in Barcelona hat sich dieses Brauchtum erhalten. Auf den **Plätzen** *vor der Kathedrale, vor dem Palast der Landesregierung und in einigen Parkanlagen treffen sich am Wochenende die Sardanisten. Sobald der erste Ton der* **Cobla** *(Kapelle) ertönt, fassen sie sich bei den Händen, um große und kleine Reigen zu bilden.*

Die Sardana ist kein Paar-, sondern ein Gruppentanz. Alter und Herkunft der Tanzenden spielen bei der Zusammensetzung des Reigens keine Rolle. Auch Fremde können jederzeit in den Kreis eintreten und mittanzen. Dies ist jedoch schwieriger, als es auf den ersten Blick aussieht. Obwohl sich die **Schrittfolge** *wiederholt, müssen die Tanzenden konzentriert den* **Takt** *mitzählen. Die feierlich-ernsten Mienen sind typisch für diesen Volkstanz. Der Jugendstilkünstler Santiago Rusiñol äußerte dazu den Satz: »Die Sardana besitzt den Rhythmus Kataloniens, das Herz tanzt, und der Kopf rechnet.«*

Über den **Ursprung** *des Reigentanzes ist wenig bekannt. Man weiß nur, dass er im Barock am Hof beliebt war und erst viel später unters Volk kam. Als Volkstanz erst seit dem frühen 20. Jh. ausgeprägt, ist die Sardana zu dem Ausdruck des katalanischen Selbstbewusstseins und Unabhängigkeitsstrebens geworden.*

Treffpunkt zum Tanz sonntags um 12 Uhr – bei der Sardana auf der Pla de la Seu vor der Kathedrale darf jeder zum Klang der Cobla mitmachen

Eine der schönsten gotischen Hallenkirchen Spaniens: La Catedral mit Blick in den Chor und auf das Chorgestühl mit seinen kunstvoll geschnitzten Miserikordien (links)

gen Olegario, Eulalia, Raimundo de Penyafort und Coloma dar. Einer der besten Renaissancebildhauer Spaniens, *Bartolomé Ordóñez* aus Burgos, begann 1517 mit den Arbeiten an der Reliefwand. Allerdings konnte er vor seinem Tod nur die beiden Szenen ›Die Heilige verteidigt sich vor dem römischen Prätor‹ (links) und ›Folter der Heiligen in den Flammen‹ (rechts) einschließlich der beiden erstgenannten Heiligenfiguren vollenden. Den Rest schuf *Pere Villar* aus Zaragoza. Er überarbeitete auch die von Bartolomé Ordóñez gefertigte Innenseite des **Hauptportals** [**2**], die eine schöne Marmordekoration im spätgotischen spanischen Ornamentstil schmückt.

Das spätgotische obere **Chorgestühl** [**3**] mit Baldachinen aus spitzenartig durchbrochenem Maßwerk und filigranen Türmchen wurde 1399 fertig gestellt. Es stammt von *Pere Ça Anglada*, einem Schnitzer aus Flandern, der auch die Kanzel fertigte. Ungewöhnlich und einzigartig in ihrer künstlerischen Qualität sind die geschnitzten *Miserikordien* an der Unterseite der 61 Klappsitze, kleiner Stützen zum Anlehnen, die den Chorherren das lange Stehen erleichterten. Alle Miserikordien sind figurativ gestaltet, mit Tieren, Mischwesen und Menschen, jede ein kleines Kunstwerk für sich. Zum Teil werden die dargestellten Szenen im Sinne von Tugend und Laster gedeutet – den Chorherren sollten ihre tagtäglichen Schwächen und Fehltritte mehr oder weniger allegorisch vor Augen geführt werden. Zum Teil geht es recht profan und lustig zu. Zwei Soldaten sind vollkommen in ein Kugelspiel vertieft und strecken ihre nadelspitzen Schnabelschuhe grotesk von sich. Auf die Rückwand der Sitze sind Namen und Wappen der Ritter vom Goldenen Vlies aufgemalt. 1519 berief Karl V. hier die einzige Sitzung dieses Ordens außerhalb Flanderns ein. Die reich gestalteten *Gestühlwangen* mit Szenen aus dem Leben Jesu kamen ebenfalls im frühen 16. Jh. hinzu und dürften zusammen mit den Chorschranken in der Werkstatt von Bartolomé Ordóñez entstanden sein.

1329 wurde nach Plänen von *Jacobus Faber* unter dem Hauptaltar eine **Krypta** [**4**] gebaut. Den Anlass gab die Überführung der Gebeine der hl. Eulalia aus der Kirche Santa Maria del Mar [Nr. 24] in die Kathedrale. Die Krypta ist über einen breiten Treppenabgang zu erreichen, der sich zwischen den Stufen zum Hochaltar öffnet. Schön ist ihr zwölfteiliges, extrem flaches Gewölbe. Der prächtige *Alabastersarkophag* mit Szenen aus dem Leben der Heiligen stammt von einem italienischen Meister des 14. Jh., der wohl dem Umkreis der Pisano-Werkstatt zuzurechnen ist.

Die Platte des Hauptaltars im **Presbyterium** [**5**] liegt seit 1971 auf zwei Kapitellen westgotischer Säulen. Das ursprüngliche gotische *Altarretabel* aus Holz (1357–77, ›Die Freigebigkeit von König Pere IV. el Ceremonioso‹) wurde 1970 im Zuge der Überführung des Volksaltars in die Pfarrkirche Sant Jaume (in der Carrer Ferran) dorthin gebracht. Der alabasterne *Bischofssitz* hinter dem Altar (erste Hälfte 14. Jh.) wird dem

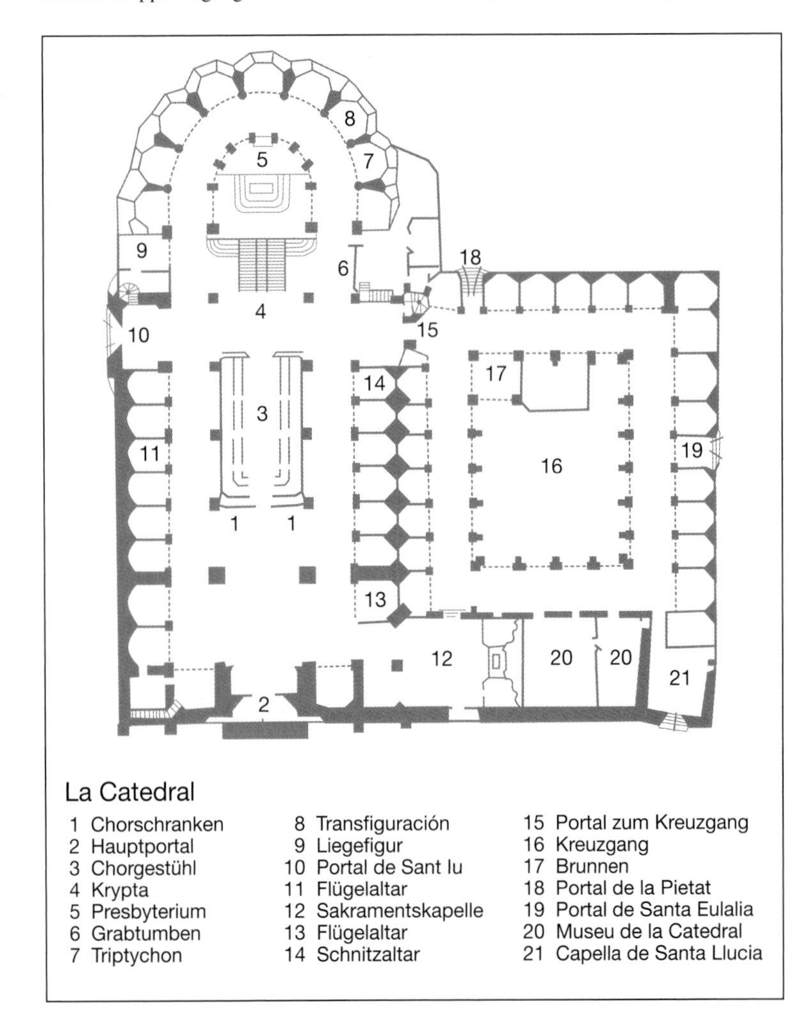

Die Reliefs am prachtvollen, im 14. Jh. geschaffenen Alabastersarkophag in der Krypta der Kathedrale zeigen Szenen aus dem Leben der hl. Eulalia

Künstler des Eulalia-Sarkophags in der Krypta zugeschrieben.

Zwischen der Sakristeitür und dem Portal zum Kreuzgang sind an der Wand zwei mit rotem Samt bespannte hölzerne Sarkophage angebracht – die **Grabtumben** [**6**] der Gründer des romanischen Baus, Graf Ramón Berenguer I. und seiner Gemahlin Almodis. Die rahmende Scheinarchitektur einer Renaissancenische stammt von *Ferrándis* (1545).

Sehenswert in den Kapellen des Chorumgangs ist das **Triptychon** [**7**] der ›Heimsuchung‹ (um 1470). Der Meister des Bildes ist unbekannt, Auftraggeber war der Chorherr Nadal Garcés, der als Stifterfigur abgebildet ist. Einer der besten gotischen Flügelaltäre der Kathedrale ist die **Transfiguración** [**8**] von *Bernat Martorell* (1450). Ungemein lebendig und anschaulich sind die Szenen der ›wunderbaren Brotvermehrung‹ (links), der ›Hochzeit zu Kanaan‹ (rechts) und die Predellaszenen. Die **Liegefigur** [**9**] des Bischofs Ramón d'Escales mit äußerst realistischen Gesichtszügen eines Schlafenden ist eine hervorragende Alabasterplastik von *Antoni Canet* (1409).

Das Martyrium der hl. Eulalia

Eulalia ist eine in Spanien hochverehrte Heilige, **Stadtpatronin** *von Barcelona und zweite Titelheilige der Kathedrale. Sie starb um 304 unter Diokletian den Märtyrertod. Das freigebige zwölfjährige Mädchen lebte der Legende nach im Stadtteil Sarrià. Sie war Christin geworden und bei dem Versuch, dem römischen Statthalter Datian wegen der einsetzenden Christenverfolgung Vorwürfe zu machen, gefangen und grausam gefoltert worden: gekreuzigt, in siedendes Öl geworfen, verbrannt und schließlich geköpft. Aus ihrem Leib soll nach ihrem Tod eine weiße Taube aufgestiegen sein. Bereits 405 wurde sie von Prudentius als Märtyrerin gerühmt.*

An ihrem **Festtag**, *dem 12. Februar, wird die hl. Eulalia mit farbenprächtigen Umzügen rund um die Kathedrale gefeiert.*

Das **Portal de Sant Iu** [**10**] stammt aus dem ersten Bauabschnitt der gotischen Kathedrale, begonnen 1298, wie die Inschriften an den Türpfosten besagen. Zwischen diesen beiden Inschriften eingefügt sind zwei *Reliefs* (12. Jh.), die wohl noch zum romanischen Bau gehört haben. Die Kampfszenen zwischen Mensch und Löwe (rechts) sowie zwischen Menschen und Greif (links) sind typisch mittelalterliche Themen, die sich auch an den Kreuzgangskapitellen von Sant Pau del Camp [Nr. 47] finden.

Höfisch erscheinen die Figuren der beiden elegant gekleideten Heiligen Sebastián und Tecla auf dem **Flügelaltar** [**11**] von Rafael Vergós und Pere Alemany (um 1490). Rechts zu ihren Füßen kniet der Stifter der Tafeln, der Chorherr Joan Andreu Sors.

Hoch verehrt wird in der **Sakramentskapelle** [**12**] der *Cristo de Lepanto*, ein rauchgeschwärztes Kruzifix, das Don Juan d'Austria in der Seeschlacht bei Lepanto zum Sieg verholfen haben soll [s. S. 49]. Der **Flügelaltar** [**13**] mit den beiden hl. Ärzten Cosmas und Damian stammt von *Bernat Martorell* und *Miquel Nadal* (1455 vollendet). Der barocke **Schnitzaltar** [**14**] (1688) wird *Miquel Sala* zugeschrieben. Im Zentrum steht die Figur des hl. Bischofs Paciano von Barcelona (gest. 390). Rechts sieht man Szenen aus dessen Leben, links Begebenheiten aus dem Leben des hl. Franz Xaver.

Die Gänse im malerischen Kreuzgang der Kathedrale sind eine Attraktion für sich

Eine Betrachtung lohnt das **Portal zum Kreuzgang** [**15**]. An die Kreuzgangseite sind Teile eines romanischen Portals versetzt, die wohl ebenfalls vom Vorgängerbau des 11. Jh. stammen. Beachtenswert sind die *Archivolten*, verziert mit geometrischen Friesen, und die figürlichen *Kapitelle* auf der linken Seite des Gewändes.

Der gotische **Kreuzgang** [**16**] umschließt einen malerischen *Garten*, in dem unter Palmen, Magnolien und Zypressen Gänse schnattern. Eine Attraktion für sich! Im nordwestlichen Kreuzgangwinkel steht ein kleiner, offener Tempel mit gotischem **Brunnen** [**17**]. Während der Fronleichnamswoche wird dieser mit Blumen und blühenden Zweigen geschmückt, und auf dem Wasserstrahl lässt man ein ausgeblasenes Ei tanzen. Das besonders bei Kindern beliebte Spektakel heißt ›L'ou com balla‹ – das tanzende Ei. Die beiden *Claperós* (Vater und Sohn), zwei Steinmetze der Dombauhütte, schufen 1448/49 das spätgotische *Gewölbe* mit seinen vielfach verschlungenen Rippen. Der krönende Schlussstein zeigt Sankt Georgs Drachenkampf, acht graziöse Engelsköpfe verfolgen das Geschehen.

Dem **Portal de la Pietat** [**18**] gab das *Holzrelief* im Tympanon mit einer Darstellung der Pietà den Namen. Zwei Engel weisen die Leidenswerkzeuge vor. Rechts im Hintergrund sind Landschaft und eine nordische Burg zu erkennen. Rechts unten, zu Füßen Christi, kniet die Figur des Stifters Berenguer Vila, die der deutsche Bildschnitzer *Michael Lochner* (gest. 1490) geschaffen haben soll.

Das **Portal de Santa Eulalia** [**19**] an der Ostseite des Kreuzgangs zeigt enge Verwandtschaft mit dem Portal de la Pietat, wenngleich schlichter ausgeführt. Im *Tympanon* steht die namengebende Heilige als Terrakottafigur. Das Original (Mitte 15. Jh., zugeschrieben Vater und Sohn Claperós) wird heute im **Museu de la Catedral** [**20**] (Sala Capitular) aufbewahrt. In zwei Räumen sind einige Gemälde und Skulpturen unterschiedlicher Qualität aus dem *Kirchenschatz* ausgestellt. Bekannt ist die stark an niederländischen Vorbildern orientierte, herb-schöne Pietà von Bermejo (1490) im zweiten Raum.

Der Eingang in die romanische **Capella de Santa Llucia** [**21**], die Bestandteil der Befestigung des bischöflichen Palastes war, befindet sich gegenüber

Kunstvoller Fingerzeig mit Tiefsinn: der modernistische Briefkasten von Domènech i Montaner im Innenhof der Casa de l'Ardiaca ironisiert das Arbeitstempo der Justiz

der Casa de l'Ardiaca [Nr. 3]. Erbaut 1257–68, gehört sie zu den wenigen, wenn auch nicht überragenden Resten romanischer Architektur in Barcelona. Die glatte *Fassade* zeigt die typische katalanische Schlichtheit und Flächenbetonung, die auch in der Gotik ständig begegnet, lediglich durchbrochen von dem Rundbogenportal und einer Fensteröffnung darüber, die später vergrößert wurde. Die *Kapitelle* der sehr schlanken, frei stehenden Gewändesäulen zeigen links ›Verkündigung‹ und ›Heimsuchung Mariens‹. Die leider nur schlecht erhaltene Ausmalung des *Tympanons* mit einem Bild der hl. Lucia stammt von Joan Llimona, 1901. Rechts vom Altar befindet sich hinter einer Glasscheibe die *Grabtumba* des Erbauers Arnau de Gurb. Die Liegefigur des Bischofs in pontifikalem Gewand ist eine Arbeit des 13. Jh.

3 Casa de l'Ardiaca

(Institut Municipal d'Història)
Carrer Santa Llucía 1

Palais des Erzdiakons: geglückte Verbindung von Stilelementen der Gotik, Renaissance und des Jugendstils.

Der Archidiakon Desplá, der bei *Bermejo* die im Museu de la Catedral aufbewahrte Pietà in Auftrag gab, ließ dieses Haus um 1500 als Residenz des Erzdiakons der Kathedrale auf Resten der römischen Stadtmauer errichten. Das **Gebäude** zeigt den Übergangsstil der Spätgotik mit plateresken Elementen. Von seinem ursprünglichen Zustand ist wenig erhalten, da das Palais wiederholt umgebaut wurde. Durch ein Renaissance-Portal betritt man den von weiten, gedrückten Arkaden umgebenen **Innenhof**, in dessen Zentrum ein zweischaliger gotischer Brunnen steht. Der kuriose marmorne **Briefkastenschlitz** – gleich rechts vom Eingang zum Innenhof – auf dem drei Schwalben sitzen und zu dem eine Schildkröte hinaufklettert, ist ein typisch modernistischer Entwurf des Architekten *Domènech i Montaner*, der für die Anwaltskammer bestimmt war. Diese hatte hier Ende des 19. Jh. ihren Sitz. Geistvoll werden die schildkrötengleich langsam mahlenden Mühlen der Justiz ironisiert, die doch eigentlich schnell – wie der Flug der Schwalben – arbeiten sollten.

Seit 1919 ist das Gebäude im Besitz der Stadt. Es beherbergt das *Historische Archiv*, in dem die einzelnen Stadtteilarchive aufgegangen sind, das *Historische Institut* sowie das *Zeitungsarchiv*. Gesammelt werden Dokumente aller Art über den Mittelmeerraum, sämtliche Publikationen über Barcelona seit 1792 sowie Stadtansichten in Handzeichnung, Holzschnitt und Fotografie.

4 Palau Episcopal

Carrer Bisbe 5

Erzbischöfliches Palais mit Resten des romanischen Ursprungsbaus im Innenhof.

Zunächst hatten die Bischöfe im Carrer dels Comtes an der Plaça de Sant Iu, an der Nordseite der Kathedrale, residiert. Um 1300 erwarb Jaume II. dieses Areal zur Erweiterung des Königspalastes. Daraufhin wurde am heutigen Carrer del Bisbe ein neuer Bischofspalast errichtet – ein einziger **Baukörper**, der sich an die römische Stadtmauer lehnte. 1253–57 ließ Bischof Arnau de Gurb zwei benachbarte Häuser abreißen und fügte dem Palast im rechten Winkel einen neuen Flügel mit Fassade zum Carrer del Bisbe an. 1473–82 wurden die Fenster zur Plaça Nova durch die römische Stadtmauer gebrochen. 1784 wurde der Innenhof geschlossen und von Josep Mas i Dordal eine barocke Fassade zur Plaça Nova hin errichtet. Erst 1928 kam die Fassade zur Plaça Garriga Bachs hinzu. Im selben Jahr entdeckte man bei Restaurierungsarbeiten die romanischen *Galerien*. Reste des romanischen *Palastes* finden sich in der heute stark restaurierten Galerie im NW-Flügel des gotischen Innenhofs. Im SW-Flügel sind hübsche dreiteilige *Fenster* des 13. Jh. und ein großes Fenster im Stil der flämischen Gotik aus dem 14. Jh. zu sehen.

5 Centre Excursionista de Catalunya

Carrer Paradís 10

Ein kulturbeflissener Verein hütet hier die letzten Reste der Antike.

Von der Baixada Santa Clara zweigt die Carrer Paradís ab, ein Gässchen mit zweifachem rechtwinkligem Knick im Verlauf. Wenige Meter nach dem zweiten Knick ist ein *Mühlstein* in den Boden eingelassen. Er bezeichnet den höchsten Punkt des Mons Taber, des ehem. Zentrums des römischen Barcino. Der Mühlstein liegt vor einem gotischen Haus, dessen Innenhof öffentlich zugänglich ist. Ein hohes Gitter schließt ihn rechts hinten ab und schützt vier mächtige korinthische **Säulen** – die letzten Reste des römischen Augustustempels aus dem 1.–2. Jh., der an dieser Stelle in einem Garten stand. Den Hinweis auf diesen Garten birgt auch der Straßenname ›Paradís‹. Das Gebäude ist Sitz des Centre Excursionista de Catalunya, das sich heute besonders restauratorischen Aufgaben sowie der wissenschaftlichen Dokumentation Kataloniens widmet.

Viele Feste versüßen den Alltag

Als pflichtbewusst und arbeitsam zeigen sich die Katalanen im Alltag, überschäumende Festtagsfreude legen sie dagegen an den Tag, wenn es etwas zu feiern gibt. Den Auftakt des jährlichen Festtagskalenders bildet die **Cavalcada de Reis**, *die Prozession der Heiligen Drei Könige, die am späten Nachmittag des 5. Januar durch Barcelona zieht. Am 17. Januar feiert der Stadtteil* **Sant Antoni** *den gleichnamigen Schutzpatron der Tiere. Umzüge, Straßenkonzerte und die Tierweihe gehören zum Festtagsprogramm.*

Nach den Karnevalsfeiern gedenkt der Stadtteil Gràcia am 3. März seines Schutzheiligen **Sant Medir** *mit Pferdekutschen-Prozession, Bonbonschlachten und Straßenfesten. Am 23. April feiern die Barcelonesen das wohl schönste Fest des Jahres, das dem katalanischen Schutzpatron* **Sant Jordi** *gewidmet ist. Buchhändler und Blumenverkäufer bauen an allen Ecken der Stadt ihre Stände auf. Nach alter Tradition verschenken die Barcelonesen als Freundschafts- oder Liebesbekenntnis Bücher und Rosen. Am 11. März wird im Carrer Hospital der farbenfrohe Straßenmarkt* **Fires de Sant Ponç** *zu Ehren des Schutzpatrons der Pflanzen, Blumen und Früchte aufgebaut. Besonders weibliche Besucher pilgern am 22. Mai zur Kirche Sant Agustí im Carrer Hospital, wo die Heilige* **Santa Rita** *gemäß der Legende ›das Unmögliche möglich macht‹.*

Der kuriose Brauch des **L'ou com balla** *findet anlässlich des Fronleichnamsfestes im Kreuzgang der Kathe-*

6 Palau de la Generalitat

Plaça de Sant Jaume 4

Einst residierte in dem prachtvollen Palast das mittelalterliche Ständeparlament Kataloniens. Interessant sind die zwei Innenhöfe und der Gran Saló de Sant Jordi.

Dieses Gebäude ist eng mit den katalanischen Unabhängigkeitsbestrebungen in-

Höhepunkt der Festspektakel: der ›Correfoc‹ mit feuerspeienden Ungetümen auf der Plaça de Sant Jaume bildet den Auftakt zur turbulenten Festa de la Mercè im September

drale statt. Dazu wird ein ausgeblasenes Ei auf den Wasserstrahl des Springbrunnens gelegt, und halb Barcelona schaut fasziniert zu, wie das Ei auf und ab tanzt. Feuerwerk, Knallkörper, Konzerte und Bälle auf offener Straße gehören zum Johannisfest **Nit de Sant Joan** *in der Nacht vom 23. auf den 24. Juni. Der Juli bringt Musik- und Theateraufführungen im ›Grec‹, der einem griechischen Theater nachempfundenen Freilichtbühne am Montjuïc.*

Die **Festa Major** *im Bezirk Gràcia lockt Mitte August viele Gäste zu Musikdarbietungen und Nachbarschaftsessen in die geschmückten Straßen des Viertels. Rund 10 Tage dauert ab Mitte September die* **Festa de la Mercè**, *deren Höhepunkt die traditionellen ›Correfocs‹ (Umzüge mit feuerspeienden Ungeheuern) und die Prozession der ›Gegants‹ (riesige, fantasievoll gekleidete Figuren) sind. Ab Ende September gibt es Weinproben, Buchmessen und die kulinarische* **Mostra de la Cuina** *auf den breiten Prachtboulevards. Verschiedene Musikfestivals und die vom 6. bis 23. Dezember dauernde weihnachtliche* **Fira de Santa Llúcia**, *der Krippen- und Kunsthandwerksmarkt rund um die Kathedrale, beenden den Festtagsreigen.*

nerhalb des spanischen Königreiches verknüpft. Den Anlass zu dem Bau gab die Entstehung einer eigenen katalanischen *Ständevertretung* ab dem 13. Jh., offiziell begründet unter König Jaume II. Diese ›Generalitat de Catalunya‹ bestand aus Vertretern der Kirche, des Militärs und der Bürgerschaft. Philipp V. löste sie im 18. Jh. auf und bestimmte das Gebäude zum königlichen Gerichtshof, der 1908 von der ›Diputación Provincial‹ abgelöst wurde. Gerade acht Jahre, 1931–39, diente die Generalitat wieder als Sitz einer autonomen katalanischen Regierung, um unter Franco erneut zur Diputación Provincial degradiert zu werden. Seit 1977 ist der Palast wieder Sitz der autonomen Landesregierung von Katalonien.

Der Ursprungsbau der Generalitat stammt aus dem 14. Jh. Ihm wurden im 15. und 16. Jh. neue Teile hinzugefügt: Ab 1425 errichtete *Marc Safont* den zweigeschossigen gotischen **Innenhof**, von dem eine offene Treppe zur eleganten Galerie mit eng gedrängten Arkaden auf überschlanken Säulen hinauf führt. 1432–39 fügte derselbe Baumeister die

Arkadenblick: gotischer Innenhof des Palau de la Generalitat mit seiner offenen Treppe

Capella de Sant Jordi hinzu. Ihre überreich dekorierte spätgotische Fassade wirkt zwischen den drei Portalen wie ein Maßwerkteppich. Das Innere der Kapelle wurde 1620 um Wölbung und Kuppel erweitert. An den Nordflügel des gotischen Innenhofes schließt der **Pati dels Tarongers** an, der seinen Namen den zierlichen Orangenbäumen verdankt. Mit den Arbeiten an diesem Renaissancehof und den ihn umgebenden Flügeln wurde 1532 begonnen. Das kleine Türmchen im Südost-Eck des Innenhofes besitzt ein *Carrillón*, ein Glockenspiel, das täglich zur Mittagszeit alte und volkstümliche Melodien spielt. An hohen Feiertagen werden hier auch Konzerte gegeben.

Barcelonas Seufzerbrücke: überdachter Gang über die Carrer del Bisbe zwischen Palau de la Generalitat und Kanonikerhaus

Dem Orangenhof gegenüber, im Südflügel der gotischen Galerie, führt eine Renaissancetür in den **Gran Saló de Sant Jordi** (Besichtigung nur am 23. April, dem Georgstag). Diese dreischiffige Halle mit zentraler Kuppel wurde 1596 von *Pere Blay* als Kapelle entworfen. Sie ist der Kern des Renaissance-Baukörpers, den Pere Blay 1602 abschloss. Die breite Freitreppe, die hinunter in das Vestibül führt, stammt aus dem 19. Jh., ebenso die beiden gewaltigen Bronzelöwen.

Die **Fassade** zur Plaça de Sant Jaume hin wurde in Anlehnung an den Palazzo Farnese in Rom ab 1597 in Genueser Marmor ausgeführt. Der Balkon, auf dem 1977 die Wiedereinsetzung der Generalitat proklamiert wurde, ist eine Zugabe des 19. Jh. Berühmt ist die gotische Seitenfassade zur Carrer del Bisbe hin, die Marc Safont zugeschrieben wird. Über diesem Haupteingang des 15. Jh. bezaubert ein *Medaillon* mit dem hl. Georg. Sant Jordi ist der Landespatron Kataloniens und Symbol der katalanischen Eigenständigkeit. Auch die waagrecht aus der Mauer kragenden, bizarren Figuren der *Wasserspeier* sind beachtenswert. Der *überdachte Gang* über der Carrer del Bisbe erinnert an die Seufzerbrücke in Venedig. Er entstand 1926 als Verbindung zwischen Generalitat und Kanonikerhaus.

7 Plaça de Sant Jaume

Der repräsentative Hauptplatz der Stadt, gerahmt von Landesregierung und Rathaus, verwandelt sich einmal im Jahr zum Tummelplatz feuerspeiender Drachen und zum Tanzboden von Riesen.

Die Plaça de Sant Jaume (hl. Jakob) ist das politische Zentrum Barcelonas. Schon unter den Römern hatte sie zentrale Bedeutung: Hier kreuzten sich im rechten Winkel die beiden Hauptstraßen des Römerlagers, die Via Cardo und die Via Decumana. Daneben befand sich das *römische Forum*. Seit dem 10. Jh. stand hier die Kirche *Sant Jaume*, die erst im 19. Jh. zusammen mit anderen Gebäuden abgerissen wurde, um den ursprünglich recht kleinen Platz auf seine heutigen Ausmaße erweitern zu können.

In der Woche um den 24. September finden hier während des großen Stadtfestes **La Mercè** nervenzerreißende Spektakel statt. Den Auftakt macht der *Correfoc*, der Feuerlauf. Nach Einbruch der Dunkelheit kriechen riesige, feuerspeiende Drachen aus dem Carrer de Sant Honorat mitten hinein in die dicht gedrängte Menschenmenge. Kleine Teufel begleiten sie und versuchen die Nächststehenden auf ihre flammenden Dreizacke zu spießen. Das nicht ganz ungefährliche Feuerwerk der Pappmaché-Echsen dauert über zwei Stunden. Der darauf folgende Sonntag beginnt mit dem eleganten *Bal de Gegants*. Riesige Figuren, fein herausstaffiert, trippeln mittels menschlicher Träger anmutig einher. Anschließend werden *Castells*, Burgen aus Menschen, gebaut – ein atemberaubend spannender und akrobatischer

Die Giganten sind los! Beim Bal de Gegants der Festa de la Mercè liefern die elegant gestalteten Riesenfiguren auf der Plaça de Sant Jaume ein eindrucksvolles Schauspiel

Wettbewerb. Welche Mannschaft baut den höchsten und kompliziertesten Turm – Barcelona, Vilafranca oder Valls?

8 Sants Just i Pastor

Plaça de Sant Just,
Eingang Carrer Sant Just

Die gotische Kirche diente zeitweilig als Hofkapelle. Heute stark verändert, besitzt sie noch einen prächtigen gotischen Flügelaltar.

Eine Kirche mit dem Patrozinium der Heiligen Just und Pastor ist seit 1082 belegt. Während des Baus der romanischen Kathedrale unter Ramón Berenguer I. el Viejo wich man in diese Kirche aus, die weiterhin die Pfarrei der Könige blieb. Die heutige Kirche entstand ab 1342 im Stil der katalanischen Gotik. Den **Glockenturm** errichteten 1567 *Joan Safont* und *Pere Blay*.

Das überladene, düstere **Innere**, ausgestattet im Geschmack des 19. Jh., lässt kaum mehr den Ursprungsbau ahnen: eine einschiffige Halle mit vier Jochen, das fünfte wurde im späten 15. Jh. hinzugefügt. Die Seitenkapellen sind zwischen die nach innen gezogenen Strebepfeiler eingeschoben. Auch in dieser Kirche verstellte ursprünglich, wie in ganz Spanien üblich, der *Chor* den freien Blick aus dem Langhaus in die Apsis. Die farbig gefassten *Schlusssteine* stammen bis auf den letzten aus dem 14. Jh. Dargestellt sind Szenen aus dem Leben Jesu und Marias. Bedeutendstes Ausstattungsstück ist der leider meist in pechschwarze Finsternis gehüllte **Flügelaltar** in der Capella de Sant Felix, links neben der Apsis. Dieser wurde 1525 von Joan de Requesens – er durfte in dieser Kapelle seine Familiengrablege einrichten – bei dem flämischen Bildschnitzer *Juan de Bruselas* in Auftrag gegeben. Die *Tafelbilder* malte der Portugiese *Pero Nunyes*. Im Zentrum steht die Darstellung der Beweinung Jesu durch seine Mutter, umgeben von Szenen aus dem Leben Jesu von der Geburt bis zur Auferstehung. Auf den Flügeln sind die Heiligen Petrus und Paulus, auf der Predella der hl. Jakob (Sant Jaume) und Maria mit den Heiligen Felix, Katharina und Hieronymus zu sehen. Der Altar ist eines der frühesten Beispiele in Barcelona, bei dem der traditionelle Goldgrund durch einen Landschaftshintergrund ersetzt ist. Interessant sind auch die beiden *Taufbecken* – sie wurden aus Kapitellen gefertigt, die wohl vom westgotischen Vorgängerbau stammen.

9 Palau Requesens

(Reial Acadèmia de Bones Lletres,
Galeria Catalans de Il.lustres)
Carrer Bisbe Caçador 3

Einer der größten mittelalterlichen Paläste Barcelonas. Die römische Stadtmauer bildet eine Seite des Innenhofes.

Vorübergehend Kirche des Grafen von Barcelona: die gotische Kirche Sants Just i Pastor

Virtuosität in Holz: Renaissancedecke über der Ehrentreppe des Palau del Lloctinent

Das Gässchen Bisbe Caçador endet in einem burgartigen Patio, der zu einem der größten mittelalterlichen Paläste Barcelonas gehört. Anfang des 13. Jh. wurde dieser Palast unter Einbeziehung der römischen Stadtmauer errichtet. Der *Erdgeschossbereich* des **Innenhofs** mit seinem niedrigen Rundbogenportal und der doppelläufigen Treppe gehört noch der romanischen Bauphase an. Ab der *Loggia* am oberen Treppenabsatz herrschen dagegen bereits gotische Stilelemente vor. Ein Meisterwerk sind die fein geschnittenen *Dreipassbögen* auf zierlichen Säulchen, die zur Beleuchtung und wohl auch für einen freien Ausblick in die Landschaft in die Stadtmauer gebrochen wurden. Die **Innenräume** wurden im 17. Jh. renoviert, aus dieser Zeit stammen auch die straßenseitigen Balkone.

Im 15. Jh. lebte hier der Generalgouverneur von Katalonien, Galceran de Requesens, Conde de Palamós, de Trivento y de Avelino. Heute ist der Palast Sitz der *Reial Acadèmia de Bones Lletres*, in der wiederholt Wechselausstellungen zur Stadtgeschichte stattfinden. Seit seiner Restaurierung im Jahr 1970 beherbergt der Palast darüber hinaus die **Galeria de Catalans Il.lustres**, in der Poträts berühmter Katalanen zu sehen sind.

Öffnungszeiten S. 123

10 Palau del Lloctinent

Plaça del Rei/Carrer dels Comtes de Barcelona 2

Der selten für die Öffentlichkeit zugängliche Palast der spanischen Vizekönige ist eines der wenigen Renaissancegebäude der Stadt.

Schon im 15. Jh. wünschten die letzten Könige von Barcelona den Bau einer neuen Residenz nahe am Meer. Die Vizekönige überließen dann 1542 den Palau Reial Major [Nr. 11] der Kanzlei des königlichen Gerichtshofes und bewahrten somit den alten Königspalast vor tief greifenden Änderungen. 1547 erfolgte die Bewilligung eines neuen Palastes durch die Corts Catalans. *Antoni Carbonell* errichtete mit ihm 1549–57 eines der wenigen Renaissancegebäude der Stadt. Es gibt zwar noch verschiedene gotische Elemente wie die fantastischen Wasserspeier unter der Traufe, modern im Sinne der Renaissance ist jedoch das Streben nach Symmetrie im Grundriss und Aufbau der **Fassaden**. Die Fensterachsen kehren in regelmäßiger Abfolge wieder, die Geschosse sind hierarchisch aufgebaut. Das wichtigste und vornehmste Geschoss mit den repräsentativen Räumen, das Piano Nobile, besitzt hohe Fenstertüren. Die beiden oberen Ecken an der Stirnseite des Gebäudes treten bastionsartig aus der Fassadenfläche hervor. Ein umlaufendes Gesims, verziert mit einem Eierstab-Ornament, bildet den oberen Abschluss.

Vom Carrer dels Comtes 2 gelangt man in den quadratischen, zweigeschossigen **Renaissance-Patio**. Vier weit gespannte Bögen tragen die umlaufende Galerie des Obergeschosses. Die toskanischen Säulen der Arkaden entsprechen dem geläufigen Ordnungssystem der Renaissance. Sehr schön ist die dreiseitige *Ehrentreppe* an der Nordseite des Hofes. Die Holzdecke über dem linken Treppenlauf zeugt von außergewöhnlicher Kunstfertigkeit. In der Mitte ist sie durchbrochen und um eine Galerie auf Säulchen erhöht, auf der die Holztonne mit Kassetten ruht.

11 Palau Reial Major

Plaça del Rei

Der Palast der Grafen von Barcelona und Könige von Aragón ist ein historisch gewachsenes Gebäudeensemble. Herausragend sind der riesige gotische Saal und die elegante Palastkapelle.

Der Königspalast von Barcelona setzt sich aus verschiedenen Gebäuden zusammen, die sich um die majestätische **Plaça del Rei** gruppieren. Ihre mächtigen Steinmauern wirken ernst und schwer. Trotzdem ist der Platz bei Einheimischen wie Touristen gleichermaßen beliebt. Man bleibt ein wenig sitzen bei einem Kaffee oder einem Glas Wein an den Tischen vor der Casa Clariana-Padellàs, neben einer *Eisenskulptur* von Eduardo Chillida am Platzeingang oder auf den Stufen im rechten hinteren Eck des Platzes. Nach Einbruch der Dunkelheit wirkt das raffiniert angestrahlte Gebäudeensemble mit seinem hohen Turm ungemein anziehend.

Den rückwärtigen Teil des Platzes bildet die Fassade des *Palau Reial Major*. Die rechte Platzseite nimmt die *Palastkapelle Santa Àgata* ein. Zwischen ihr und dem Platzeingang steht heute die *Casa Clariana-Padellàs*, die die umfangreichen Bestände des Historischen Stadtmuseums beherbergt.

Um 1162 ließ Ramón Berenguer IV. über der ersten Residenz der Grafen von Barcelona einen neuen Palast errichten. Seine heutige Baugestalt erhielt der **Palau Reial Major** jedoch erst ab dem ersten Viertel des 14. Jh. und nach fortlaufenden Erweiterungen, die sich bis in die Mitte des 16. Jh. hinzogen. Im 18. Jh. überließ Philipp V. dem Orden der Clarissinnen einen Teil des Gebäudes als Entschädigung für den Abbruch ihres Konvents im Stadtteil La Ribera. Nach Zerstörungen des 19. Jh. wurde der weitläufige Palast ab 1936 grundlegend restauriert. Der größere Teil gehört heute zum **Museu d'Història de la Ciutat**, ein kleinerer zum *Museu Frederic Marès* [Nr. 12].

Die **Hauptfassade** des Königspalastes präsentiert sich, ähnlich dem Papstpalast in Avignon, mit drei wuchtigen Riesenarkaden. Die Triforienfenster stammen aus der Regierungszeit von Pere II. el Grande (1276–85). Die Rundfenster mit Vierpässen ließ Pere IV. el Ceremonioso (1336–87) in die Wand brechen. Zwischen ihnen sind noch Reste der romanischen Rundbogenarkaden sichtbar, die heute zugemauert sind.

Die monumentalen Bogenstellungen gingen aus der Verbindung der drei Strebepfeiler hervor, die die gewaltigen Schubkräfte des dahinter liegenden Saló de Tinell auffangen. Gleichzeitig dienen sie dem massigen fünfstöckigen Turm – **Mirador del Rei Martí** – als Substruktion. Dieser wurde 1555 von *Antoni Carbonell* auf einen der römischen Stadttürme aufgesetzt, er stellte die Verbindung zum Palau del Lloctinent [Nr. 10] auf der linken Platzseite her.

In den **Saló de Tinell** gelangt man durch die Rundbogentür am Ende der viertelkreisförmigen Treppe. 1359–70 wurde der Saal unter Pere IV. el Ceremonioso von dem Baumeister *Guillem Carbonell* errichtet – ein Meisterwerk der gotischen Baukunst. Sechs weit gespannte Rundbögen aus Haustein überwölben den riesigen königlichen Fest- und Thronsaal. 1493 wurde hier angeblich *Christoph Kolumbus* bei der Rückkehr von seiner ersten Reise in die Neue Welt von den Katholischen Königen Ferdinand und Isabella empfangen. Die Clarissinnen verwandelten den Saal im Barock in eine Kirche mit Seitenkapellen. Erst 1936–42 erhielt er seine ursprüngliche Gestalt wieder.

Unter Jaume II. (1291–1327) und Alfons III. el Benigno (1327–35) wurde die Kapelle **Santa Àgata** von mehreren Baumeistern (Bertram Riquer, Jaume del Rei und Pere Oliva) als Palastkapelle errichtet. Im Laufe des 15. Jh. verdrängte das Patrozinium der hl. Agathe das ursprüngliche Marienpatrozinium, da in der Kapelle der Stein aufbewahrt wurde, auf dem angeblich die abgeschnittenen Brüste der Heiligen ge-

TOP TIPP

Die Plaça del Rei mit dem ehemaligen Königspalast Palau Reial Major (rechts) und dem Palau del Lloctinent (links) bietet einen eindrucksvollen Blick in das alte Barcelona

legen hatten. Die Verehrung der hl. Agathe hatte dadurch zunehmende Bedeutung erlangt. Der schlichte einschiffige **Innenraum** ist durch Spitzbögen in drei Joche gegliedert, besitzt ein angedeutetes Querhaus und eine sechsteilige Apsis. Die Wandvorlagen des Saló de Tinell sind hier zu schlanken Rundsäulchen geworden, die nahtlos in die Bögen übergehen. Originale Bemalung weist die Holzdecke auf. Ein hervorragendes Beispiel für die Qualität der gotischen Malerei Kataloniens ist der *Dreikönigsaltar* (Retaule del Condestable) des Malers Jaume Huguet (1465). Im Zentrum steht die ›Anbetung der Heiligen Drei Könige‹ – deutlich beeinflusst von Rogier van der Weyden –, darüber die ›Kreuzigung‹. Interessant ist die faszinierend naturalistische Darstellungsweise der königlichen Gaben wie auch des Hintergrundes. Stall und Landschaft sind ebenso detailverliebt ausgestaltet, während die Zone des ›Himmels‹ wieder vom traditionellen Goldgrund eingenommen wird.

Dem achteckigen *Turm* der Palastkapelle (über der Sakristei) dient ein römischer Stadtturm mit 6 m Durchmesser als Unterbau. Das Gewölbe ist mittelalterlich. Die Kapelle wurde im 19. Jh., nach der Säkularisation, für industrielle Zwecke genutzt, bis sie schließlich öffentlich versteigert wurde. 1856 wurde sie erstmalig wieder restauriert.

Von der Sakristei der Kapelle führt eine Treppe in die *römische Vergangenheit* Barcelonas hinunter. Bei Ausschachtungsarbeiten für die Casa Clariana-Padellàs stieß man im Jahr 1931 auf Reste der römischen Siedlung aus dem 2. Jh.

n. Chr. Die **Ausgrabungen** erstrecken sich bis zur Kathedrale. Zu sehen sind Teilstücke der römischen *Straßen* – Via Cardo (entspricht etwa dem Verlauf der Carrer de la Llibretería) und Via Cardo Minor (entspricht der Carrer de la Pietat und der Baixada de Santa Clara) – sowie *Grundmauern* der römischen Häuser, in denen Reste der *Wandbemalung* und der *Bodenmosaiken* erhalten sind. Beispiel für die halbindustrielle römische Produktion sind die großen Tonbehälter für Öl oder Mehl in den Vorratsräumen. Reste einer *Therme* wurden ansatzweise restauriert. Die ›Cloaca‹ der Römer, die *Kanalisation*, tat ihre Dienste noch bis ins

Edle Bescheidenheit: die schlicht gestaltete Schlosskapelle Santa Àgata des Palau Reial Major bildet einen würdevollen Rahmen für den Dreikönigsaltar von Jaume Huguet

Erlesene Kunstschätze: Skulpturen, Malerei und Kunsthandwerk bietet das Museu Frederic Marès, hier der Saal XVI. mit einer Madonnenstatue des 16. Jh.

19. Jh., erst dann wurde eine Erneuerung und Erweiterung in Angriff genommen. Neben diesen Zeugnissen aus dem täglichen Leben der römischen Stadt ›Faventia Julia Augusta Pia Barcino‹ gibt es mehr oder weniger vollständig erhaltene römische *Statuen* und eine Venus aus Bronze. Außerdem sind Reste einer frühchristlichen *Basilika* und eines *Baptisteriums* aus dem 4. Jh. zu sehen sowie die Rekonstruktion einer westgotischen *Grabanlage*, zudem jüdische und arabische Zeugnisse.

Von den römischen Ausgrabungen wird der Besucher hinauf geführt in das gotische Gebäude der **Casa Clariana-Padellàs**. Dieses Privathaus stand ursprünglich in der Carrer de Mercaders, musste dort aber der Trasse der neuen Via Laietana weichen und wurde Stein für Stein an seinen jetzigen Standort versetzt. In den *Obergeschossen* sind im **Museu d'Història de la Ciutat** Exponate zur Stadtgeschichte bis zum 19. Jh. zusammengetragen: schöne Beispiele für typisch katalanische Kachelmotive im ersten Stock, Stadtpläne und Stadtansichten, Szenen aus dem Volksleben und Krippenfiguren im zweiten. Das Haus gehörte einst einer reich gewordenen Kaufmannsfamilie des 14. Jh. und entspricht ganz dem Stil der traditionellen katalanischen Gotik. Die *Fassade* ist betont geschlossen und flächig, aufgelockert nur durch die schlanken dreiteiligen Fensteröffnungen. Schön ist der *Patio* mit seinen vielgestaltigen Verzierungen der Fensterstürze, eine Mischung aus Gotik und Renaissance.

Öffnungszeiten S. 125

12 Museu Frederic Marès und Museu Sentimental

Ein Teil des alten Königspalastes beherbergt heute ein hervorragendes Skulpturenmuseum und ein Museum mit großbürgerlichen Gebrauchsgegenständen.

Der Palau Reial Major wurde in der ersten Hälfte des 14. Jh. um einen Flügel erweitert, in dem heute die Sammlung des Bildhauers Frederic Marès (1893–1991) präsentiert wird, die er 1940 der Stadt schenkte. Das **Museu Frederic Marès** zählt neben dem Museum von Valladolid zu den bedeutendsten Skulpturenmuseen in Spanien. Sein Spektrum reicht von der iberischen Kultur (Weihegaben des 5.–1. Jh. v. Chr. in Saal I) bis zum Barock, der Sammlungsschwerpunkt liegt auf Kastilien und Navarra. Der reiche Bestand ist überaus sehenswert. Hervorzuheben sind u. a. die *romanischen Kruzifixe* im Erdgeschoss (Saal II), an denen sich der Wandel im Christusbild von der siegreichen ›Majestas Domini‹ hin zum leidenden, gequälten Christus besonders gut nachvollziehen lässt. Ein *Steinrelief* (12. Jh.) aus dem Kloster San Pere de Rodes beeindruckt mit einer ungemein packenden Darstellung der Berufung Petri. Es dürfte wohl eine Arbeit des Meisters de Cabestany sein. Im Untergeschoss lohnt der *Alabastersarkophag* von Pedro Suarez, im 16. Jh. Bürgermeister von Toledo, eine Betrachtung. Die Figur trägt anstelle der bisher üblichen Rüstung ein langes gegürtetes Gewand mit Rüschenkragen und ein Schwert an der Seite.

Gute Beispiele für das *Kunsthandwerk der Mudéjares* (Mauren, die unter christlicher Herrschaft lebten) im 13. Jh. sind ein Holztor aus der Gegend von León sowie Arbeiten in Saal XIII im 1. Obergeschoss. Im Eingang zu Saal XVI verdient eine Kuriosität Beachtung: verschiedene *Hostieneisen* des 13.–16. Jh. Saal XVIII birgt Reste einer *Beweinungsgruppe* der Renaissance aus La Rioja. Solch szenische Darstellungen mit monumentalen Figuren waren in Spanien besonders beliebt. Saal XXXI ist dem nahen *Kloster Montserrat* und der Verehrung des dortigen Marienbildes vorbehalten. In Saal XXXII wird eine schöne Sammlung von *Krippenfiguren* gezeigt.

Das 2. Obergeschoss ab Saal XXXIII beherbergt das **Museu Sentimental** mit zahlreichen Gebrauchsgegenständen aus dem großbürgerlichen Leben Barcelonas im 19. Jh.: Sonnenschirme, Nippes, Streichholzschachteln, frühe Fotografie und religiöse Volkskunst.

Öffnungszeiten S. 124

13 Casa de la Pia Almoina

(Museu Diocesà de Barcelona)
Pla de la Seu 7

Heute sind in dem ehem. Almosenhaus Tafelbilder und Skulpturen aus der Glanzzeit Barcelonas ausgestellt.

Die Ostseite der Pla de la Seu begrenzt die Casa de la Pia Almoina, das Haus des frommen Almosens. Diese Institution wurde 1009 ins Leben gerufen, sie hatte sich zum Ziel gesetzt, jeden Tag 100 Arme zu speisen und sich um die Pilger zu kümmern. Um 1450 wurde die Haushälfte, die mit dem steilen Giebel zum Platz steht, gebaut. 100 Jahre später wurde das Gebäude nach Norden hin erweitert und bildet somit heute eine Seite des Platzes. Im September 1991 öffnete hier das **Museu Diocesà de Barcelona** seine Pforten. Gesammelt wurde seit 1916 *Malerei* und *Skulptur* aus Gotik und Renaissance. Hochinteressant sind die Bilder, die aus den alten Kirchen der Stadt hierher kamen und Heiligengeschichten mit zeitgenössischen *Stadtansichten* im Hintergrund illustrieren. Auch Kunstwerke der Romanik und des Barock gehören zum Fundus des Museums.

Öffnungszeiten S. 124

14 Plaça de Berenguer el Gran

Der Platz am Fuße der Stadtmauer bietet einen interessanten Blick auf die ›Fundamente‹ Barcelonas.

Der Platz vermittelt einen besonders beeindruckenden Überblick über die Geschichte Barcelonas. Stadtgrundriss und -bild wurden grundlegend geprägt von der Zeit der römischen Herrschaft über die Provinz Laietana und von der Hochblüte Barcelonas im Mittelalter. Die beiden Epochen bauen sich hier, einem Prospekt gleich, vor dem Betrachter auf. Die Basis des Ensembles bildet, wie bereits an der Pla de la Seu [Nr. 1] gesehen, die **römische Stadtmauer** mit sieben quadratischen, sorgfältig renovierten Türmen. Die bis auf eine Höhe von 9 m erhaltene Mauer ist aus großen Hausteinen gefertigt. Drei der Türme besitzen noch ihre ursprüngliche Höhe von 18 m. Auf diese Mauer wurde im 13. und 14. Jh. die Palastkapelle *Santa Àgata* [Nr. 11] mit ihrem fast 40 m hohen, achteckigen Turm gebaut. Dahinter präsentiert sich der wuchtige Klotz des *Mirador del Rei Martí* aus dem 16. Jh., hinter dem wiederum die mächtigen Türme der gotischen *Kathedrale* [Nr. 2] aufragen.

Der Name des Platzes erinnert an Ramón Berenguer III. (1096–1131), Graf von Barcelona. Er erhielt den Beinamen ›der Große‹, da er die sich den Arabern widersetzenden katalanischen Grafschaften einte. Seit 1950 schmückt sein **Reiterstandbild** den Platz, das der modernistische Bildhauer Josep Llimona bereits 1920 geschaffen hatte.

An der Plaça de Berenguer el Gran werden die ›Fundamente‹ Barcelonas sichtbar, über der römischen Stadtmauer erheben sich die Türme von Santa Àgata und La Catedral

15 Carrer del Call

Reste des Jüdischen Viertels im mittelalterlichen Barcelona.

›Call‹ leitet sich aus dem Hebräischen (Qahal) ab und heißt Versammlung. Die Straße war im Mittelalter Zentrum des gleichnamigen **Judenviertels**, das sich von der Plaça Nova (Portal del Bisbe) bis zur Carrer de la Boqueria (Portal del Nou) erstreckte. Hier war die geistige Elite Kataloniens zu Hause – berühmte Dichter, Astronomen und Philosophen. Lange Zeit (bis 1450) war die *jüdische Universität* die einzige derartige Einrichtung in Barcelona. Gelehrt wurden Philosophie, Mathematik, Physik, Astronomie, Alchimie, Geographie, Medizin und Chirurgie. Außerdem gab es Knabenschulen, Bäder und Krankenhäuser – Einrichtungen, die im Mittelalter keine Selbstverständlichkeit waren. Juden bekleideten zum Teil wichtige staatliche Positionen, z. B. entsandte Jaume II. (1291–1327) zwei Juden als Botschafter nach Granada und Tunis. Doch bereits 1243 hatte König Jaume I. das Viertel von der übrigen Stadt durch eine Mauer abgrenzen lassen.

1348 wurde der Call unter dem Vorwand geplündert, die Juden hätten den Schwarzen Tod in die Stadt eingeschleppt. Tatsächlicher Grund für diesen Angriff dürfte aber der Wunsch gewesen sein, die starke wirtschaftliche Position der Juden zu brechen. 1395 wurde eine der beiden Synagogen in eine Dreifaltigkeitskirche umgewandelt, die andere 1396 an eine Töpferei verpachtet. 1424 fand schließlich die endgültige *Vertreibung* der Juden aus dem Viertel statt. Bauliche Zeugnisse aus der Glanzzeit dieses Viertels existieren nicht mehr. Bedeutendster Rest ist ein Stein mit **hebrä-**

Einer der intimsten Orte der Innenstadt ist die beschauliche Plaça Sant Felip Neri

ischer Inschrift im ersten Haus des Carrer Marlet. Auf ihm steht geschrieben: ›Heilige Stiftung des Rabbi Samuel Hassareri, dessen Leben nie enden möge‹, 1314 (Carrer de Marlet I).

16 Plaça Sant Felip Neri

Stimmungsvoller Platz abseits touristischen Treibens um die Kathedrale.

Dieser kleine Platz gehört zu den heimeligsten Orten der Stadt. Er ist beinahe ganz umbaut, gerade zwei schmale Zugänge sind offen geblieben. In der Platzmitte plätschert ein kleiner **Brunnen**, gerahmt von zwei schattigen Akazien. Das Wasser läuft aus einer Muschelschale in den achteckigen Trog, der mit weißen und grünen Kacheln ausgekleidet ist. Von der Carrer Montjuïc del Bisbe betritt man den Platz durch einen Rundbogen. Zur Rechten dieses Tores stehen die Ordensgebäude von Sant Felip Neri samt einer Schule und der dem hl. Philippus Neri geweihten Kirche. Das **Konventsgebäude** mit seiner schlichten Fassade und einem barocken Kreuzgang wurde 1673 begonnen und im 18. Jh. verändert. Die Kirche **Sant Felip Neri** ist ein typischer Bau der römischen Gegenreformation, errichtet 1748–52: einschiffiger Innenraum mit Tonnengewölbe und Spitzkappen, seitliche Kapellen und Kuppel über der Vierung.

Zur Linken des Platzzuganges steht ein hübsches, allerdings schlecht erhaltenes Renaissancepalais – das **Zunfthaus der Schuhmachergilde**, das von der Pla de la Seu [Nr. 1] hierher versetzt wurde. An der *Fassade* lässt sich die Bestimmung dieses Gebäudes sehr einfach ablesen: In den vier Ecken und an den Reliefs der Fensterstürze erscheinen Schuhe und Füße, auf der großen Reliefplatte in der Mitte hockt ein Löwe. Die *Inschrift* zwischen den beiden Eingangstüren im Erdgeschoss informiert über das Baujahr des Hauses und die Bedeutung des Löwen. Er ist das Symbol des Evangelisten Markus, der als Patron der Schuhmacher gilt. Heute ist hier das Schuhmuseum **Museu de Calçat Antic** untergebracht. Zu sehen gibt es eine kuriose Sammlung alten und von berühmten Persönlichkeiten getragenen Schuhwerks.

Öffnungszeiten S. 124

Les Rambles – Flaniermeile unter schattigen Platanen

›La Rambla‹, ›Les Rambles‹ – das ist für viele bereits gleichbedeutend mit Barcelona. Obwohl nicht mehr damit gemeint ist als ein circa 1,5 km langer Straßenzug, der von der *Plaça de Catalunya* hinunter zur *Plaça Portal de la Pau* führt und sich aus verschiedenen Abschnitten zusammensetzt.

Als Barcelona noch in den Kinderschuhen steckte und gerade die Umgebung des kleinen Hügels Mons Taber bedeckte, führte entlang der westlichen Stadtmauer ein trockenes **Bachbett** hinab zum Meer, das sich nur bei heftigen Gewittergüssen füllte und die angehäuften Abfälle mit sich spülte. Die arabische Bezeichnung dafür war ›Rambla‹ und ging in die spanische Sprache ein. Im Laufe der Zeit wuchs die Stadt außerhalb ihrer engen Mauern weiter, und das Bachbett verwandelte sich allmählich in die einzige wirklich breite **Straße** der Altstadt. Hier trieb man Handel, ergötzte sich schaudernd an öffentlichen Hinrichtungen, traf sich zum abendlichen Flanieren, zum Diskutieren und Philosophieren. Seit dem 16. Jh. ließen sich an der Rambla verschiedene Konvente nieder, umfangreiche Klosteranlagen entstanden. Ende des 18. Jh. wurde die Straßenmitte erhöht und mit Pappeln bepflanzt. 1859 kamen Platanen hinzu, die der Rambla heute ihr *unverwechselbares Gepräge* geben.

Allzuviel hat sich an der Funktion der Rambla nicht geändert. Wie kein anderer Ort der Stadt kann diese Straße in kürzester Zeit ein Bild von der **Vielschichtigkeit Barcelonas** vermitteln: schlendernde Bürger mit ihren herausgeputzten Kindern, von Rauschgift und Alkohol gezeichnete Gestalten, schaulustige oder ängstlich auf ihr Hab und Gut bedachte Touristen, Prostituierte und viele mehr. Sie alle ziehen vorbei an den zahlreichen Tischen der Cafés und Restaurants, den Bücher- und Zeitschriftenständen, dem bunten Blumen- und schrillen Vogelmarkt, den fliegenden Händlern und dem Kunstgewerbemarkt, der am unteren Ende der Rambla an den Wochenenden stattfindet.

Der Barça – Barcelonas Fußballclub

Wenn auf der Avinguda Diagonal der Verkehr zusammenbricht, dann wird in Barcelonas wichtigstem Fußballstadion in Kürze ein Heimspiel des **F. C. Barcelona** angepfiffen. Wenn Straßen, Restaurants und Nachtlokale wie leer gefegt sind und die Kellner gebannt auf den Fernseher starren, dann spielt bestimmt der Barça. Wenn plötzlich in der ganzen Stadt ein ohrenbetäubendes Hupkonzert losbricht und blau-rote Fahnen aus den Autofenstern flattern, dann hat der heimische Verein das Spiel gewonnen. Wenn neben dem Canaleta-Brunnen auf den Rambles ältere Herren in hitzige Diskussionen verwickelt sind, dann hat der Club Punkte verloren. Die Geschicke des Barça sind, seit der Clubgründung durch den Schweizer **Hans Gamper** im Jahre 1899, Gesprächsthema Nummer 1 in der Stadt.

Der Barça ist kein gewöhnlicher Fußballverein, sondern ›més que un club‹ – **›mehr als ein Club‹**, wie jeder Barcelonese mit Stolz versichert. Neben den sportlichen Einrichtungen unterhält der finanzstarke Verein ein Museum, ein Altenheim und einen Kindergarten. Der Etat des Clubs beträgt pro Jahr rund 40 Millionen €. Der Trainer und einige Starfußballer können davon jeweils rund 720 000 € in die eigene Tasche stecken.

Die Geschicke des Clubs sind nicht selten mit dem Geschehen auf der **politischen Bühne** verstrickt. Während der Franco-Diktatur hatte die zentrale Macht in Madrid ein wachsames Auge auf den Verein, der nicht nur Sportbegeisterung an den Tag legte, sondern gleichzeitig nationalistisch-katalanische Gesinnung offenbarte. Erzfeind des Barça ist deshalb auch heute noch **Real Madrid**. Wenn die Madrileños eine Niederlage erleiden, freut sich ganz Katalonien.

Heimspiele finden meist am Sonntagnachmittag statt. Tausende von Zuschauern pilgern zum **Camp Nou**, Souvenirhändler machen mit blau-roten Flaggen, Wappen, Trikots und ›Jordi-Culé‹-Aufklebern, dem Maskottchen des Vereins, ein gutes Geschäft. **Culés** (Ärsche) heißen auch die Anhänger des Barça, die diesen Namen mit Stolz tragen. Er hat seinen Ursprung in der Zeit, als im alten Stadion Les Corts die Hinterteile der Zuschauer durch die Sitzbänke schimmerten. 1957 wurde das neue Stadion, **Camp Nou**, eröffnet. Es besitzt mehr als 98 000 Sitzplätze und ist damit das größte Fußballstadion Europas.

Für auswärtige Fußballfans gehören der Besuch eines Heimspiels und die Besichtigung des **Museu del F. C. Barcelona** zu den Höhepunkten eines Barcelona-Aufenthalts. Das Club-Museum an der Arístides Maillol zeigt Dokumente und Trophäen des Barça und bietet eine audiovisuelle Vorführung über Geschichte und Bedeutung des Vereins (Öffnungszeiten S. 124).

17 Rambla de Canaletes

Heiße Fußballdiskussionen und ein Brunnen der Wiederkehr.

Hier treffen sich die *Fußballbegeisterten* der Stadt, um die aktuellen Spiele zu kommentieren und die Siege des F. C. Barcelona zu feiern. Es gibt auch einige **Cafés**, wie die ›Cervecería Naviera‹, die aus den 20er-Jahren des 20. Jh. stammt. Wichtig ist auch das ›Nuria‹, da man dort noch zu vorgerückter Stunde Sandwiches (Bocadillos) erstehen kann.

Der Gusseisenbrunnen **El Font de Canaletes** in der Mitte der Straße mit seinen vier kreisrunden Wasserbecken gab diesem Teil der Rambles den Namen. Obwohl das Brunnenmodell an verschiedenen Stellen der Altstadt anzutreffen ist, soll gerade der Rambla-Brunnen dem, der aus ihm trinkt, eine Wiederkehr nach Barcelona garantieren.

18 Rambla dels Estudis

Bunte Vogelwelt und eine bewegte akademische Geschichte.

In kleinen, übereinander gestapelten Käfigen turnen und kreischen Papageien. Auf diesem Teil der Rambles ist täglich **Vogelmarkt,** was dem Straßenabschnitt auch seinen volkstümlichen Namen *Rambla dels Ocells* gab. Seine offizielle Bezeichnung verdankt er allerdings dem ersten *Universitätsgebäude* der Stadt, das 1536 hier errichtet wurde. 1450 hatte Alfons V. die Einrichtung des ›Estudi General‹ bewilligt mit den Lehrstühlen Theologie, Kanonisches Recht und Zivilrecht, Philosophie und Medizin. 200 Jahre später ergriffen die Studenten zusammen mit der Stadt die falsche Partei im Spanischen Erbfolgekrieg, und so schloss Philipp V. Anfang des 18. Jh. die Tore dieser Institution wieder und machte das Gebäude zu einem Militärquartier. 1843 wurde es endgültig abgerissen.

Die **Academia de Ciències** (Rambla 115), kenntlich an der Uhr im mittleren hohen Rundbogenfenster und dem *Teatro poliorama* im Erdgeschoss, erinnert an die akademische Vergangenheit. Das Gebäude im Stil der Neorenaissance daneben (Rambla 109) gehört der **Compañía General de Tabacos de Filipinas**, lange Zeit eines der bedeutendsten Wirtschaftsunternehmen Spaniens.

Die **Església de Belén** an der Ecke Carrer del Carme 2 geht auf eine Jesuitengründung des 16. Jh. zurück. Mit dem ersten Kirchenbau, der nur die Grundfläche der heutigen Apsis einnahm – wurde gegen 1533 begonnen. 1671 brannte dieses Gotteshaus ab, und man errichtete an seiner Stelle einen Barockbau. Blickfang sind die Diamantquader der *Seitenfassade* an der Rambla, die Hauptfassade weist zur Carrer del Carme. Das kleine *Relief* mit der Weihnachtsdarstellung (El Belén) über dem Portal veranschaulicht das Patrozinium der Kirche. Bauherren und Träger der Kirche vertreten die zwei *Statuen* zu seiten des Portals: Rechts steht Ignatius von Loyola, links Francisco de Borja. Der *Innenraum* entspricht ganz dem Typus der römischen Jesuitenkirche. Seltsam berührt hier die Kahlheit und ungelenke Modernität, steht man doch in einer Barockkirche. Mit Ausnahme der Kathedrale gibt es jedoch in ganz Barcelona so gut wie keine alte Kirche, die eine nennenswerte Innenausstattung besäße. Der Grund dafür ist ein wütender Kirchensturm 1936 während des Bürgerkrieges, bei dem fast alle Kirchen der Stadt in Brand gesteckt wurden.

Gegenüber der Belén-Kirche steht der **Palau Moja**, ein strenges Palais, das die Architekten *Francesc Pla ›El Vigata‹* und *Antoni Rovira i Trias* 1774–90 errichteten. Der einstmals große Garten an seiner Rückseite existiert nicht mehr. Die farbig schlichte, flächig gefasste Fassade strahlt die ernste Würde des Klassizismus aus und bildet so einen reizvollen Kontrast zu der barocken Üppigkeit der Diamantquaderfassade auf der anderen Straßenseite. Die Generalitat, die Regionalregierung, ließ im Erdgeschoss eine Buchhandlung mit interessantem Sortiment (auch deutschsprachig) über Katalonien einrichten und nützt die großen Säle bisweilen für Ausstellungen.

19 Rambla de Sant Josep

Herrliche Blütenpracht und kulinarische Marktfreuden.

Offiziell heißt dieser Abschnitt der Rambles nach einem Kloster, das einmal hier stand, nur ›Rambla des hl. Josef‹. Heute aber ist das Straßenbild von einem Meer bunter **Blumen** geprägt, das ihr den Beinamen *Rambla de les Flors* eingetragen hat. Die Blumen werden an zahlreichen Ständen und **Glaskiosken** verkauft, die nach den Buchstaben von A bis R geordnet sind, gefolgt vom Namen des je-

ANTIGUA CASA FIGUERAS
500

weiligen Händlers. Diese Häuschen dienten ursprünglich als Fleischstände für die Metzger, die im 19. Jh. in den Mercat de la Boqueria übersiedelten.

Bemerkenswertestes Gebäude an diesem Abschnitt der Rambles ist der elegante **Palau de la Virreina** (Rambla 99). Dieses bürgerliche Rokokopalais war einst Witwensitz einer jungen Vizekönigin, die ihr Königreich allerdings nie gesehen hat. Der Bauherr Don Manuel Amat i Junyent war Mitte des 18. Jh. Vizekönig von Peru. Nachdem er dort ein Vermögen gemacht und 1771 von Lima aus detaillierte Pläne für den Bau eines Palastes in seine Heimatstadt Barcelona gesandt hatte, kehrte er zurück und verehelichte sich mit einer jungen Adeligen. Unglücklicherweise starb er bald und konnte sich an dem kostbar ausgestatteten Neubau nicht mehr lange erfreuen. So erhielt das Haus rasch den Namen ›Palast der Vizekönigin‹. Der Bau entstand 1772–78 unter Leitung des Architekten und Bildhauers *Carles Grau*. Die Fassade ist in einer aparten Mischung aus Rokokoelementen (in der Dekoration) und strengem Klassizismus (in der straffen Kolossalgliederung) gestaltet. Bemerkenswert ist die bekrönende *Balustrade*, mit ihren wuchtigen Vasenaufsätzen typisch für den Geschmack jener Zeit. Die Stadt Barcelona, das ›Ajuntament‹, nutzt das Gebäude unter der Bezeichnung ›Espai 2‹ heute für *Wechselausstellungen* moderner und zeitgenössischer Kunst.

Vielleicht der bekannteste, sicherlich aber nicht der schönste unter den 38 Märkten Barcelonas ist der **Mercat de la Boqueria**, auch Mercat de Sant Josep genannt. 1836 wurden die Markthallen in moderner Gusseisenkonstruktion an der Stelle des aufgehobenen Klosters der Carmelitas Descalzas de San José (1593–1835) errichtet. Wie überall auf den Märkten der Stadt macht allein ein Rundgang bereits Spaß, mitten im Gedränge vorbei an der farbenfrohen Vielfalt der Stände.

An der Ecke zur Carrer de la Petxina (Rambla 83) gibt es entzückenden Jugendstil zu bewundern: die 1902 gestaltete Ladenfassade der **Antigua Casa Figueras**, hinter der heute eine Patisserie residiert. Die Besitzer des Hauses umgaben sich, wie viele Mäzenaten des Modernisme, mit einigen Künstlern und Kunsthandwerkern, die sich an der Gestaltung beteiligten und ein modernistisches Kunstwerk aus Reliefs, Mosaiken, Schmiedeeisen und Glas schufen.

◁ *Flaniermeile Les Rambles: Blumenmeer und Jugendstilladen Antigua Casa Figueras auf der Rambla de Sant Josep (***oben***), Musikdarbietung und sonntäglicher Kunstmarkt auf der Plaça de Sant Josep Oriol (***Mitte, unten rechts***), Früchterausch im Mercat de la Boqueria (***unten links***)*

20 Rambla dels Caputxins

Theatervergangenheit und ruhige Oasen am Rande des Rambla-Trubels.

Ungeachtet seines unscheinbaren Äußeren zählte das **Gran Teatre del Liceu** (Rambla 61) einst zu den bedeutendsten und schönsten Opernhäusern Europas. An Größe wurde es nur von der Mailänder Scala übertroffen. Hinter der an einen Bahnhof erinnernden Fassade verbarg sich ein prachtvoller, luxuriöser Saal. Am 1. Januar 1914 hob sich hier der Vorhang zur ersten autorisierten Parsifal-Aufführung außerhalb Bayreuths. Als das ursprünglich 1844–48 von *Miguel Garriga i Roca* errichtete und nach mehreren Bränden 1862 grundlegend renovierte Opernhaus für das olympische Jahr 1992 nach modernsten Theaterbedürfnissen umgebaut war, zerstörte 1994 ein verheerendes Feuer den gesamten Innenraum. Die Wiederaufbauarbeiten wurden sofort in die Wege geleitet. Seit 1999 präsentiert sich das Liceu in geschickter Mischung aus originalgetreuer und neuer Architektur wieder der Öffentlichkeit.

Verlässt man die Rambla an der Plaça de la Boqueria und folgt dem Carrer del Cardenal Casañas, kommt man auf einen hübschen, von Pinien bestandenen Platz,

Gotische Steinmetzkunst: Engel und ›der Sündenfall‹ schmücken die Kapitelle am Seitenportal von Santa Maria del Pi

Bei Einheimischen und Besuchern gleichermaßen beliebt ist die palmenbestandene Plaça Reial am Rande der Rambles ▷

die Plaça del Pi. Die gotische Kirche **Santa Maria del Pi**, nach der der Platz benannt ist, zählt neben Santa Maria del Mar [Nr. 24] und dem Monestir de Pedralbes [Nr. 84] zu den typischsten Vertretern der katalanischen Gotik in Barcelona. Gegen 1322 wurde mit dem Bau der Kirche begonnen. Die Fassade stammt noch aus dem 14. Jh., das Langhaus wurde in der 2. Hälfte des 14. Jh. mit vierteiligen, weit herabgezogenen Gewölben versehen. Drei Baumeister sind bekannt: Guillem Abiell (um 1415), Francesc Basset (um 1443), Bartomeu Mas (2. Hälfte 15. Jh.: Kapitelsaal und Glockenturm). Der *Bau* ist ein gewaltiger Kubus, unten massig geschlossen, über der Kapellenzone treten die Strebepfeiler kräftig hervor. Sie sind von Spitzbogendurchgängen durchbrochen und bilden so einen Umgang um die Kirche in luftiger Höhe. Die Fassade besteht aus einer gewaltigen Wandfläche, durchbrochen nur von der großen Fensterrose. Zwei Turmansätze betonen die Ecken. Die Portalzone wirkt wie gotisches Beiwerk, die aufgesetzten Spitzbogenarkaden mit ihren leeren Figurennischen wie Ornament. Schön sind die Köpfe in dem Kapitell des linken, äußeren Gewändes.

Am Seiteneingang an der Plaça Josep Oriol gibt es interessante Kapitelle im rechten Portalgewände: Sündenfall und zwei Engel. Betritt man die Kirche, wird man von einem weiten, wunderbar ausgewogenen *Saalraum* umfangen: eine einschiffige Halle ohne Querschiff, die von einer polygonalen, fast gerundeten Apsis abgeschlossen wird. Die Wandflächen besitzen eine verhaltene, zierliche Gliederung: vorgelagerte schlanke Rundsäulchen und einen schmalen horizontalen Gesimsstab an der Unterkante der großen, farbigen Fenster. Herrlich ist die blaue *Fensterrose* über dem Portal. Sie besteht nur aus Blumen, auf szenische Darstellungen ist vollkommen verzichtet – in Farbe, Form und Motiven ein großartiges Symbol Mariens. Allerdings ist sie ›nur‹ eine sehr gute Kopie, das Original wurde 1936 durch Brand zerstört.

Café an der Plaça Reial: Lauschiges Plätzchen unter Arkaden für eine ›Jarra‹ Bier

Die Kirche der ›Muttergottes vom Pinienbaum‹ ist von zwei Plätzen umgeben, das bedeutet so gut wie kein Autoverkehr, Straßencafés und Beschaulichkeit statt hektischem Getriebe. An der Stirnseite der Kirche liegt die **Plaça del Pi**, bestanden mit der namengebenden

Pinie, die allerdings recht ausgedünnt ist. An der Südseite öffnet sich die **Plaça de Sant Josep Oriol**. Hier wird bei der Fiesta de la Mercè Sardana [s. S. 20] getanzt. Am Sonntag gibt es einen kleinen Kunstmarkt. Die Künstler treffen sich unter der Woche in dem alten Bohèmecafé **Bar del Pi**. Gegenüber der Kirche steht ein prächtiges **Patrizierhaus** (Haus Nr. 4) mit schmiedeeisernen Balkonen – der Neue Palast der Familie Fivaller aus dem Jahre 1571.

Von außen nicht zu erkennen, da sie nur drei überdachte Eingänge besitzt, stellt die **Plaça Reial** eine Oase der Ruhe am Rande der Rambla dar, die gerne mit der Plaza Mayor in Madrid verglichen wird. 1848–59 entstand nach Entwürfen des Architekten *Francesc Daniel i Molina* ein öffentlicher Platz, eines der reizvollsten geschlossenen Bauensembles der Stadt, auf dem Gelände einer abgerissenen Klosteranlage. Die Tatsache, dass er aus völlig gleichartig erscheinenden Flügeln gebildet ist – durchlaufende *Arkaden* mit drei Geschossen darüber –, überspielt geschickt die leichte Asymmetrie des Grundrisses. Bis zur Jahrhundertwende war die Plaça Reial mit seinen schlanken Palmen, dem *Drei-Grazien-Brunnen*, den behelmten Laternen (Jugendwerke Gaudís, um 1878) und den einladenden Bänken ein Corso des Großbürgertums. Heute ist sie ein volkstümlicher Platz mit stark wechselndem Publikum. Im nördlichen und östlichen Flügel finden sich zahlreiche Cafés, Bars, Marisquerías, Bier- und Nachtlokale. Unter den nördlichen Arkaden wird Bier in der für spanische Gepflogenheiten enormen Menge von einem halben Liter, einer ›Jarra‹, ausgeschenkt. Am Sonntagvormittag werden auf dem Platz Briefmarken gehandelt.

Ein Geheimtipp für Liebhaber von Läden, an denen die Zeit spurlos vorübergegangen zu sein scheint, ist der am Beginn des Carrer Vidre gelegene Kräuterladen **L'Herbolari del Rei**. Er wurde 1823 gegründet und nach behutsamer Reno-

Wie zwei gähnende Schlünde: das Doppelportal des Palau Güell von Antoni Gaudí

vierung vor einigen Jahren wieder eröffnet. Jede Schublade besitzt ein eigenes Bildmotiv. Hinter der Ladentheke sitzen zwei reizende alte Damen, emsig Kräuter in flache Körbe zupfend. Achtung: Fotografieren ist hier nicht erwünscht.

TOP TIPP 1885–89 errichtete *Antoni Gaudí* [s. S. 89] den **Palau Güell** (Carrer Nou de la Rambla 3) für seinen Förderer und Freund, den Industriellen Graf Eusebi Güell. Es war das erste Projekt, das Gaudí ganz in eigener Verantwortung ausführte und eine heikle Aufgabe, da das Grundstück sehr knapp geschnitten und seine Lage auch damals nicht gerade repräsentativ war. Gaudí entwickelte daher ein von der Straße abgeschirmtes, in sich geschlossenes Gehäuse. Die *Fassade* aus hellgrauem Naturstein wirkt schroff und abweisend. Wie zwei dunkle Schlünde gähnen darin die beiden parabolförmigen Toröffnungen mit mächtigen schmiedeeisernen Gittern davor. Im Untergeschoss war der Pferdestall untergebracht, sehenswert sind dort die gewaltigen, gedrungenen *Ziegelsäulen*, auf denen der sechsstöckige Bau ruht. Im Erdgeschoss konnte mit Kutschen vorgefahren werden, und man gelangte so direkt über die in der Mitte gelegene Treppe in die *Beletage* mit ihren herrschaftlichen Räumen: Salons, Schlafzimmer, Bibliothek und im Zentrum ein hoher *Saal*. Wie ein überkuppelter Patio (Innenhof) durchstößt er die gesamte Gebäudehöhe. Hier fanden Konzerte und Dichterlesungen statt, wurden Feste und Gottesdienste gefeiert – eine *Orgel* ist eingebaut. Beeindruckend sind die dunkle, gedämpfte Pracht und die Kostbarkeit der mit höchster Sorgfalt hergestellten *Innenausstattung:* Marmor-

Fantastischer Garten: auf dem Dach des Palau Güell ließ Gaudí bunte Pilzkamine aus Kachelbruchstücken wachsen

säulen, mit reichen Schnitzereien verzierte Holzdecken und Wandverkleidungen, Intarsienarbeiten, Glasmalereien und erlesenes, raffiniertes Mobiliar, speziell für dieses Haus entworfen. Der Palast zeigt bereits Gaudís ornamentales Repertoire. Er hatte die Kunst der Mauren und der Gotik für sich entdeckt und besaß die Gabe, diese zu einem unverwechselbaren Stil umzuformen. Dem entspricht auch die fantastische *Dachterrasse:* in der Mitte die 15 m hohe Kuppel des Salons, umringt von 18 bizarren Kaminen und Lüftungsschächten, die mit bunten Kachelbruchstücken verziert sind.

Öffnungszeiten S. 124

21 Rambla de Santa Mònica

Kunstwerke der katalanischen Moderne und eines der besten Wachsfigurenkabinette Europas.

Das heutige **Centre d'Art Santa Mònica** (Rambla 7) war ursprünglich Konventsgebäude der Barfüßigen Augustiner und später Kloster Santa Mònica. Die Umgestaltung durch die Architekten *Helio Piñón* und *Albert Viaplana* verwandelte es in ein Paradebeispiel des abstrakten Minimalismus. Dass große Bullauge der direkt anschließenden Kirche Santa Mònica zieht die Blicke auf sich. Eine gangwayähnliche Rampe führt in das Kunstzentrum hinauf. Ein Schwerpunkt des Ausstellungsprogramms, das von der Generalitat finanziert wird, ist die katalanische Moderne, vertreten durch Dalí, Picasso, Gonzáles, Tàpies, Brossa und Miró. Daneben wird auch internationale, besonders zeitgenössische Kunst gezeigt. Im Kunstzentrum gibt es eine kleine, aber feine Buchhandlung.

Die **Casa March de Reus** (Rambla 8) war eines der ersten Gebäude, die nach dem Abbruch des letzten Stadtmauerstücks 1775 errichtet wurden. Bauherr war ein reicher Kaufmann aus Reus. Der Architekt *Joan Soler i Faneca* entwarf 1776 ein Gebäude über quadratischem Grundriss mit zentralem Innenhof und einem Garten hinter dem Haus. Bemerkenswert ist die Schlichtheit der streng komponierten klassizistischen *Fassade*, verwandt dem Palau Moja [Nr. 18]. In der Kartusche über dem Mittelfenster des Obergeschosses ist eine Anspielung auf den Handel mit Südamerika zu sehen.

Ein grünes Band durch Barcelona: die Rambles bilden eine beeindruckende Zäsur im engen Häusergewirr der Altstadt

Die häufig wechselnde Nutzung hatte das Innere des Hauses stark beeinträchtigt. Heute ist es renoviert und Sitz des katalanischen Kulturministeriums.

Etwas oberhalb der Casa March de Reus zweigt eine kleine Gasse rechts von der Rambla ab, kenntlich an dem kleinen, von vier grazilen Mädchenfiguren getragenen gusseisernen *Brunnen*. Am Ende der Gasse steht ein schmuckes Gebäude aus der Mitte des 19. Jh. mit schöner, zum Teil noch originaler Ausstattung. 1867 ließ es die Bank, Compañía General de Crédito al Comercio errichten. Hier ist das Wachsfigurenkabinett **Museu de Cera** (Passatge de la Banca 7) eingerichtet, das sich mit Recht zu den besten Europas zählt. Auf drei Stockwerken sind über 300 Wachsfiguren mittels modernster Technik und suggestiver Hintergrundmusik naturalistisch in Szene gesetzt.

Wie aus dem Leben gegriffen: Salvador Dalì als Wachsfigur im Museu de Cera

Der Rundgang ist historisch aufgebaut. Auftakt ist eine Geschichte des Aberglaubens, angenehm gruselig dargeboten: antike Mysterien, Hexen, Mörder, schwarze Messen, Folterkammern etc. Dem folgen zur Beruhigung berühmte Persönlichkeiten aus Politik, Kunst, Geschichte und Wissenschaft. Doch Langeweile kommt nicht auf, dem beugen wunderbare nachgestellte Filmszenen vor, wie etwa Marilyn Monroe über dem U-Bahnschacht.

Öffnungszeiten S. 124

22 Monument a Colom

Ein ›Monument der gemischten Gefühle‹, bedeutete doch die Verlagerung der wichtigen Seewege nach der Entdeckung Amerikas einen schweren wirtschaftlichen Rückschlag für die katalanische Hafenstadt.

Die Rambla mündet zum Meer hin in die *Plaça del Portal de la Pau*. In der Mitte dieses Platzes steht die **Kolumbussäule**, weithin sichtbares Wahrzeichen Barcelonas. *Gaietà Buïgas* schuf sie für die erste Weltausstellung in Barcelona 1888 als Erinnerung daran, dass Kolumbus bei der Rückkehr von seiner ersten Amerikareise in Barcelona von den Katholischen

Panorama pur vom Café Miramar auf dem Montjuïc: Barcelona mit dem Hafen, der Kolumbussäule Monument a Colom und dem Olympischen Dorf La Nova Icària

Die in ihrer Größe und in ihrem Erhaltungszustand einzigartige mittelalterliche Schiffswerft Reials Drassanes ist heute eindrucksvoller Rahmen für das Museu Marítim

Königen Fernando und Isabel empfangen wurde. Interessant sind die *Bronzereliefs* der Sockelzone, in denen die Entdeckung Amerikas episodisch festgehalten ist. Per Aufzug gelangt man auf die obere Plattform am Ende des Säulenschafts in 60 m luftiger Höhe. Die *Aussichtsplattform* bietet einen lohnenden Ausblick über Hafen, Stadt und die mittelalterliche Werft. Die bronzene Kolumbusfigur steht noch 8 m höher.

Die rund 500 m weiter westlich an der Plaça Armada startende Hafenseilbahn **Transbordador Aeri** gibt es seit 1931. Mit ihr gelangt man zur Spitze von Barceloneta. Der Turm Sant Jaume im Hafen ist 107 m hoch und bietet auf seiner oberen Plattform ebenfalls einen guten Blick auf Hafen, Stadt und Montjuïc.

Öffnungszeiten S. 128, 129

23 Reials Drassanes

(Museu Marítim)
Plaça Portal de la Pau 1

Die besterhaltene und größte mittelalterliche Werft Europas beherbergt heute ein abwechslungsreiches Schifffahrtsmuseum.

Vom 13. bis zum 18. Jh. wurden hier die katalanischen Kriegs- und Handelsschiffe gebaut und repariert. Als Pere II. el Grande (1276–85) den Bau der **Werft** anordnete, sah sich Barcelona bald auf dem Höhepunkt seiner Seeherrschaft. 1381 stand bereits eine achtschiffige, steingewölbte Halle, in der 30 Galeeren gleichzeitig gebaut werden konnten. Im 16. und 17. Jh. kamen weitere Hallen hinzu. 1663 übernahm die Spanische Krone die Werft. Im 18. Jh. wurden die beiden mittleren Hallen zu einem großen Hauptschiff verbunden. Ab 1792 nutzte die Artillerie die Drassanes als Kaserne, was bis ins 20. Jh. hinein so blieb. Seit 1936 beherbergt die restaurierte Werftanlage das **Museu Marítim**. Im Dämmer der weiten Hallen sind Fischerboote aus aller Welt, Schiffsteile, maßstabsgerechte Modelle, Werkzeug, nautisches Gerät, Seekarten, Schaubilder der mediterranen Meeresflora und -fauna, Dokumente, Münzen, Medaillen und Kunst in Zusammenhang mit der Seefahrt zu besichtigen. Einer der Höhepunkt ist das Admiralsschiff von *Don Juan d'Austria*. Es wurde anlässlich des 400. Jahrestages der Seeschlacht von Lepanto (7. Oktober 1571) originalgetreu nachgebaut. Die Galionsfigur, der sog. *Cristo de Lepanto*, wird heute in der Kathedrale verehrt.

Öffnungszeiten S. 124

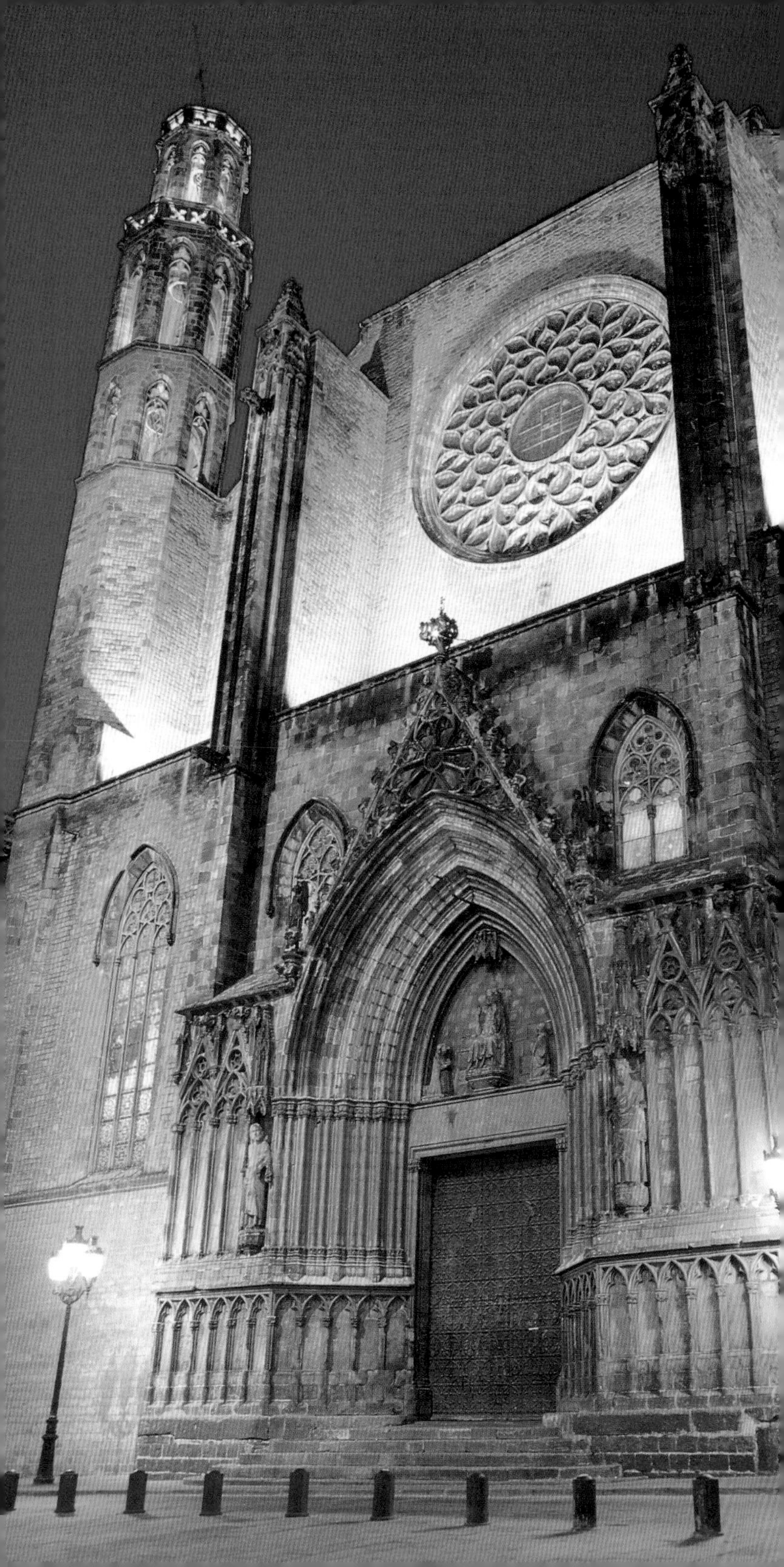

Barri La Ribera – ein Viertel voll Charme und Lebensfreude

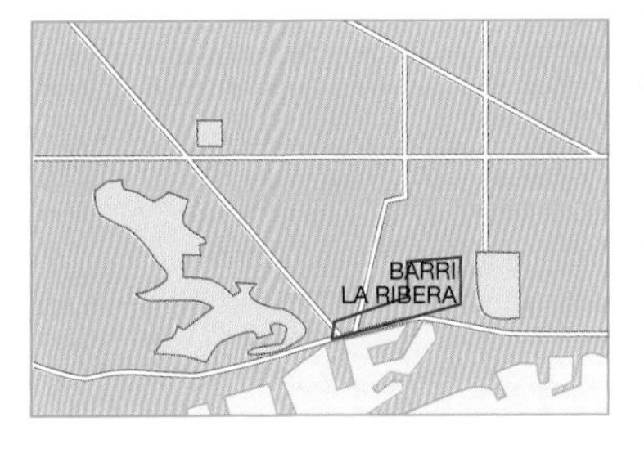

Im 10. Jh. entstanden entlang der vier ehem. römischen Hauptstraßen, die aus Barcelona hinaus führten, ungeschützte Vorstädte, die sog. Vilanovas. Am Handelsweg nach Rom lebten Händler und Kaufleute in Vilar de Sant Pere und La Bòria. An der Straße zum Meer entstand Vilanova del Mar, eine Siedlung von Fischern und Seeleuten. Der neu angelegte **Carrer Montcada** verband diese Vorstädte. Das so entstandene Viertel, erst im 14. Jh. in die Stadtbefestigung einbezogen, wurde zum Zentrum der katalanischen Wirtschaftsexpansion im Mittelmeerraum. Die Kirche **Santa Maria del Mar** ist das Wahrzeichen für das Selbstbewusstsein und den Wohlstand der Kaufleute und Seeleute Barcelonas.

Die **Plaça del Àngel** ist heute Kreuzungspunkt von drei wichtigen Straßen – der Via Laietana, dem Carrer de la Princesa und dem Carrer de la Argenteria. Vom dortigen Straßencafé aus betrachten sich Barceloneser und Fremde in aller Gemütsruhe das hektische Verkehrsgetriebe. Im 10. Jh. war dieser Platz ein Feld vor dem Haupttor der Stadt, dessen Umgebung allmählich bebaut wurde. Der **Carrer de la Argenteria** war die Straße der Schwert-, Lanzen- und Degenschmiede, später kamen die Silberschmiede hinzu. Noch um 1850 galt sie als die im wahrsten Sinne des Wortes glanzvollste der Stadt. Der **Passeig del Born** war Schauplatz von Stadtfesten, Turnieren und Jahrmärkten. 1714 wurde auf Geheiß Philipps V. seine östliche Hälfte für den Bau der Zitadelle abgerissen.

Mit der Verlegung der großen Schifffahrtsrouten in den Atlantik verlor auch das Hafenviertel viel an Bedeutung. Bei ständig dichter werdender Bebauung kam es immer mehr herunter. Erst Ende des 20. Jh. öffnete sich das Barri La Ribera, heute beliebtes Wohn- und Erlebnisviertel, wieder zum Meer hin.

TOP TIPP 24 Santa Maria del Mar

Plaça Santa Maria

Ein architektonisches Juwel der katalanischen Gotik in herber Strenge und Klarheit.

Der Legende nach war der Bauplatz dieser Kirche schon seit dem frühen Christentum von besonderer Bedeutung. An dieser Stelle soll der Apostel Jakobus d. Ä. gepredigt haben, dessen Grab seit dem 9. Jh. in Santiago de Compostela hoch verehrt wird. Die Predigt war der Anlass für den Bau einer ersten, kleinen Kapelle. Um 304 wurde der gemarterte Leichnam der hl. Eulalia hier bestattet. Anfang des 8. Jh. versteckten Gläubige die Gebeine der Heiligen aus Furcht vor den Mauren dann so gut, dass man sie erst 150 Jahre später wieder entdeckte und 1339 in die Kathedrale überführte. 1329 wurde der Grundstein zu der heutigen, gotischen Kirche gelegt. Nach einer Rekordzeit von nur 55 Jahren konnte der **Bau** bereits 1384 geweiht werden. Santa Maria del Mar ist die einzige gotische Kirche in Barcelona, die tatsächlich ganz fertig gestellt wurde. Alle in La Ribera vertretenen Zünfte beteiligten sich am Bau. Die Lastenträger, die Bastaixos und Macips de Capçana, taten sich durch ihre eifrigen und kostenlosen Dienste besonders hervor. Ihr Einsatz ist auf einer kleinen Bronzetafel im Hauptportal und zwei schönen marmornen Reliefplatten zu seiten der Altarstufen lobend festgehalten. Im Spanischen Erbfolgekrieg wurde die

◁ *Nüchterne Pracht: die Fassade von Santa Maria del Mar offenbart die Strenge der katalanischen Gotik*

Kirche 1714 vom französisch-spanischen Heer bombardiert. Die Folge waren zerstörte Gewölberippen und Schlusssteine, die, notdürftig mit Gips restauriert, bei dem **Kirchenbrand** 1936 erneut herunter brachen. Die jüngsten Restaurierungsarbeiten wurden 1990 abgeschlossen. Santa Maria del Mar ist im Grunde ein politischer Bau. Nach dem Willen der mittelalterlichen Stadt sollte er zum Symbol der triumphierenden Seeherrschaft Kataloniens werden. Denn Alfons III. el Benigno (1327–36) legte den Grundstein für das repräsentative Gotteshaus unmittelbar nach der Eroberung Sardiniens, welche den 1229 mit Mallorca begonnenen Erwerb mittelmeerischen Besitzungen Kataloniens abrundete. Mit dieser Kirche gelang Baumeister Berenguer de Montagut ein Juwel der katalanischen Gotik.

Das **Äußere** der Kirche besitzt die typisch nüchterne Strenge dieses Stils: großflächige, nackte Ziegelmauern, unterbrochen allein von zwei schmalen, umlaufenden Gesimsen, die Öffnungen treten gegenüber der Wand zurück. Hohe kräftige *Strebepfeiler* gliedern die Fassade in drei Abschnitte, die den Schiffen im Inneren entsprechen. Auf Strebewerk ist am Außenbau verzichtet. Die flankierenden, schlanken, achteckigen *Türme* schließen ohne Turmhelme oben gerade ab. Sehenswert ist das *Trichterportal* mit dem sitzenden, segnenden Christus im Tympanon. Zu seinen Seiten knien Maria und Johannes (Deesis). Unter Baldachinen an den Ecken sind die Heiligen Petrus und Paulus dargestellt. Der Rest der Portalskulptur fiel dem Kirchenbrand 1936 zum Opfer.

Im **Inneren** der Kirche öffnet sich ein weiter, hoher Hallenraum, durchflutet von gedämpftem, farbigem Licht. Ähnlich wie am Außenbau wird wieder die Wand betont, die wie eine ausgespannte Fläche wirkt. Neuartig ist das Bemühen, die Gewölbelasten zu bündeln und an wenigen markanten Punkten abzuleiten. Das *Hauptschiff* besitzt nur vier schlanke, oktogonale Pfeilerpaare, das fünfte verschmilzt bereits mit der Wand. Eine weitere Besonderheit sind die ganz um die Kirche herumgeführten Kapellen zwischen den nach innen gezogenen Strebepfeilern, woraus eine Art Umgang aus hohen, schmalen Spitzbogen entsteht. Die *Gewölbe* über den Schiffen überspannen eine lichte Weite von 13 m, für damalige Verhältnisse extrem. Höhepunkt des streng konzipierten Innenraums ist der filigrane *Pfeilerkranz* um die Apsis, der in ein siebenteiliges Gewölbe mit weit herabgezogenen Segeln übergeht. Die harmonische Stimmigkeit dieses leichten, hohen und weiten Raumes ist unleugbar Zeugnis für ein einheitliches und souveränes Baukonzept.

Von der ursprünglichen **Ausstattung** ist nach dem Kirchenbrand 1936 kaum etwas erhalten. Gleiches gilt für die Glasmalereien. Die *Fensterrose*, in deren Zentrum die Marienkrönung steht, ist eine Rekonstruktion nach dem Original von 1478. Original sind die beiden *Fenster* auf der Evangelienseite mit der ›Himmelfahrt‹ und der ›Fußwaschung‹ sowie einige in der Apsis mit geometrischen Motiven. Die acht Fenster im Mittelschiff stammen aus dem 19. Jh. Die großen runden *Schlusssteine* am Mittelschiffgewölbe sind restauriert und wieder farbig bemalt.

25 Carrer Montcada

Die Prachtstraße des mittelalterlichen Barcelona ist von den vornehmsten gotischen Palästen gesäumt.

Der Carrer Montcada – die Verbindung zwischen dem Carrer de la Princesa und dem Passeig del Born – ist eines der geschlossensten **Architekturensembles** und zugleich einer der beeindruckendsten Straßenzüge Barcelonas. Hier trifft man auf Beispiele mittelalterlicher Zivilarchitektur, wie sie sich an keiner anderen Stelle der Stadt in vergleichbarer Qualität erhalten hat.

Die Straße wurde als Verbindung zwischen den beiden Stadtvierteln Barri Comercial und Barri Marítim angelegt. Breiter und gerader als die Gassen der Altstadt, avancierte sie rasch zur vornehmsten Straße, an der sich vor allem Patrizier niederließen. Hier wurden vom 13. bis zum 16. Jh. prächtige **Adelspaläste** errichtet, in denen sich das gesellschaftliche Leben abspielte. Nachdem im 19. Jh. im Zuge der Stadterweiterung manche Paläste zu Mietshäusern umfunktioniert worden waren, erklärte man den Carrer Montcada 1947 zum ›Nationalen Monument‹ und begann 1953, architektonisch interessante Gebäude als **Museen** oder kulturelle Einrichtungen zu nutzen.

Geht man von der Plaça Montcada in die gleichnamige Straße hinein, zweigt

Großartige Harmonie: lichtdurchflutet und filigran zeigen sich Hauptschiff und Chor der gotischen Kirche Santa Maria del Mar

zur Rechten ein extrem schmales Gässchen ab, der *Carrer de les Mosques*. Er ist durch ein Gitter verschließbar. Etwa in der Mitte geht von ihm eine zweite Gasse ab, der *Carrer Seca*. Wie schon der Name besagt, steht hier die **Münze**. Deren Haupteingang befindet sich im Carrer de Flassaders 40, kenntlich an dem üppigen Giebel mit dem Bourbonenwappen darüber. Noch 1836 wurden hier Peseten mit der Aufschrift ›Principado de Catalunya‹ geprägt.

26 Palau Cervelló-Giudice

(Galeria Maeght)
Carrer Montcada 25

Das Tochterunternehmen einer großen Pariser Galerie stellt im gotischen Palast moderne Kunst aus.

Der Palau Cervelló-Giudice wurde im 15. Jh. errichtet und später im Geschmack der Renaissance verändert. Seine **Fassade** besteht aus ungewöhnlich großen Steinen, die besser bearbeitet waren als damals in Barcelona üblich. Im ganzen entspricht der Bau dem Typus des gotischen katalanischen Palastes: *Rundbogenportal*, eingefasst von großen Keilsteinen, hohe *Triforienfenster* auf schlanken Säulen und eine hölzerne *Galerie* zum Schutz vor Sonne und Staub als oberer Abschluss. Die Fenster des Hauptgeschosses wurden im 17. Jh. in Balkone verwandelt. Im **Innenhof**, rechts an der Wand, befindet sich die übliche überdachte Treppe und darunter ein Ziehbrunnen.

Nach umfassender Restaurierung zog die **Galeria Maeght** (eine Dependance des bekannten Pariser Unternehmens) in den Palast ein. Ausgestellt werden ausschließlich moderne und zeitgenössische Künstler, u. a. Braque, Miró, Picasso, Tàpies und Arroyo.

Öffnungszeiten S. 125

27 Palau Dalmases

Carrer Montcada 20

Der Treppenaufgang birgt eines der wenigen Renaissance-Kleinodien Barcelonas.

Die heutige Gestalt des Gebäudes ist das Ergebnis einer grundlegenden Renovierung in der Mitte des 17. Jh. Von dem ursprünglich gotischen Palast sind nur mehr wenige Reste erhalten. Unbedingt sehenswert ist der *Innenhof* mit seiner Treppe, die ein Meisterwerk der in Barcelona nur spärlich vertretenen Renaissancekunst ist. Das reich verzierte **Treppengeländer**, unterteilt von drei gedrehten und mit Weinlaub umwundenen Säulen, in denen Putti und Vögel spielen, bringt heitere, arkadisch-antikische Klänge in die strenge, düstere gotische Umgebung. Im unteren Abschnitt ist ein **Tritonenzug** dargestellt. Der Meeresgott sitzt in flatterndem Mantel in seinem Muschelwagen, der von zwei Seepferden gezogen wird. Ihn begleiten eine muschelhornblasende Nereide und sechs geflügelte *Amoretten*, eine als Reiterlein, eine fliegt über dem Wagen, zwei sitzen darin und zwei schwimmen im Wasser. Dem Künstler gelang es, durch raffinierte Vor- und Rückwendungen seiner Figuren den unmittelbaren Eindruck eines Geschehens zu vermitteln. Der Tritonenzug stürmt geradezu durch die aufrauschenden Wellen dahin. Im oberen Abschnitt des Geländers ist die Geschichte der **Entführung Europas** dargestellt. Diese Komposition wirkt ruhig und ausgeglichen, die Titelgestalt ist von lagernden und sitzenden Amoretten umgeben. Zwischen den beiden Szenen sind, unter den Säulen, Reliefs mit Musikanten eingeschoben. Hervorragend gestaltet ist die

Erholsame Mußestunde: das Café-Restaurant im kühlen Innenhof des Palau dels Marqués de Llió lädt zu einer Pause mit Imbiss und Erfrischung ein

Anmutiger Kostümreigen durch die Jahrhunderte: Mode vom Rokoko bis 1900 zeigt das Museu Tèxtil i d'Indumentària in den Räumen des Palau dels Marqués de Llió

Lautenspielerin am Beginn der Treppe. Ihre energiegeladene, gespannte Körperhaltung und ihr stolzer, konzentrierter Gesichtsausdruck könnten einer Flamencotänzerin gehören. Wunderbar herausgearbeitet sind die feinen Gesichtszüge und die üppigen Ohrgehänge.

28 Palau dels Marqués de Llió

(Museu Tèxtil i d'Indumentària)
Carrer Montcada 12

Ein interessantes Mode- und Textilmuseum in gotischen Räumen.

Der Palast der Marqués de Llió gehört zu den größten in der Carrer Montcada. Seine zur Straße hin abweisend strenge **Fassade** ist ein weiteres Beispiel für die Bauweise des 14. Jh.: links an der Seite ein quadratischer *Turm*, der erste Stock wie immer besonders betont und als oberer Abschluss eine hölzerne *Altane*. Die quadratischen Fenster im Erdgeschoss mit Skulpturenschmuck stammen aus dem 16. Jh. Besonders schön gearbeitet sind die beiden Köpfe – Mann und Frau – am Fenster nächst dem Eingang.

Geht man durch das Portal, so öffnet sich ein überraschend großzügiger **Innenhof**, durch einen Spiegel täuschend auf seine doppelte Breite erweitert. Einen Teil des Innenhofs und den Raum auf der rechten Seite nimmt ein angenehmes *Café-Restaurant* ein. Die Vorhalle gegenüber dem Eingang stammt aus dem 17. Jh., die Büstenreliefs der schönen spätgotischen Fensterrahmungen darüber zeigen deutlich Renaissanceeinfluss. Im Inneren des Palastes ist das **Museu Tèx-**

til i d'Indumentària untergebracht, hervorgegangen aus der Sammlung Rocamora. Im ersten Raum des Erdgeschosses, das für Wechselausstellungen genutzt wird, bietet sich eine der wenigen Gelegenheiten, einen Eindruck von den wuchtigen, gemauerten *Gewölben* zu bekommen, die diese gotischen Paläste tragen. Die Bandrippen liegen in der Mitte des Raumes auf einer frei stehenden Rundstütze auf. Durch den Innenhof und über die Freitreppe, die in einem barocken Portal endet, gelangt man in das Obergeschoss. Zwei Räume (9 und 13) besitzen originale, weitgehend erhaltene *Holzdecken* mit geschnitzten und bemalten Balken. Weitere Beispiele dieser Art kann man im Museu Nacional d'Art de Catalunya [Nr. 67] finden. Mindestens ebenso interessant sind hier jedoch die eleganten Kostüme längst verstorbener Damen, Herren und Kinder.

Der historisch aufgebaute **Rundgang** beginnt mit besonders schönen, hellen, duftigen *Rokokokleidern*, bestreut mit zarten Blümchen. Im *Empire* rutschen die Taillen nach oben, im *Biedermeier* wird der Ton ernster und gesetzter. Um 1900 hatte der gut gekleidete Herr auf Farbe ganz zu verzichten und musste im gestrengen schwarzen Gehrock mit Zylinder erscheinen. Der Überblick über die wechselnden Moden wird ergänzt durch vielfältige *Accessoires* wie feingestickte Seidenwesten, Kopfbedeckungen, Schuhe, Strümpfe, Handschuhe, Täschchen und Beutel, Sonnenschirme, Fächer und Operngläser. Die Sammlung führt bis in die 80er-Jahre des 20. Jh., gezeigt werden nun *Abendroben* und *Brautkleider* bekannter Persönlichkeiten. Im zweiten Obergeschoss gibt es katalanische *Spitzen* zu sehen sowie alte *Stoffe*. Interessant sind vor allem die spanisch-maurische Beispiele aus dem 12. Jh. Von der Altane aus ist die Anlage der gotischen Häuser gut zu erkennen – weg von der lärmenden Straße hin zum ruhigen Innenhof.

Öffnungszeiten S. 124

Direkt anschließend, im Carrer Montcada 14, hat die **Galerie** der Fundació Caixa de Pensions repräsentative Räume gefunden. Das Gebäude entspricht dem gotischen Palasttypus mit seitlichem Turm und hölzerner Altane als oberem Abschluss. In der Renaissance wurde es teilweise umgestaltet. Die Portaleinfassung in toskanischer Ordnung stammt aus dem Klassizismus. Bemerkenswert an den Fensterumrahmungen des Erdgeschosses sind die steinernen Köpfe eines alten Mannes und einer jungen Frau. Das Gebäude gehört heute dem **Centre Cultural de la Caixa de Pensions**, der, über die Stadt verstreut, verschiedene Einrichtungen unterhält. Der schlichte Saal in der Carrer Montcada ist der Präsentation neuester Tendenzen der bildenden Kunst vorbehalten.

Öffnungszeiten S. 125

Museu Picasso

(Casa Berenguer d'Aguilar)
Carrer Montcada 15–17

Das prächtigste Patrizierhaus in der Straße ist Pablo Picasso gewidmet.

Der **Palast** der Familie Berenguer d'Aguilar zeigt zwar noch Spuren aus dem 13. und 14. Jh., geht in seinem heutigen Zustand jedoch weitgehend auf eine Umgestaltung unter Joan Berenguer d'Aguilar im 15. Jh. zurück. Weitere Umbauten fanden im 16. und 18. Jh. statt. Nur wenige der picassobegeisterten Besucher beachten die reich skulptierten *Fensterrahmungen* des Erdgeschosses, von denen besonders die beiden rechten einen Blick wert sind. Hier gibt es männliche und weibliche Kentauren, kämpfende Rosse, Amoretten und einen die Gaità spielenden Mann. Der *Innenhof* mit seinen schlanken Spitzbogenarkaden erinnert an den gotischen Patio des Palau de la Generalitat [Nr. 6]. Möglicherweise war *Marc Safont*, der Baumeister der gotischen Teile der Generalitat, auch am Bau dieses Hauses beteiligt.

Seit 1963 ist in der Casa Berenguer d'Aguilar und in dem anschließenden Palau Baró de Castellet das **Museu Picasso** untergebracht. Den Grundstock bildete die Schenkung eines engen Freundes des Künstlers, *Jaume Sabartés*. Ihm gehörte ein Großteil der grafischen Blätter. Picasso selbst vermachte dem Museum 1968 die Serie ›Las Meniñas‹ und 1970 eine bedeutende Sammlung von Jugendbildern. Dieser Bestand wurde weiter ergänzt, u. a. 1982 durch 41 Picasso-Keramiken, ein Geschenk seiner zweiten Frau Jacqueline Rocque.

Der Schwerpunkt des *Bestandes* liegt auf dem Frühwerk des Meisters mit Porträts der Eltern und der Schwester sowie akademischen Studien. Mit dem großen Bild *Ciencia y Caridad* (1897) nahm der Sechzehnjährige bereits an der Exposi-

Aus Vermächtnissen und Schenkungen entstand das Museu Picasso, in dem das gewaltige und vielschichtige Œuvre des Künstlers anschaulich präsentiert ist

ción Nacional de Bellas Artes in Madrid teil. Die Übersiedlung nach Paris (1904) markiert den Beginn der sog. Blauen Periode, vertreten durch *Das kranke Kind* (1904). Das Blatt *El Loco* (1904) lässt auf eine Beschäftigung des Künstlers mit El Greco schließen. Zu den bekanntesten Exponaten des Museums zählen der *Arlequi* (1917) und die Variationen nach Velázquez, *Las Meniñas* (1957). Ein Picasso immer wieder fesselndes Thema war der Stier. Ausgestellt ist hier die *Tauromaquia* (1957), eine grafische Serie über den Stierkampf, zusammen mit ihren 26 Ätzplatten. Die Blätter sind thematisch zwischen Don Quijote und kretischer Stierkunst angesiedelt und erlangen ihre Lebendigkeit durch die Spannung zwischen weißer Fläche und schwarzer, äußerst sparsamer Figuration.

Öffnungszeiten S. 124

30 Basilica de la Mercè

Plaça de la Mercè

Die ›Muttergottes des Erbarmens‹ ist eine der Stadtheiligen Barcelonas und wird von der Bevölkerung innig verehrt. Einmal im Jahr ist die ihr geweihte Barockkirche Ausgangspunkt für die ausgelassene ›Festa de la Mercè‹.

Die Figur der **Jungfrau de la Mercè** in wehendem Gewand auf der Kuppel der Kirche, weithin sichtbar von der Uferpromenade und vom Meer, ist ein Wahrzeichen der Stadt. 1267 wurde dort, wo heute die Basilica de la Mercè steht, die Mutterkirche des Ordens der Merceda-

Das von Pere Moragues geschnitzte Gnadenbild der Jungfrau de la Mercè wird von den Bewohnern Barcelonas hoch geachtet

Kulinarische Kleinigkeiten: Tapa-Lokale am Hafen Barcelonas sind die ideale Adresse für eine kurze Mittagspause

Moll de la Fusta: Palmenpromenade am Meer mit Restaurants, roten Ziehbrücken und einer Skulptur von Roy Liechtenstein

rier geweiht. Dieser Orden hatte sich zur Aufgabe gemacht, christliche Gefangene aus den Händen nordafrikanischer Araber zu befreien.

Die gotische **Kirche** aus dem frühen 15. Jh. wurde 1639–42 unter Leitung der Gebrüder Santcana um eine weitläufige, barocke Klosteranlage erweitert. Im 18. Jh. wurde sie abgerissen und von *Josep Mas* ein Neubau errichtet, im Stil der römischen Gegenreformation, eng verwandt mit der Kirche El Belén [Nr. 18] an den Rambles. Die spätbarocke geschwungene **Fassade** – die einzige derartige in Barcelona – wurde von *Carles Grau* dekoriert (von dem auch die Fassade des Palau de la Virreina [Nr. 19] stammt). Im **Inneren** beeindruckt ein reich geschmückter barocker Saalraum, tonnengewölbt mit Kuppel über der Vierung. Da die Kirche 1936 innen stark beschädigt wurde, ist von der **Ausstattung** nur wenig erhalten. Das hoheitsvolle *Gnadenbild* über dem Hochaltar schnitzte Pere Moragues 1361. Leider verschwindet die Marienfigur fast vollständig unter der Last ihres kostbaren Gewandes. Das Kind ist eine Arbeit aus dem

Neuer Lebensraum am Hafen: die moderne Fußgängerbrücke Rambla de Mar verbindet die Moll de la Fusta mit der Moll d'Espanya und dem Freizeitzentrum Maremágnum

15. Jh. In der linken Seitenfassade (Carrer Ample) findet sich ein gotisches *Portal*, datiert 1519, das von der abgerissenen Kirche Sant Miquel stammt.

Die **Konventsgebäude**, in die das große Portal rechts neben der Kirchenfassade führte, besitzen einen herrlichen *Renaissance-Innenhof* aus dem 17. Jh., ausgeführt in Marmor und mit farbigen Kacheln dekoriert.

31 Moll de la Fusta

Moll Bosch i Alsina

Wiedergewonnener Flanierstreifen am Meer.

Die Moll de la Fusta, ehem. Holzdeponie des Hafens (katalan. fusta = Holz), ist das Aushängeschild der umwälzenden Veränderung der Seeseite Barcelonas. Noch 1878 besaß die Stadt eine Promenade am Meer auf einer 6 m hohen Kaimauer aus Bruchsteinen – am Rande der verwinkelten Altstadt ein großzügiger städtischer Straßenraum. Der ›Plan Cerdà‹ [s. S. 76] zur **Stadterweiterung** im 19. Jh. brachte eine Verlagerung des vornehmen Lebens in die breiten Straßen der Eixample und die zunehmende Industrialisierung eine Sperrung der Kaipromenade für die Öffentlichkeit. Schließlich machte der ständig wachsende Verkehr eine Altstadtumfahrung entlang der Küste notwendig. Erst die bevorstehende Olympiade 1992 forcierte das Bemühen, die durch Straßen- und Hafenanlagen völlig verbaute Meerseite für die Öffentlichkeit wiederzugewinnen. Die Lösung des Architekten *Manuel de Solà-Morales* ist ungewöhnlich mutig. Er gliederte den *Uferbereich* in drei große Zonen: Straße, erhöhte Promenade und unmittelbare Uferzone. Die geforderte vierzehnspurige Straße splitterte er in einzelne Sektoren auf, Bus und Taxi haben eine eigene Spur, Nahverkehr und überregionaler Verkehr sind getrennt. Dazwischen ist ein breiter, von hohen Palmen bestandener **Flanierstreifen** geschoben. Wahrzeichen der Moll de la Fusta sind zwei leuchtend rote **Ziehbrücken**, die über Rampen Meeres- und Aussichtsebene verbinden. Ein Kuriosum ist eine hoch aufragende **Riesenkrabbe** am Anfang der Moll de la Fusta, Richtung Plaça d'Antoni López, ein Gegenstück zu der abschließenden Kolumbussäule [Nr. 22].

Die moderne Fußgängerbrücke Rambla de Mar verbindet die Moll de la Fusta mit der Moll d'Espanya, auf der das Einkaufs- und Freizeitzentrum Maremágnum mit Boutiquen, Restaurants, Imax-Kinos und einem riesigen Aquarium zur neuen Attraktion Barcelonas geworden ist.

Von der Rambla zur Zitadelle und nach Barceloneta – Kontraste am Rande der Altstadt

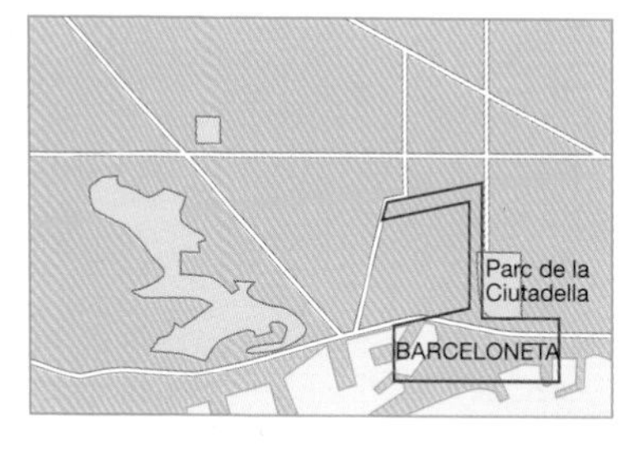

Etwas abseits der ausgetretenen Pfade des Barri Gòtic und des westlich anschließenden Viertels La Ribera führt ein abwechslungsreicher Spaziergang zu verträumten Plätzen, Meisterwerken des Modernisme und exquisiten Museen. Einen lebhaften Kontrast bietet eine Promenade auf dem von Flaneuren reich bevölkerten Passeig de Lluís Companys vom **Arc de Triomf** bis zum **Parc de la Ciutadella**, einer beliebten grünen Lunge Barcelonas. Eine eigene Welt eröffnet sich südlich davon in dem während des 18. Jh. planmäßig angelegten Fischerviertel **Barceloneta**, das für die Olympiade 1992 ein neues Gesicht erhielt.

32 Santa Anna

Carrer Santa Anna 27

Stiller Platz mit mittelalterlichem Wegkreuz und kleiner gotischer Kirche.

Im lebendigsten Teil der Stadt, nahe der großzügig angelegten Plaça Catalunya und den stets betriebsamen Rambles, gibt es einen ruhigen **Platz** mit Wegkreuz, Zypressen und einem Kirchlein. Die meisten Passanten schlendern vorbei, ohne den Durchgang in der Häuserfront überhaupt wahrzunehmen.

Die **Kirche** Santa Anna geht auf eine Gründung des Ordens vom Heiligen Grab 1141 zurück. Ein Brand zerstörte 1936 die Kuppel, die unaufdringlich in Ziegelbauweise rekonstruiert wurde. Das schlichte *Äußere* zeigt noch gut den kreuzförmigen Bau aus dem 12. Jh. mit quadratischer Apsis und zentraler Kuppel. Der heutige Eingang stammt aus dem 13. Jh. Im Laufe des 14. Jh. wurde das *Hauptschiff* erhöht, überwölbt und durch seitliche Kapellen erweitert. Im 15. Jh. kam der schöne zweistöckige **Kreuzgang** mit schlanken, vierteiligen Säulchen und dem von Bäumen umgebenen Ziehbrunnen hinzu. Außerdem entstand damals der **Kapitelsaal**, heute die kleine seitliche Kapelle, durch die man die Kirche betritt. Das Kloster war so bedeutend, dass die Katholischen Könige Fernando und Isabel 1493 in seinen Mauern einen Hoftag abhielten.

33 Casa Martí

Carrer Montsió 3

›Els Quatre Gats‹, Künstlertreffpunkt des Modernisme.

Das hohe **Jugendstilhaus** mit den schmiedeeisernen Balkonen, eingezwängt in eine schmale Gasse, wird von den meisten Passanten kaum beachtet. Dabei ist es das erste wichtige Werk (1896) von *Josep Puig i Cadafalch* (Casa Terrades, Casa Amatller, Palau Baró Quadras) und prangt seit seiner Renovierung wieder in altem Glanz. Furchteinflößend wirkt der vom hl. Georg, dem Landespatron Kataloniens, besiegte Drache am rechten Hauseck (Bildhauer Eusebi Arnau). Fast wie eine Signatur erscheint dieses Motiv an den meisten der Bauten von Puig i Cadafalch.

Jeder, der sich für den Modernisme in Barcelona interessiert, hat allerdings schon von dem berühmten Lokal im Erdgeschoss des Hauses gehört, dem

TOP TIPP

Els Quatre Gats. Hier trafen sich seit 1897 die Künstler des aufkommenden Modernisme, besonders die Gruppe um Casas, Rusiñol und Utrillo. Die jungen Talente, unter ihnen *Pablo Picasso*, pinnten ihre neuesten Werke an die Wand, in der Hoffnung, die Aufmerksamkeit der Presse auf sich zu ziehen. Picasso illustrierte zum Zeitvertreib die Speisekarte mit dem täglichen Menü (zu sehen im Museu Picasso, Nr. 29). Man veran-

◁ *Grandioser Säulenwald: modernistischer Balkon des Palau de la Música Catalana*

staltete Konzerte, Dichterlesungen und Theateraufführungen. 1899 wurde die Zeitschrift ›Els Quatre Gats‹ gegründet. Markenzeichen des Lokals war ein großes Bild von *Ramón Casas*, das ihn selbst und Pere Romeu weiß gekleidet und tropenbehelmt auf dem Tandem zeigt (Museu d'Art Modern [Nr. 41]). Heute ist das ›Els Quatre Gats‹ zwar kein Künstlertreff mehr, doch die stilgerechte Innenausstattung und die angenehme Atmosphäre machen einen Besuch trotzdem lohnend.

34 Palau de la Música Catalana

Carrer Sant Francesc de Paula 2

Ausdruck katalanischer Musikbegeisterung, Tempel der katalanischen Renaixença und modernistisches Gesamtkunstwerk.

Auf den ersten Blick erscheint das *Konzerthaus* Palau de la Música Catalana skurril, überladen, wenn nicht kitschig. Es gibt zuviel von allem: geblümte Kachelsäulen mit Fantasiekapitellen, pathetische Büsten, buntes Glas, schwülstige Bauplastik etc. Dennoch ist dieser Palast der Musik, überquellend an Gestaltungswillen, eines der besten Beispiele für den **Modernisme**. Die ungestüme industrielle Entwicklung Kataloniens brachte gegen Ende des 19. Jh. ein Bürgertum hervor, das nach neuer Selbstdarstellung verlangte. Die Katalanen fanden im Mittelalter die Wurzeln ihres kulturellen und politischen Erbes. In diesen Zusammenhang gehören die Wiederbelebung der *katalanischen Sprache*, die Betonung besonderer *katalanischer Traditionen* und die Pflege historischer Sehnsüchte. Der Modernisme wurde zu einem wesentlichen Ausdrucksmittel dieser *Renaixença*. Er war weit mehr als eine Kunstbewegung, voll von Symbolen und mit enormer Ausdruckskraft. Der Palau de la Música Catalana hatte in diesem geistigen Klima die Bedeutung eines Palastes der Wiedergeburt Kataloniens in seiner einstigen kulturellen Größe.

Bauherr war die katalanische Chorvereinigung ›Orfeó Català‹, gegründet 1891. *Lluís Domènech i Montaner* errichtete den Palast 1905–08 auf einem kleinen, unregelmäßig geschnittenen Grundstück der Altstadt. Am **Außenbau** prangt an der Ecke Carrer Sant Pere més alt / Amadeu Vives die gewaltige Skulpturengruppe *Das Volkslied* von Miquel Blay. Auf den reich mit Kachelblumen dekorierten Säulen im Obergeschoss sind *Büsten* berühmter Komponisten zu sehen, u. a. von Bach, Beethoven und Wagner.

Im großen **Saal** beeindruckt die plastische Rahmung der Bühne. *Skulpturen* und *Reliefs* (Pau Gargallo) verbinden sich zu einer üppigen Dekoration. Aus der farbigen *Glasdecke* ›tropft‹ die Hängekuppel wie ein gewaltiger Lüster herab. In der gesamten Innenausstattung des Konzerthauses überwältigt die Üppigkeit und

Üppig wuchernde Jugendstildekoration: die Innenausstattung des Palau de la Música Catalana fasziniert durch ihre Fülle und das Zusammenspiel verschiedener Materialien

Einst Eingangstor der Weltausstellung 1888: der maurisch inspirierte Arc de Triomf von Josep Vilaseca ist heute grandioser Auftakt des Passeig de Lluís Companys

Dichte des Dekors: Skulptur, Glas, Keramik, Schmiedeeisen – ein faszinierendes Zusammenspiel unterschiedlichster Materialien. Die Sockelplatte eines *Rundturms* am Anbau ist wie ein monumentaler Blütenboden gestaltet – Zitat aus der Casa Fuster [Nr. 55] von Domènech i Montaner. Der Turm markiert seit der aufwendigen Renovierung den **Haupteingang**. Eine vorgehängte Glasfassade erweitert das Foyer.

35 Arc de Triomf

Prachtvolle Kulisse für eine der beliebtesten abendlichen Promenaden.

Der ungewöhnliche **Triumphbogen** aus Backstein mit deutlich maurischen Einflüssen wurde 1888 von dem Architekten *Josep Vilaseca* als repräsentativer Auftakt für das Weltausstellungsgelände errichtet. Er steht am Beginn der großzügigen Passeig Lluís Companys. Die eleganten Straßenbeleuchtungen entwarf der Architekt *Pere Falqués i Urpí*. Von ihm stammt auch der *Obelisk* im Parkeingang. Das lang gestreckte Gebäude aus hellem Montjuïcgestein an der Nordseite des Boulevards ist der **Justizpalast** (1887–1911, Enric Sagnier und Domènech i Estapà).

36 Parc de l'Estació del Nord

Carrer de Nàpols –
Carrer Almogàvers

›Land Art‹ und zwei Industriebauten des Modernisme am Nordbahnhof.

Stillgelegte Bahngelände bieten im Rahmen des Stadtgestaltungsprojektes die Möglichkeit, neue Parkflächen zu gewinnen und in verwahrlosten Stadtvierteln neue Schwerpunkte zu setzen. An der Ostseite des ehem. Nordbahnhofs planten so die Architekten *Andreu Arriola, Carme Fiol* und *Enric Pericas* auf der Fläche von zwei Eixample-Einheiten 1987/88 eine weite **Grünanlage**, in der Kinder toben, junge Menschen diskutieren und Mütter mit Kinderwagen spazieren gehen. Auf einer blauschimmernden *Schlangenpyramide* aus glänzenden Fliesen, ganz in der Tradition Gaudís und Mirós, klettern und rutschen Kinder herum. Im Rasen verstreute bläuliche *Kera-*

Als Rutschbahn heiß begehrt: die mit glänzenden Fliesen geschmückte Schlangenpyramide ›Cel Caigut‹ von Beverly Pepper im Parc de l'Estació del Nord

mikbruchstücke führen zu einer trichterförmigen Absenkung, die mit konzentrischen blauen Sitzstufen ›ausgekleidet‹ ist. Die amerikanische Bildhauerin *Beverly Pepper* komponierte *Cel Caigut* (›Der bleierne Himmel‹) und *Espiral Abrada* (›Hölzerne Spirale‹) in die künstliche Naturlandschaft.

Der Mittelteil des ehem. **Estació del Nord** entstand 1910–15. Hier waren die Vorhalle und die Fahrkartenschalter untergebracht. Der Architekt *Demetri Ribes Marco* setzte die bereits seit einem Vierteljahrhundert in Markthallen, Bahnhöfen, Industrie- und Messebauten erprobte Gusseisenkonstruktion straff und funktionalistisch ein. In die geometrisierende, dekorative Gestaltung flossen Elemente des Modernisme und der Wiener Secession ein. Die Seitenteile waren bereits 1861 gebaut worden.

Das damalige Elektrizitätswerk **Central Catalana de l'Electricitat** (heute *Hidroelèctrica de Catalunya*) steht in Sichtweite des Nordbahnhofs am Carrer Roger de Flor 52. Es ist ein gutes Beispiel für den Industriebau in Barcelona kurz vor der Jahrhundertwende. Der Architekt *Pere Falqués i Urpí* errichtete es zwischen 1896 und 1899. Roter Backstein, kombiniert mit grün gestrichenem Gusseisen, bestimmt die konstruktive *Fassade*. Maßeinheit für die ornamentale Gestaltung ist der Ziegel. Sein plastischer Einsatz gibt dem wuchtigen Baukörper eine reizvolle Oberfläche mit lebhaftem Spiel von Licht und Schatten. Naturstein ist allein dem monumentalen *Haupteingang* im abgeschrägten Hauseck und dem Gebäudesockel vorbehalten.

37 Passeig de Picasso

Metro: Jaume I – Arc de Triomf

Ein Tàpies-Kunstwerk zu Ehren Picassos sucht sein Publikum auf der Straße.

Der Passeig de Picasso trennt das Barri La Ribera [s. S. 51] vom Parc de la Ciutadella [Nr. 40]. An der Straße änderten die Architekten *Roser Amadó* und *Lluís Domènech* nichts Grundlegendes; sie wurde lediglich verkehrsberuhigt und mit Platanen bepflanzt, an der Parkseite gibt es einen kleinen Wasserlauf und Springbrunnen. Hoch interessant ist der **Boulevard** nach seiner Sanierung unter dem Aspekt ›Kunst im öffentlichen Raum‹. Vor dem gewölbten, dunklen Lattengerüst des *Umbracle* [Nr. 39] steht ein wasserumspülter **Glaswürfel** in einem Becken, der in seinem Inneren ein Plüschsofa birgt, durchbohrt von weißen

Stahlkreuzen. Das widersprüchliche Gebilde ist Antoni Tàpies' *Hommage à Picasso*. Ein rot beschrifteter Stoffstreifen zitiert Picasso: »Die Malerei ist nicht dazu da, Wohnungen zu schmücken; sie ist eine Kriegswaffe zum Angriff und zur Verteidigung gegen den Feind« und ersetzt so die museale Bildunterschrift.

Blickt man von hier in die Altstadt, so erkennt man in teilweise desolater Umgebung den bemerkenswerten **Mercat del Born**. Die Gusseisenkonstruktion von *Josep Fontseré* aus dem Jahr 1874 wurde renoviert, um nun für Veranstaltungen und Ausstellungen genutzt zu werden.

38 Museu de Zoologia

Passeig Picasso –
Parc de la Ciutadella

Die märchenhafte ›Burg der drei Drachen‹ beherbergt nunmehr Ausgestopftes und anderweitig Konserviertes.

Wegen seiner trutzigen, burgartigen Erscheinung, bekrönt von goldglänzenden Zinnen, heißt dieses modernistische Gebäude im Volksmund *Castell dels Tres Dragons*. Der Architekt Domènech i Montaner entwarf es als Café-Restaurant für die erste Weltausstellung in Barcelona 1888. Nach deren Ende richtete er dort eine Werkstatt zur Wiederbelebung

Neue Plätze und Parks: Projekt für lebendige Freiräume

Eine Stadt sollte erlebt, nicht nur besichtigt werden. In ganz besonderem Maße gilt dies für Barcelona, die Millionenstadt auf engstem Raum. Plätze bilden Zäsuren im endlosen Straßennetz und werden zu notwendigen **Sammelpunkten** *und* **Ruhezonen** *inmitten brausender Betriebsamkeit. Unter diesem Gesichtspunkt lässt die Stadtverwaltung von Barcelona seit 1980 etwa 60 Straßenzonen, Plätze und Parks wieder herstellen oder neu gestalten.*

Ziel *dieses groß angelegten Projektes ist es, zufällig entstandenen Freiräumen ein Gesicht zu geben, verwahrlosten Plätzen Gestalt zu verleihen, auf alten Fabrik- und Bahngeländen sowie Bauflächen neue Parks anzulegen. Bisher vernachlässigte Außenbezirke werden aufgewertet, und für die lange vom Meer abgewandte Stadt wird eine neue Uferpromenade geschaffen.*

Die Stadtverwaltung beauftragte im Rahmen dieses Projektes zahlreiche junge Architekten. International bekannte **Künstler** *wie Eduardo Chillida, Antoni Tàpies, Richard Serra oder Ellsworth Kelly sind mit Skulpturen und Objekten beteiligt. Die Lösungen sind so verschieden wie die Aufgabenstellungen, ihre Entdeckung ist ein spannendes Erlebnis.*

Als minimalistisches Kunstwerk zeigt sich heute der Bahnhofsvorplatz **Plaça dels Països Catalans** *[Nr. 75],*

Der Glaswürfel ›Hommage à Picasso‹ mit seinem überraschenden Inneren von Antoni Tàpies ist Blickfang am Passeig de Picasso

als futuristischer Gegenpol präsentiert sich das ehem. Fabrikareal **Parc de l'Espanya Industrial** *[Nr. 76]. Wo früher die städtischen Hauptschlachthöfe standen, schuf Joan Miró einen heiter-verspielten Skulpturenpark [Nr. 34], Antoni Tàpies installierte am* **Passeig de Picasso** *[Nr. 37] einen wasserumspülten Glaswürfel. Eine blau schimmernde Schlangenpyramide aus Fliesen bildet im* **Parc de l'Estació del Nord** *[Nr. 36] an der Ostseite des ehem. Nordbahnhofs eine beliebte Attraktion der neuen Grünanlage. Zwei leuchtend rote Ziehbrücken sind Blickfang an der wieder gewonnenen Uferpromenade* **Moll de la Fusta** *[Nr. 31], eine Palmenbucht mit Wasserfall entstand aus dem einstigen Steinbruch im* **Parc de la Creueta del Coll** *[Nr. 78].*

des Kunsthandwerks und der dekorativen Künste ein. Heute beherbergt das Gebäude das **Zoologische Museum**. Im *Erdgeschoss*, dem ehem. Café, sind ausgestopfte Säugetiere sowie die Skelette eines Wales und eines Mammuts zu bewundern. Im *Obergeschoss* werden keine opulenten Menüs mehr serviert, sondern nun hausen hier Fische, Vögel, Fledermäuse, Reptilien, Insekten, Muscheln, Schnecken und verschiedene Präparate in Formalin.

Öffnungszeiten S. 124

39 Museu de Geologia

(Museu Martorell)
Passeig Picasso –
Parc de la Ciutadella

Das älteste Museum Barcelonas.

1878 stiftete Francesc Martorell i Peña seine Sammlung der Stadt, vier Jahre später war das lang gestreckte, antikisierende Gebäude dafür errichtet. Es besteht aus einem Vestibül und zwei großen Sälen. Im **Vorraum** wird anhand von zwei Modellen aus der Gegend von Olot und Montserrat die Geologie Kataloniens gezeigt. Der **linke Saal** bietet eine didaktisch sehr gut aufbereitete Führung durch Mineralogie, Petrologie und Geoplanetologie. Es gibt eine Sammlung wichtiger Mineralien und Gesteine aus Katalonien, dem übrigen Spanien sowie auch aus dem Ausland. Der **rechte Saal** präsentiert eine Anzahl interessanter Fossilien: Pflanzen und Tiere, angeordnet nach den geologischen Erdzeitaltern, nach biologischen Gruppen und Fundorten.

Das Museum flankieren zwei ungewöhnliche, pavillonartige Bauten: Zwischen zoologischem und geologischem Museum steht das **Hivernacle**, der aus Glas und Gusseisen errichtete Wintergarten. Auf der anderen Seite folgt eine Art tropisches Gewächshaus aus Backstein und Holz, das **Umbracle**. Unter seinem schattigen, gewölbten Lattendach finden sporadisch Ausstellungen in ungewohnt exotischem Ambiente statt. Beide Pavillons entwarf 1888 *Josep Amargós* für die Weltausstellung.

Öffnungszeiten S. 124

Wasserspiele mit Fabelwesen: die malerische Kaskade im Parc de la Ciutadella umringen Gestalten aus der Welt der Mythologie und der Fantasie

Weibliche Reize und weiche Formen: die Skulpturen der bedeutendsten Bildhauer des Modernisme füllen im Museu d'Art Modern einen eigenen Saal

40 Parc de la Ciutadella

Passeig Picasso/Pujades

Zeichen der politischen Niederlage Kataloniens im 18. und des wirtschaftlichen Aufschwungs der Region im 19. Jh.

Der großzügige Park hat seinen Ursprung im hartnäckigen Unabhängigkeitsstreben der Katalanen. Nachdem der erste Bourbonenkönig Spaniens, Philipp V. von Anjou, 1714 Barcelona nach langer Belagerung endlich erobert hatte, ließ er an die 10 000 Menschen umsiedeln und das Stadtviertel ›La Ribera‹ dem Erdboden gleichmachen. An seiner Stelle hatte der Baumeister Prósper de Verboom 1716–29 eine fünfeckige *Zitadelle* zu errichten, umgeben von einem weitläufigen, eingeebneten Schussfeld. Dieses zutiefst verhasste Zeichen der Niederlage und militärischen Kontrolle der Stadt wurde 1869 abgetragen. Knapp 20 Jahre später fand auf dem neugewonnenen Areal die *erste Weltausstellung* statt. Von der Zitadelle blieben allein das **Arsenal**, heute Katalanisches Parlament und Museu d'Art Modern [Nr. 41], die Kapelle und der Palast des Gouverneurs rechts daneben bestehen.

Der **Park** ist inzwischen so etwas wie eine grüne Lunge der engen Altstadt geworden. Große Attraktion des Weltausstellungsgeländes war die künstliche **Kaskade**. Das Wasserbecken wird von geflügelten Drachenwesen bewacht. Im aufgetürmten Gestein des Wasserfalls tümmeln und lümmeln sich verschiedene arkadische Mischwesen: die Panflöte blasende Faune, Seepferde, Najaden und an der Spitze die emporgereckte, schlanke Gestalt einer Venus im Muschelwagen, eher bürgerlich als ekstatisch, mit einem züchtig um die Hüften geschlungenen Tuch. *Josep Fontseré* hat nicht nur den Park im englischen Stil angelegt, sondern auch die Kaskade. Zur Hand ging ihm dabei vor 1878 ein Student – *Antoni Gaudí.*

41 Museu d'Art Modern

(Palau de la Ciutadella)
Plaça d'Armes –
Parc de la Ciutadella

Das Museum zeigt modernistische Kunst in exquisit restauriertem Rahmen.

Das Museum der Modernen Kunst ist im linken Seitenflügel des *Arsenals* der einstigen Zitadelle untergebracht. Gezeigt werden **katalanische Kunst** und **Kunsthandwerk** von etwa 1830 bis 1940. Der Schwerpunkt liegt auf dem Modernisme.

Der erste Saal ist *Marià Fortuny* gewidmet. Zu seinen berühmten delikaten Szenen aus orientalischen Bädern, Souks und Harems zählt das kleinformatige Bild *L'Odalisca* von 1861. Ein Hauptwerk ist das große Schlachtengemälde *Batalla de Tetuan*, 1863. *Santiago Rusiñol* ist mit stimmungsvollen kleinformatigen Bildern vertreten, die er in Paris malte. Von *Ramón Casas* gibt es intime Frauenbildnisse genauso wie Entwürfe für freche und romantische Jugendstilplakate.

Ein eigener Saal ist den wichtigsten **Bildhauern** des Modernisme gewidmet (Josep Llimona, Pau Gargallo u. a.). Dem folgen **Architekturmodelle** einiger Bauten des Modernisme und Beispiele für **Inneneinrichtungen** wie der große Salon der Casa Lleó Morera [Nr. 49] oder Möbel von *Gaudí* für die Casa Batlló [Nr. 51]. Bereits zum 20. Jh. gehören einige kleinere Bilder *Dalís* und Skulpturen von *Pau Gargallo*. Den Bronzearbeiten und Graphiken von *Juli Gonzàles* ist ein eigener Raum gewidmet.

Zum Verlieben: wo früher volkstümliche Fischlokale standen, locken in Barceloneta heute kleine Granjas und Straßencafés

Öffnungszeiten S. 124

42 Barceloneta

Die Planstadt aus dem 18. Jh.

›Kleinbarcelona‹ war berühmt wegen seiner volkstümlichen Lokale direkt am Meer, in denen man im Sommer unterschiedlichste Fische, Meeresfrüchte und Krustentiere schmausen konnte. Im Zuge der Olympia-Arbeiten und der Erneuerung der Meerseite Barcelonas wurden die kleinen Restaurantbaracken am Strand jedoch abgerissen.

Eiserner Wille zeichnete den indirekten Urheber der ehem. Fischersiedlung, Philipp V., aus. Der erste Bourbonenkönig Spaniens hatte Barcelona, nachdem er es belagert und erobert hatte, den Bau der verhassten Zitadelle aufgezwungen. Zuvor aber musste der am dichtesten bewohnte Teil des Stadtviertels La Ribera abgerissen werden. Mehr als 1 000 Menschen standen damit innerhalb kürzester Zeit (1715) auf der Straße. Der französische Militäringenieur *Prósper de Verboom* regte deshalb den Bau einer neuen Siedlung auf dem Schwemmland vor Barcelona an, das durch die Errichtung der Hafenanlage entstanden war. Verbooms Entwurf war eine hervorragende städtebauliche Leistung: Schmale, lang gestreckte Häuserblocks waren in einem rechtwinkligen Straßenraster angeordnet. Die Häuser waren gut proportioniert, solide gebaut und durften nur zwei Geschosse besitzen, um zu gewährleisten, dass ausreichend Sonnenlicht in die Straßen und Häuser fiel.

43 Nova Icària

Städtebau der Moderne mit lebendiger Infrastruktur und viel Grün.

Das **Olympische Dorf** steht auf einem ehemals ungeliebten Areal, dem *Poble Nou*, einem Bahn- und Industriedistrikt an der Küste südöstlich der Altstadt. Auf dem Gebiet außerhalb von Cerdás Rasterplan befand sich ein unansehnliches Wirrwarr von Containeranlagen, Lagerschuppen, alten Fabriken und schäbigen Wohnblocks – das ›Manchester Kataloniens‹. Als Trennungslinie schob sich zwischen Stadt und Meer eine gewaltige

*Ein Viertel mit noblem Schick: La Nova Icària mit seinen zahlreichen Terrassenrestaurants am Jachthafen (***links***) und die Uferpromenade des Port Olímpic (***oben***) sind zum Szenerevier Barcelonas avanciert*

Gleisanlage, die erste Eisenbahnlinie Spaniens aus dem Jahr 1848. Nach Verlegung des Containerhafens südlich des Montjuïc und der Verlagerung der Bahnlinie in den Untergrund sowie der Umsiedlung der Anwohner vollbrachte die Abrissbirne die lang ersehnte Öffnung Barcelonas zum Meer.

Das Büro Martorell–Bohigas–Mackay–Puigdomènech erhielt den Zuschlag für die städtebaulich bedeutende **Planung**. Zwei 40-stöckige *Hochhaustürme*, je 136 m hoch, bilden das Tor zur neuen Stadt in der Stadt. Die Wohnbauten sind zu verschobenen Fluchten angeordnet, es gibt variantenreiche *Passagen* und überdachte Gänge, dreieckige und kreisförmige *Plätze*. Überwiegend sechsstöckige Blocks mit 3 500 Wohnungen umschließen großzügig begrünte *Höfe*. Ein 200 m breiter *Boulevard* öffnet Nova Icària zum Meer und bietet gleichzeitig einen herrlichen **Blick** auf Barcelona. Die Küstenlinie wurde bis nach Badalona über 5 km durch verschiedene städtische Parks mit Restaurants völlig neu gestaltet. Den Beginn der **Uferpromenade** bildet die Mole des olympischen Hafens.

Westlich der Rambla – große Kunst und kleine Kostbarkeiten

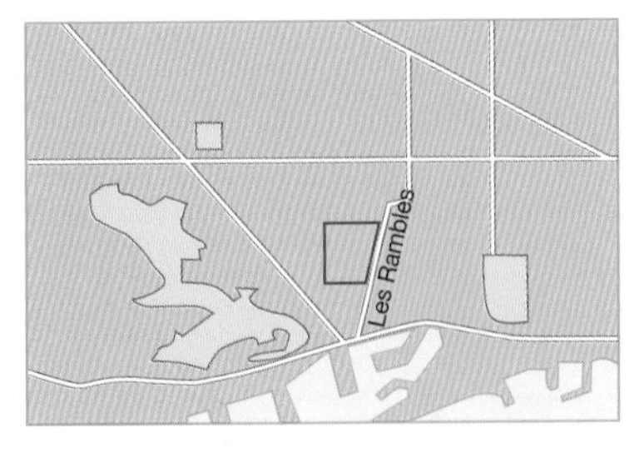

Weltberühmte Namen wie Pablo Picasso und Salvador Dalí locken seit der Eröffnung des **Museu d'Art Contemporani** 1995 zahlreiche Besucher in das lange Zeit vernachlässigte, schlichte Altstadtviertel El Raval. Doch lohnt auch das alte Hospitalviertel mit dem als Juwel der Romanik bekannten Kloster **Sant Pau del Camp** unbedingt einen Besuch. Abschließend bietet sich als kulinarischer Höhepunkt und Augenschmaus zugleich noch ein Bummel durch den **Mercat de Sant Antoni** an, Barcelonas schönste alte Markthalle.

TOP TIPP 44 Museu d'Art Contemporani

Plaça dels Angels 1,
Ecke Carrer Montalegre

Verwirklichung des lang vermissten Museums für zeitgenössische Kunst.

Mit Pablo Picasso, Salvador Dalí, Joan Miró und Antoni Tàpies errang die katalanische Kunst weltweite Anerkennung und eine wichtige Position auf dem internationalen Kunstmarkt. In der Hauptstadt Kataloniens hatte es zwar verschiedene, durch Initiativen einzelner Künstler gegründete Stiftungen mit exzellenten Sammlungen gegeben, ein allgemeines Museum für **zeitgenössische katalanische Kunst** hingegen suchte man vergeblich.

Erst 1987 wurde die private Stiftung ›Fundació Museu d'Art Contemporani‹ ins Leben gerufen. Den Grundstock bildeten 100 Werke u. a. von *Antoni Tàpies*

Avantgardistischer Rahmen für die zeitgenössische Kunst: kein Geringerer als der amerikanische Architekt Richard Meier entwarf den Bau des Museu d'Art Contemporani

Ehrwürdiger Rahmen für das Bücherstudium: der gotische Krankensaal des Antic Hospital de Santa Creu i Sant Pau dient heute als katalanische Staatsbibliothek

und *Miquel Navarro* sowie Plastiken der Bildhauer *Josep Maria Subirachs* und *Susana Solana*. Hinzu kamen Teile des *Dalí-Nachlasses* und der umfangreichen Sammlung ›Caixa de Pensions‹ sowie weitere Leihgaben und Schenkungen. Angestrebt wird ein repräsentativer Überblick über die katalanische Kunst ab den 40er-Jahren des 20. Jh. Das Museum will außerdem den traditionellen Kanon Malerei, Plastik und Graphik um Installationen, Fotografie, Video, Film, Design, Mode und Architektur erweitern. Ein ehrgeiziges Vorhaben also, das sich am Centre Pompidou in Paris orientiert.

Der amerikanische Architekt *Richard Meier* entwarf ein lichtes, von großen Fensterflächen dominiertes, rechteckiges **Gebäude**, unterbrochen von einem runden, vertikalen Zentrum, das die drei Obergeschosse über Rampen erschließt. Ende 1995 öffnete das neue Museum schließlich seine Pforten. Die gesamte Nutzfläche beträgt über 13200 m², von denen etwa die Hälfte öffentlich zugänglich ist. Ein Patio verbindet den Museumsbau mit der angrenzenden gotischen **Casa de Caritat**, einem ehem. Waisenhaus, in dem das *Centre de Cultura Contemporània de Barcelona (CCCB)* seine Heimstatt gefunden hat. Die Neugestaltung dieses im Kern mittelalterlichen Gebäudes erfolgte unter Leitung des Architektenteams Albert Viaplana und Helio Piñón. Das neue Zentrum hat sich seit seiner Eröffnung 1994 in groß angelegten Ausstellungen unter der Thematik ›Stadt‹ mit dem facettenreichen Gesicht Barcelonas beschäftigt.

Unmittelbar neben diesem Kulturblock besitzt der Gebäudekomplex der ehem. Casa de Caritat (Carrer de Montalegre 7) einen wunderschönen *Innenhof* aus der Mitte des 18. Jh., den sog. **Pati Manning**. Seine Wände sind dekoriert mit floralen Sgrafittos und prächtigen Kachelbildern.

Öffnungszeiten S. 124

45 Antic Hospital de Santa Creu i Sant Pau

(Biblioteca de Catalunya)
Carrer del Hospital 56
und Carrer del Carme 47

Die mächtigen Gewölbe eines gotischen Krankensaales beherbergen die Katalanische Staatsbibliothek.

Verlässt man die Rambla auf der Höhe der Kirche El Belén nach rechts, kommt man in das *alte Hospitalviertel*. Das ehem. Hospital de Santa Creu i Sant Pau (zum Hl. Kreuz und hl. Paulus) liegt zwischen dem Carrer del Carme und dem Carrer del Hospital. Seine Anfänge gehen auf ein **Pilgerhospital** des frühen 11. Jh. zurück. 1401 wurde der Grundstein für das gotische Hospital zum Hl. Kreuz gelegt, ein Gebäude mit vier Flügeln, die sich um einen Arkadenhof gruppierten. Der Bau wurde von den Zeitgenossen wegen seiner Schönheit gerühmt, Papst Benedikt XIII. setzte für ihn eine Schenkung von 10 000 Goldgulden nach aragonischer Währung aus. Im 16. Jh. wurde ein zweiter Hof angefügt, 1629–80 entstand die prächtige barocke Casa de Convalecencia. Gegenüber wurde 1762–64 das klassizistische Col.legi de Cirurgía nach Plänen des Chirurgen Pere Virgili errichtet, das heute Sitz der *Acadèmia de Medicina* ist.

Von **außen** ist das Gebäudegeviert kaum auszumachen, man sieht nur mächtige Steinmauern. Einziger Hinweis sind ein schönes *Renaissanceportal* im Carrer Hospital 60 und eine barocke *Paulusfigur* mit wallendem Bart und großem Schwert oben am Hauseck im Carrer del Carme/Carrer Egipciaque. Kurz vor dieser Statue befindet sich der Eingang in den riesigen Komplex.

Das linke Gebäude ist die Reial Acadèmia de Medicina i Cirurgía. Rechter Hand steht das Institut d'Estudis Catalans – Biblioteca de Catalunya, das ehem. Rekonvaleszenzhaus. Geht man geradeaus weiter, kommt man in den großen gotischen Innenhof. Doch zuerst zur barocken **Casa de Convalecencia**: Man betritt das vierflügelige Gebäude durch einen niedrigen Vorraum, der den Besucher mit der auf Kacheln gemalten *Vita des hl. Paulus* empfängt.

Im anschließenden zweistöckigen *Innenhof*, meist lebhaft bevölkert von Studenten, sind die Wände ebenfalls bis auf halbe Höhe mit Azulejos geschmückt, hier nun mit ornamentalen Motiven: grün-weiße Dreiecke, eingefasst von einem floralen Fries. In der Mitte steht über der Cisterna de Sãct Pau eine schöne *Barockstatue* des Apostels Paulus von Lluís Bonifàs, 1670.

Hält man sich wieder links, kommt man zu der Treppe, die in die **Biblioteca de Catalunya** im Obergeschoss führt. Sie ist in einem herrlichen dreiflügeligen *gotischen Saal* untergebracht, dem ehem. Krankensaal des Hospitals zum Hl. Kreuz. Die gewölbte Decke wird von massiven spitzbogigen Gurten getragen, dazwischen sind Holzdecken eingezogen. Noch zu Beginn dieses Jahrhunderts waren die Hospitalgebäude sehr vernachlässigt. Hier starb *Gaudí* am 7. Juni 1926 im ›Armenhaus‹ nach einem Unfall.

Die **Hospitalkirche** im Carrer del Hospital 56 wird heute von der Stadt als Ausstellungsraum genutzt. Rechts vorne steht eine schöne spätgotische Kapelle mit einem gewaltigen durchbrochenen *Schlussstein*.

Gaumenfreuden im Angebot: fangfrischer Fisch und vielfältige andere Gaben der Natur locken im Mercat de Sant Antoni, der größten Markthalle Barcelonas

46 Mercat de Sant Antoni

Ronda de Sant Pau – Carrer de Manso

Die größte und vielleicht schönste alte Markthalle der Stadt.

Der Carrer del Carme führt direkt auf den Mercat de Sant Antoni zu. Diese **Markthalle**, eine für das 19. Jh. typische Gusseisenkonstruktion, gehört zu den schönsten und lebhaftesten der Stadt. Unlängst renoviert, glänzt das Muster der rotgelben Dachziegel wieder wunderbar in der Sonne. Im Zentrum, unter der erhöhten Kuppel, wird einfach alles, was der in Sachen **Fisch** sehr wählerische spanische Gaumen verlangen könnte, feilgeboten. »Billiger, frischer, schöner« tönt es von allen Seiten. Außen herum gruppiert sich die bunte Palette mediterraner **Früchte** und **Gemüse**. Dazwischen finden sich Stände für **Fleisch** und **Wurst**, paprikarote ›Chorizos‹ und dünne ›Longanizas‹ hängen von Stangen herab, dazwischen der berühmte luftgetrocknete spanische Schinken. Käse, Eier und Hühner gibt es an den äußeren Ständen. Montags, mittwochs, freitags und samstags findet um die Markthalle herum noch ein **Kleidermarkt** statt. Zum Einkaufen vielleicht unergiebig, zum Schlendern und Schauen herrlich bunt und umtriebig.

47 Sant Pau del Camp

Carrer de Sant Pau 101

Eine Kostbarkeit inmitten eines lebhaften, einfachen Viertels.

Wann das erste Kloster ›Sankt Paulus auf dem Felde‹ gegründet wurde, ist unbekannt. Das Bruchstück einer Grabinschrift, heute im rechten Querhaus aufbewahrt, berichtet von der Bestattung des Grafen Guifré Borrell im Jahr 911. Die Existenz einiger westgotischer Kapitelle im Kreuzgang lässt vermuten, dass das Kloster während der maurischen Invasion 985 zerstört wurde. Die heutige Kirche stammt aus dem späten 12. Jh., der Kreuzgang wohl aus dem 13. Jh. 1904 wurde das Kloster als Kaserne zweckentfremdet. Heute ist es, nach behutsamer Restaurierung, wieder ein architektonisches Juwel der Romanik in Barcelona.

Die **Fassade** besteht aus einem interessanten Konglomerat verschiedener Versatzstücke, Altes und Neues wurde kombiniert. Im *Tympanon*, dem Bogenfeld über dem **Portal**, thront Christus. Ihm nähern sich von beiden Seiten voll Demut Paulus und Petrus. In der äußeren Archivolte sind primitive Darstellungen von Köpfen, Tieren und Früchten. Über den Archivolten im Zentrum sieht man eine *Segenshand*, darunter die Evangelistensymbole. *Engel* und *Adler*, als Relief gearbeitet, halten je ein Buch. Die beiden unteren, *Löwen-* und *Stierkopf*, dürften älter sein und sind plastisch gearbeitet und dienen als Auflage für die Archivolten. Die *Kapitelle* der Portalsäulen dürften aus der Zeit vor dem Arabersturm stammen.

Kostbares Kleinod der Romanik: Kreuzgang des Klosters Sant Pau del Camp

Der **Innenraum** ist äußerst schlicht. Durch winzige Rundbogenfenster in den mächtigen Mauern sickert spärliches Tageslicht in den wunderbar ruhevollen Raum. Lang- und Querschiff sind gleich lang, über der Vierung gibt es eine achteckige Kuppel, im Osten drei Apsiden. Durch den rechten Querhausarm gelangt man in den kleinen kostbaren **Kreuzgang**. Bei genauerem Hinsehen fällt auf, dass die ungewöhnlichen, vielbogigen Arkaden aus unterschiedlichen Bruchstücken zusammengesetzt sind, oft gehört der Säulenschaft nicht zum Kapitell, oder anstelle der Basis findet ein zweites Kapitell Verwendung. Die meisten dieser *Kapitelle* besitzen hervorragende Qualität. Zum Teil sind sie ornamental, mit Pflanzenranken gestaltet, zum Teil mit faszinierenden szenischen Darstellungen.

Eixample – Jugendstilpracht und elegante Großzügigkeit

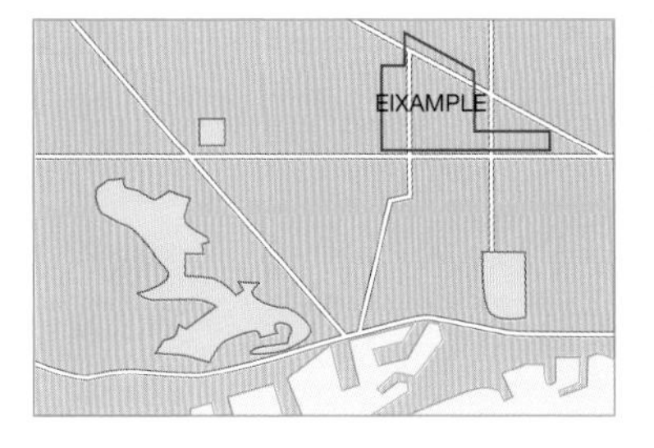

Die beginnende Industrialisierung traf Barcelona völlig unvorbereitet. Seit Anfang des 19. Jh. nahm die **Bevölkerung** außerordentlich zu; trotzdem durften weder die mittelalterlichen Stadtmauern abgerissen, noch vor der Stadt, auf dem Schussfeld der Zitadelle, gebaut werden. In der Folge siedelten sich neue Betriebe innerhalb der Stadt an und die ohnehin schon erschreckend dicht aufeinander lebenden Menschen mussten mit noch weniger Raum auskommen. Nach drei furchtbaren Cholera- und Gelbfieberepidemien sowie einem Arbeiteraufstand bewilligte die Zentralregierung in Madrid endlich den Abbruch der Stadtmauern. Wo einst die Mauern standen, legte man nun breite baumbepflanzte ›Rondas‹ an. Die Planung der **Stadterweiterung** übernahm der katalanischen Bauingenieurs *Ildefons Cerdà* [s. S. 76].

Ungeachtet Cerdàs baulich größtenteils umgesetzter Sozialutopie einer demokratischen, einheitlich gestalteten Neustadt gelang es dem neuen Großbürgertum binnen kürzester Zeit, der Eixample ein bizarr glänzendes Flair zu verleihen. Zwischen 1890 und 1910 entstand das größte im **Jugendstil** gestaltete Stadtviertel in Europa. Die durch Textilfabrikation und den Zuckerrohranbau auf Kuba Reichgewordenen stellten mit unbändigem Stolz ihre Bedeutung zur Schau. Sie ließen sich von der Begeisterung der Architekten für den Modernisme anstecken und folgten deren Fantasie: Maurische, mittelalterliche und vegetabile Elemente verwoben sich zu einem prachtvollen, überbordenden Stil, der wiederum zum Signet der Gründerzeit in Barcelona wurde. Es entstanden repräsentative Gebäude und detailfreudige Gesamtkunstwerke. So wuchs entlang schnurgerader, großzügiger Straßen eine selbstständige, **modernistische Stadt**, weit weg von der bedrückenden Enge im Barri Gòtic.

48 Passeig de Gràcia

Elegante Flaniermeile im Schatten von Platanen, gesäumt von Meisterwerken modernistischer Architektur.

Der Passeig de Gràcia ist die alte Verbindung zwischen Barcelona und dem Ort Gràcia, der heute eingemeindet ist. Schon vor dem Bau des Viertels Eixample wurde die Straße zu einem 1,5 km langen Boulevard umgestaltet. Er bildet heute die vornehmste Flaniermeile der Stadt, gesäumt von eleganten Geschäften und hervorragenden Beispielen modernistischer Architektur. Vier Reihen **Platanen** verwandeln seine gewaltige Breite (61 m) in menschliche Dimensionen.

Drei bedeutende Architekten, Antoni Gaudí [s. S. 89], Lluís Domènech i Montaner und Josep Puig i Cadafalch, bauten in unmittelbarer Nachbarschaft große **Wohnblocks**, sog. Manzanas (was spanisch auch ›Apfel‹ bedeutet): die *Casa Batlló* [Nr. 51], die *Casa Lleó Morera* [Nr. 49] und die *Casa Amatller* [Nr. 50]. Der Volksmund nennt die drei mit einem Wortspiel ›Manzana de la Discordia‹ – ›Zankapfel‹.

Der Gestaltungswille des Modernisme beschränkte sich natürlich nicht auf die Gebäude allein. Typisch für den Passeig de Grácia sind seine schmiedeeisernen **Straßenlaternen** – sichelförmige, filigrane Gitter aus Blattgerank –, die geschwungene *Steinbänke* einschließen. *Pere Falqués i Urpí* entwarf sie in elegantem Jugendstil. Die **Pflasterung** des Trottoirs besteht aus wunderschönen, im Regen besonders plastisch wirkenden, verschlungenen Blumenornamenten.

◁ *Planstadt des 19. Jh.: aus der Vogelperspektive wird die schachbrettartige Anlage der Eixample besonders deutlich*

Ildefons Cerdà und die Stadt der Zukunft

In der Planung der Stadterweiterung – der **Eixample** *– ging Barcelona eigene Wege. Bereits 1855 legte der katalanische Bauingenieur Ildefons Cerdà (1815–1876) den Entwurf für eine Stadt der Zukunft vor. Zugrunde lag die utopische Vorstellung, dass eine Synthese der technischen Möglichkeiten mit den* **sozialen Erfordernissen** *die Menschen von allen Zwängen befreien und ein Leben in* **Freiheit** *und* **Gleichheit** *ermöglichen könnte.*

Der Bebauungsplan wurde 1859 von der Stadt angenommen, seine Verwirklichung ist noch heute gut am Stadtplan ablesbar: ein **schachbrettartiges Raster** *aus großen, quadratischen Wohnblocks und breiten Straßen, durchschnitten von zwei breiten Diagonalen (Gran Via de les Corts Catalanes und Avinguda Diagonal). Charakteristikum sind die* **abgeschrägten Ecken** *der Häuserblocks (Chaflanes), die das Fließen des Verkehrs an den Kreuzungen erleichtern sollten. Cerdà sah offenbar schon damals die immer schneller und dichter einherrollende Verkehrslawine der Zukunft voraus.*

49 Casa Lleó Morera

Passeig de Gràcia 35

Eine heiter-duftige Welt, bevölkert von Blüten und Elfen.

Francesc Morera und sein Sohn Lleó ließen das bereits 1864 errichtete Eckgebäude 1902–06 von *Lluís Domènech i Montaner* im Stil des Modernisme umbauen. Leider sind die **Fassaden** des Straßen- und Hauptgeschosses stark verändert. Ein kreisrunder *Tempietto* auf luftigen Säulchen bekrönt das Hauseck. Die Rundform taucht immer wieder auf, in den kräftig vorspringenden *Balkonen* oder als *Fensterrahmung* im zweiten Obergeschoss und in den kugeligen Blütenformen des Dekors. Sogar die fantasievollen *Zinnen* sind eigentlich nur sprießender Zierat. Zarte Mädchenfiguren lugen sich vorsichtig zu, halb verborgen hinter den Balkonbrüstungen beiderseits der dreiteiligen Fenster. Eine trägt, ganz moderne Frau, einen Fotoapparat, die andere ein Grammophon.

Unbedingt sehenswert ist der **Hauseingang** in liebenswürdigem, heiterem Jugendstil: Boden, Treppen, Wand und Decke sind übersät von hellrosa und weißen Blüten sowie von grünen Efeublättern. Sogar der *Lift* ist in ein elegantes Jugendstilgewand aus Holz gekleidet.

50 Casa Amatller

(Institut Amatller d'Art Hispànic)
Passeig de Gràcia 41

Majestätisch hebt sich der Vorhang noch einmal für das Mittelalter.

Der Architekt des Gebäudes, *Josep Puig i Cadafalch*, war eine vielseitige Persönlichkeit. Neben Architektur beschäftigte er sich mit Geschichte, Archäologie und Politik. Er gilt als hervorragender Vertreter des sog. neugotischen Modernisme.

Der Schokoladenfabrikant Antoni Amatller ließ 1898–1900 ein bereits bestehendes Haus grundlegend umbauen. Dem Betrachter stellt sich die Casa Amatller als kurioses, faszinierendes **Gotik-Potpourri** dar. Am behäbigen Treppengiebel klingt die niederländische Gotik an, die teppichartige Fassadenmusterung erinnert an katalanische Gotik. Der farbige Fliesenschmuck im Treppengiebel allerdings beugt Verwechslungen vor: Er weist das Haus eindeutig als ein typisches Kunstwerk des Modernisme aus, in dem alle Sparten des Kunsthandwerks ineinander spielen.

Das **Hauptportal** im linken Teil der Fassade ist umgeben von Gestalten aus einer mittelalterlichen Bilderwelt. Rechts befindet sich ein wild mit dem Drachen kämpfender Georg in wehendem Mantel, links ein Bärenführer. Darüber sind Vertreter der Künste zu sehen: ein Maler mit Palette, ein Bildhauer mit einer Büste, ein Architekt mit Zirkel, eine Harfe spielende Maid als Personifikation der Musik. In den Fensterrahmungen und Konsolen des **Obergeschosses** setzt sich die Fabelwelt fort. Ganz unschuldig hat sich ein neugieriger Fotograf dazwischengeschmuggelt, halb versteckt unter seinem schwarzen Tuch, doch die Tiere haben ihn bereits entdeckt und äffen ihn nach.

Eindrucksvoll und frei zugänglich ist das **Vestibül**. Drachenlampen erhellen den düsteren, niederen Raum mit reich verzierter Holzbalkendecke, weiten Bögen und gedrehten Säulen. Der untere

Aufwendige Inneneinrichtung: das amerikanische Tiffany diente als Vorbild für die mit bunten Tier- und Pflanzenmotiven gestalteten Glasfenster im Speisezimmer, ...

Teil der Wandtäfelung ist mit rot-grün-blau-weißen Kacheln belegt. Die aufwendige *Treppe* führt nur in die Beletage. Heute ist in dieser Wohnung das **Institut Amatller d'Art Hispànic** untergebracht, eine Bibliothek ausschließlich für spanische Kunst. Wenn möglich, sollte man die Haupttreppe hinaufsteigen, in der Türschnitzerei den Klingelknopf suchen und einen Blick in die **Bibliothek** werfen, gestaltet in einer fantastischen Stilmischung aus gotischen, maurischen und modernistischen Elementen.

Die anderen Wohnungen erreicht man über ein seitliches Treppenhaus mit Lift. Im 3. Obergeschoss ist eine *Glasdecke* eingezogen, ein Märchengespinst in gedämpften Farben.

... blumige Ornamente und schwungvolle Jugendstilformen aus Holz und Glas zieren das Kaminzimmer der Casa Lleó Morera

Öffnungszeiten S. 123

Casa Batlló

Passeig de Gràcia 43

Kleinod modernistischer Architektur: mit ›knöcherner‹ Fassade und ›schuppig‹ gedecktem Buckeldach.

1904 beauftragte der Textilfabrikant Josep Batlló i Casanovas den Architekten *Antoni Gaudí i Cornet* [s. S. 89] mit dem Umbau seines Wohnhauses: Neugestaltung der Fassade und der Rückfront, Erweiterung des Innenhofes und Umbau seiner Wohnräume im 1. Obergeschoss. Innerhalb zweier Jahre (1905–07) löste Gaudí diese Aufgabe im Stil des Modernisme und doch völlig eigenwillig: Er verkleidete die **Fassade** mit einem Mosaik aus hellen Kachelbruchstücken (eine alte katalanische Handwerkskunst, die die Verwendung von Abfallprodukten gestattet) und runden Keramikplättchen. Dieser flirrenden Farbfläche legte er eine breite Erkerfassade im Bereich des Hauptgeschosses vor, aus der seitlich schmale **Erker** aufsteigen. Sie wirken wie geknetet aus einer zähen, grauen Masse. Gleichsam im Erstarren begriffen, tropft und rinnt eine amorphe Masse herunter und bildet dabei die drei großen Gliederungsstrukturen. Die schlanken, knochenartig geformten **Säulchen** dazwischen scheinen die zähfließende Masse gerade noch zu festigen.

Über dieser schon reichlich ungewöhnlichen Fassade thront ein fantastischer **Dachaufbau**: Hoch und steil, erinnert er mit seiner gekrümmten sowie von bunten Kacheln und kugeligen Ziegeln überzogenen Gestalt an den schuppigen Rücken eines Riesenreptils. ›Markenzeichen‹ Gaudís sind das **Zwiebeltürmchen** links mit vierblättriger Kreuzblume, ein Gebilde wie aus Schlagsahne geronnen, sowie die bizarren **Kamine** und **Ventilationstürme**. Wichtiges technisches Hilfsmittel war die Verwendung von Eisenbeton.

Berühmtheit hat im **Inneren** der blaue *Lichtschacht* erlangt. Um den nach unten immer schwächer werdenden Lichteinfall auszugleichen, werden die Kacheln entsprechend heller. Interessant sind die eigenwilligen *Türfüllungen* und *Fensterrahmungen* aus poliertem Holz, wie alle Details Sonderanfertigungen nach Entwürfen des Architekten. Das 1907 eigens für die Wohnung des Hausbesitzers entworfene Mobiliar ist heute zum Teil im Museu Casa Gaudí im Parc Güell [Nr. 65] ausgestellt.

Wenn Architektur zu zerfließen scheint: Antoni Gaudí schuf die modernistische Casa Battló in bewegten amorphen Formen und schmückte sie mit bunten Kacheln

Graffitoartige Spachtelbilder auf rauem Grund sind eine von Tàpies' Spezialitäten: die weltweit größte Sammlung seiner Werke ist in der Fundació Antoni Tàpies zu sehen

52 Universitat Central de Barcelona

Gran Via de Les Corts Catalanes 585

Auch in Barcelona wurde im 19. Jh. das lang verpönte Mittelalter für die Baukunst wieder entdeckt.

Das lang gestreckte Universitätsgebäude, seitlich flankiert von zwei Türmen, in der Mitte das giebelständige Hauptgebäude, entstand 1863–72 im sog. Rundbogenstil. Der Baumeister *Elias Rogent i Amat* gehörte zu jenen Architekten, die Romanik und Gotik als eigenständige Kunststile wieder entdeckt hatten und sich am Vorbild des französischen Architekten Viollet-le-Duc orientierten. Die *Säulenkapitelle* in der dreischiffigen, niedrigen **Eingangshalle** zeigen farbige *Wappen* der Landesteile Spaniens, aus dämmerigen Mauernischen heben sich die überlebensgroßen *Figuren spanischer Gelehrter* hervor: Luis Vives (1492–1540, Humanist), Alfons X. el Sabio (1252–1282, König von Kastilien, berühmt wegen seiner Dichtungen), Ramón Llull (1235–1315, katalanischer Philosoph), Averroes (1126–1198, arabischer Philosoph und Leibarzt des Kalifen von Córdoba), San Isidoro (560–636, Erzbischof von Sevilla, Kirchenvater).

Rechts führt eine prunkvolle **Ehrentreppe** nach oben, überwölbt von einer bunten *Glasdecke*. An der Rückwand zur Halle nimmt ein prächtiges Wappen Bezug auf ein anderes, sehr viel älteres Emblem, das im Durchgang zwischen den beiden Innenhöfen hinter Glas angebracht ist. Es ist das **Wappen** Karls V.: der Adler der Habsburger, flankiert von den Säulen des Herkules, die von einem Schriftband mit dem Leitspruch PLUS ULTRA umwunden sind.

Harmonisch und friedvoll sind die beiden doppelstöckigen **Arkadenhöfe** mit Orangenbäumen und Brunnen, die meist von Studenten belagert sind.

53 Editorial Montaner i Simón

(Fundació Antoni Tàpies)
Carrer Aragó 255

Funktion und Kunst geben sich hier ein überaus geglücktes Stelldichein.

Heute sticht das ehem. Verlagshaus Montaner i Simón jedem Passanten sofort durch die Drahtwolke ins Auge, die über seinem im Vergleich zu den Nachbarhäusern niedrigen First schwebt: ›Núvol i Cadira‹ (Wolke und Stuhl) – eine Anspielung auf das Antennengewirr der Umgebung? Zur Entstehungszeit 1880–85 wirkte das Verlagshaus sicherlich nüchtern und schlicht. Der Architekt *Lluís Domènech i Montaner* ist neben Gaudí der vielleicht prominenteste und produktivste Baumeister der Wende vom 19.

›Wolke und Stuhl‹ – das Aluminiumdrahtgeflecht auf dem Dach des ehemaligen Verlagshauses Editorial Montaner i Simón ist ein außergewöhnlicher Blickfang

zum 20. Jh, der das Erscheinungsbild des neuen Barcelona entscheidend prägte.

Ganz der Aufgabe des **Gebäudes** entsprechend, beließ er den *Eisenskelettbau*, der in Barcelona bisher nur für Märkte und Bahnhöfe Anwendung gefunden hatte, hier sichtbar. Für die *Fassadengestaltung* verwendete er nur drei Materialien: Eisen, Glas und Backstein. So entstand ein interessantes Zusammenspiel der Oberflächen, das entfernt an Mudéjar-Baukunst erinnert. Deutlich ist das Bemühen um eine rationale, der Aufgabe des Hauses angemessene Architektursprache, die Eklektizismus und Klassizismus überwinden will.

1989/90 wurde das Haus von *Roser Amadó* und Lluís Domènech umgebaut und beherbergt nun die **Fundació Antoni Tàpies**, 1984 vom Künstler selbst zur Förderung der zeitgenössischen Kunst ins Leben gerufen. Das Museum zeigt eine ständige Tàpies-Sammlung, zusätzlich sind Räume für Wechselausstellungen vorhanden. Es gibt einen Vortragssaal und eine Bibliothek, spezialisiert auf Kunst des 20. Jh. und orientalische Kultur. Bestechend ist die geschickte Verbindung zwischen Altem und Neuem.

Öffnungszeiten S. 123

Casa Milà

(La Pedrera)
Passeig de Gràcia 92

Fels in der weder Tag noch Nacht ruhenden Brandung der Eixample.

In unmittelbarem Anschluss an die Casa Batlló [Nr. 51] baute *Gaudí* [s. S. 89] die Casa Milà (1906–10), ein gewaltiges Eckhaus, das eigentlich aus zwei Häusern und zwei Innenhöfen besteht. Es ist das letzte und berühmteste der von Gaudí entworfenen Mietshäuser. Hier erreichte sein plastischer Gestaltungswille, der sich bisher auf eine individuelle Interpretation des Modernisme beschränkt hatte, eine expressionistische Dimension. Im Gegensatz zur Casa Batlló ist die Casa Milà kein dekoratives, farbenfrohes Gebilde mehr, sondern ein wuchtiger, expressiver Körper, eine große organische Form. Nicht zufällig heißt das Gebäude allgemein **La Pedrera**, der Steinbruch. Die wellenartig bewegte Kalksteinfassade erinnert an eine ausgewaschene Felswand, an die sich die Schmiedeeisenbalkone wie karge Pflanzenpolster klammern.

Gaudí war allerdings nicht nur ein Meister origineller, zupackender Gestal-

Bin Spaziergang mit Wellenbewegung zwischen bizarr-behelmten ›Wächtern‹: Beständiges Auf und Ab in der fantastisch-skurrilen Dachlandschaft von Antoni Gaudís Casa Milà

tung. Sein zweites großes Anliegen war es, durch *funktionsgerechtes Bauen* den Bewohnern seiner Häuser ein Höchstmaß an Wohnkomfort zu bieten. Die **Wohnungen** der Casa Milà besitzen individuell gestaltbare, oft asymmetrische Grundrisse, ermöglicht durch die Vermeidung tragender Wände innerhalb der Wohnbereiche. Die Fassade ist nur vorgehängt und mit Zugankern befestigt.

Stachelige Pflanzenbänder vor ausgewaschener Felswand schmücken die Fassade der Casa Milà, des populärsten der von Antoni Gaudì entworfenen Mietshäuser

Das Gebäude selbst ruht auf Steinsäulen und Stahlträgern. Ein gemeinsames Treppenhaus gibt es nicht, die Wohnungen können nur mit dem Aufzug oder über die Hintertreppe erreicht werden. Statt der repräsentativen Treppe und anstelle der engen, ungesunden Lichtschächte zog Gaudí zur besseren Belichtung und Belüftung die beiden großen Innenhöfe ein.

Das Haus ist heute Eigentum der ›Caixa de Catalunya‹. Das **Dach**, zu Fuß über sieben Stockwerke zu erklimmen, kann besichtigt werden. Hoch interessant sind die *Parabolbögen* des Dachstuhles, in die in den 50er-Jahren des 20. Jh. Apartments eingebaut wurden. Das Dach selbst entpuppt sich als *fantastischer Skulpturengarten* aus dicken und dünnen Türmen, die im Volksmund ›Hexenschreck‹ heißen: die von farbigen Kachelbruchstücken überzogenen Kamine und Lüftungsschächte des Hauses.

Öffnungszeiten S. 124

55 Casa Fuster

Passeig de Gràcia 132

Gewaltig auftrumpfender Abschluss der Prachtstraße.

Dieses Haus (1909–11) nimmt wegen seiner Lage eine Sonderstellung ein. Es beschließt als Eckhaus den prachtvollen Passeig de Gràcia und gehört mit seiner Nordfassade bereits zum Beginn des sehr viel engeren Carrer Gran de Gràcia.

Lluís Domènech i Montaner verstand, diesen Gegebenheiten geschickt Rechnung zu tragen. Mit Balkonen und lang gezogenen Erkern gab er den **Fassaden** ein enormes Volumen, mit einem runden **Turm**, der vom ersten Obergeschoss bis zum Dach aufsteigt, betonte er die Ecksituation. Insgesamt verwendete er plastisch besonders durchgebildete, schwere Einzelformen, eine rauschende Zusammenstellung von gotischen und Renaissanceelementen sowie Zitate anderer von ihm gebauter Häuser. Da gibt es gedrungene *Rotmarmorsäulen* mit dicken, knorpeligen Blüten anstelle der Kapitelle im Erdgeschoss, *Doppelsäulen* für die Balkone der Beletage mit kräftig gerollten Volutenkapitellen. Die Sockelplatte des Turmes gleicht einem überdimensionalen Blütenboden. Die *Fenstereinfassungen* in den Obergeschossen sind ›gotische‹ Dreipassböden. An der Nordfassade zum Carrer Gran de Gràcia hin ist die Fassadengestaltung etwas zurückgenommen, alles wirkt straffer, flächiger und schlichter, entsprechend dem einfacher werdenden Stadtviertel.

56 Casa Comalat

Avinguda Diagonal 442 –
Carrer Còrsega 316

Ein Haus mit zwei Gesichtern: das eine ein Nachhall der Casa Batlló, das andere eine Musterschau spanischer Baukeramik.

Auch dieses Gebäude (1909–11) gehört zu den Schätzen des Modernisme. Für die **Hauptfassade** an der Avinguda Diagonal entwarf der Architekt *Salvador Valeri i Pupurull* eine repräsentative, insgesamt aber etwas schmalbrüstige Lösung. Der untere Teil mit seinen knochenähnlichen Säulchen und Balkonen verrät deutlich den Einfluss Gaudís, genauso wie die schwingende, kuppelige Dachform mit leuchtend grünen Ziegeln, die an eine bunte Mütze erinnert. Der Giebel ist festlich bekränzt mit nachgeahmten Blumengirlanden, die in üppiger Fülle herabhängen.

Die **Fassade zum Carrer Còrsega** hingegen war dem Repräsentationszwang weniger unterworfen und wirkt daher viel origineller. Wie ein mächtig gebauchter, hölzerner Riesenerker wölbt sie sich vom ersten Obergeschoss bis hinauf zum Giebel schwingend aus der Fläche. Faszinierend ist das abwechslungsreiche Spiel zwischen Jalousien und hellen Keramikmosaiken, die sich friesartig über die gesamte Fassade ziehen und gewissermaßen als breites Schmuckband in der Mitte herabhängen.

57 Palau Baró Quadras

(Museu de la Música)
Diagonal 373 – Carrer Roselló 279

Ein märchenhafter Palast, der maurische und christliche Kunst unter dem Banner des Jugendstils vereint.

Josep Puig i Cadafalch gestaltete 1904–06 ein bereits bestehendes Gebäude für den Baron Quadras um. An der **Hauptfassade** ließ er seiner Vorliebe für die mittelalterliche Baukunst des Nordens freien Lauf. Für Barcelona völlig untypisch ist das *Steildach* mit vier dicht gedrängten Dachgauben aus dunklem Holz. Ein vorgelagerter breiter *Erker*, der im oberen Teil mit feinster Steinmetzarbeit

Harmonie der Stile: Josep Puig i Cadafalch vermengte bei der Gestaltung des Palau Baró Quadras Elemente mittelalterlicher Baukunst und Jugendstilformen

geschlossen ist, markiert das Hauptgeschoss. Was von weitem wie ein Wappenfries wirkt, entpuppt sich aus der Nähe als eine Reihe mittelalterlich gekleideter Paare. An der rechten Seite des Erkers drängt der hl. Michael Verdammte mit seinem Flammenschwert in die Tiefe, links wehrt der hl. Georg den he-raufkriechenden Drachen ab – das Lieblingsmotiv Puig i Cadafalchs.

Unbedingt zu empfehlen ist die *Besichtigung* dieses Palastes. Von einem kleinen Innenhof führt eine steinerne Treppe ins Obergeschoss. Hier gibt es zwei prachtvolle **Säle**, in denen gotische, antikisierende und arabisierende Stilelemente zu einer originellen, ganzheitlichen Dekoration zusammenfließen. Im *1. Saal* mit kostbarer Holzdecke befindet sich wie ein feuersaugender Schlund ein gewaltiger Kamin mit dem schmiedeeisernen Wappen der Quadras. Der *2. Saal* gibt sich ›maurisch‹ mit verschränkten Fächerbögen sowie über und über ornamentierten Säulen.

In diesen Räumen und noch zwei Geschosse darüber ist das **Museu de la Música** untergebracht. Es präsentiert verschiedene qualitätvolle Sammlungen von Instrumenten aus aller Welt. Hervorragend ist die *Gitarrensammlung*, die die bestbestückte in Europa sein soll. Der Rundgang beginnt im dritten Stockwerk mit Saiteninstrumenten aller Art. Im zweiten Geschoss werden Blasinstrumente aus Holz und Blech gezeigt, auch die typischen Instrumente für die Sardana können inspiziert werden.

Öffnungszeiten S. 124

58 Casa Terrades

(Casa de les Punxes)
Avinguda Diagonal 416–420 –
Carrer Bruc 141–143 –
Carrer Rosselló 260–262

Wuchtige Burgtürme, nadelspitz behelmt, bieten Patrizierhäusern Schutz vor der Großstadt.

Auf drei Grundstücken errichtete *Josep Puig i Cadafalch* 1903–05 den riesigen, frei stehenden, heftig mit der Gotik liebäugelnden Gebäudekomplex – sein bekanntestes Werk. Das **Gebäude** erscheint als lebendige, abwechslungsreiche Reihe hoher schmaler Häuser mit steilen Giebeln und nadelspitzen *Aufsätzen*, daher auch die Bezeichnung ›Haus der Spitzen‹. Zur ›Diagonal‹ hin ist die Mitte der Häuser jeweils durch dreigeschossige *Erker* akzentuiert. An beiden Seitenfassaden erscheinen an deren Stelle schöne *Schmiedeeisenbalkone*. Puig i Cadafalch verwendete nur für den Sockel Naturstein, der Rest ist Backsteinmauerwerk, meisterhaft zur Detailgestaltung eingesetzt. Die *Hauseingänge* z. B. haben weder gerade Türstürze noch einen Eingangsbogen, vielmehr dreieckige Öffnungen aus abgetreppten Ziegellagen. Die sechs Ecken des unregelmäßig geschnittenen Grundstücks gewinnen durch sechs Rundtürme eigenes Leben. Der höchste und prächtigste ist der **Südturm** mit seiner steinernen Krone über dem weit ausladenden Helm. Der Turmansatz erhält durch raffiniert geschichtete Ziegellagen besonderes Gewicht.

Gut bewehrt: nadelspitze Turmhelme verleihen der Casa Terrades von Josep Puig i Cadafalch einen unverwechselbaren Akzent

59 Palau Ramón de Montaner

Carrer de Mallorca 278

Ein italienisch anmutender Palast, der in die schmückenden Hände des Jugendstils fiel und nun mit Keramikbildern prangt.

Das frei stehende, im Vergleich zu seiner Umgebung niedrige, dreigeschossige Haus ist eines der wenigen erhaltenen Beispiele aus der früheren Eixample-Bebauung (1889–93). Der Bauauftrag ging an *Josep Domènech i Estapà*, der das **Erdgeschoss** in klaren eklektizistischen Formen errichtete. Nach einem Zerwürfnis mit dem Bauherrn führte Lluís Domènech i Montaner den Bau weiter. Die beiden **Obergeschosse** belegen einmal mehr die expressive Ausdruckskraft dieses Architekten, der die heitere Sprache des Jugendstils ebenso beherrschte wie die Regeln des Funktionalismus. Die Hervorhebung des Mittelteils der Fassade im Carrer de Mallorca und das weit vorspringende Dach lassen an italienische Palastbaukunst denken. Ganz dem Geiste des Modernisme entspricht der intensive Einsatz kunsthandwerklicher Techniken. Es gibt ungewöhnlich kupferfarben blitzende Fliesen und zwischen den Mezzaninfenstern im obersten Geschoss herrliche *Keramikbilder*.

Ein Schmuckstück für sich ist der schmiedeeiserne **Gartenzaun** im Carrer de Llúria mit seinen hohen, blüten- und ornamentüberrankten Pfosten und einem Tor, dessen Gestaltung an Gaudís Drachenflügel erinnert.

60 Casa Macaya

(Centre Cultural de la Caixa de Pensions)
Passeig de Sant Joan 108

Eine Jugendstilvariante des gotischen Palastes.

Kurz nach der Casa Amatller [Nr. 50] baute *Josep Puig i Cadafalch* diese Stadtvilla. Hier wie dort gibt es den kräftig skulptierten Erker mit gedrehten Säulen und den Balkon mit knorpelig-vegetabiler Brüstung. Die **Dachzone** dagegen erfuhr grundlegende Veränderungen. Anstelle der Treppengiebel gibt es nun eine gestaffelte Front weit vorspringender Dächer – einen niedrigen Mittelteil und turmartig erhöhte Seitenteile.

Die *Kapitelle* in den beiden reich dekorierten **Türrahmungen** stammen von

Corrida Olé! Stierkampfbegeisterte lassen sich die teils blutigen Darbietungen der Torreros in La Monumental, der einzigen Jugendstilarena der Welt, nicht entgehen

dem Bildhauer *Eusebi Arnau*. Er flocht in den vorgeblich spätgotischen Rahmen muntere Alltagsszenen ein. Wunderbar sind die Darstellungen der verschiedenen Arten des Reisens: der Bauer schaukelt auf einem Ochsen dahin, der Städter thront auf seinem flinken Drahtesel.

Im **Inneren** haben beide Häuser wenig miteinander gemein. Ist das eine in geschichtsträchtiges Dunkel gehüllt, strahlt das andere in lichten Farben. Puig i Cadafalch hielt den *Innenhof* ganz in Weiß-Gelb und überzog weite Teile der Wände und Decken mit sog. Esgrafiados, ornamentalen Wandmalereien, deren Umrisse in den Putz geritzt werden. Bezaubernd ist die Vielfalt der *Ornamentformen*. Die hohen schmalen Fenster mit arabisierend getreppten Rahmungen sind mit Gittern aus stachligen, schmiedeeisernen Pflanzen versehen. Kräftige Blumen umwinden die Kapitelle und Säulenschäfte.

1978 wurde dieser Jugendstilpalast in das **Centre Cultural de la Caixa de Pensions** umgewandelt. In den stark veränderten Innenräumen und einem neuen großen Saal dieses Kulturzentrums werden *Wechselausstellungen* alter Kunst, der klassischen Moderne und der Avantgarde gezeigt.

Öffnungszeiten S. 125

61 La Monumental

Gran Via de les Corts
Catalanes 749

Stierkampfarena im ›maurischen‹ Jugendstil.

›La Monumental‹ mutet in der monotonen großstädtischen Umgebung geradezu fremdartig an: dunkle, massige Backsteintürme, maurische Zwillingsfenster, eiförmige Kuppeln hinter den Turmzinnen, blendend weiße Kachelflächen, von blauen geometrischen Mustern durchbrochen. Summe dieser Formen ist die einzige **Jugendstil-Arena** der Welt. Wie so viele andere Bauten in der Eixample ist auch sie kein Neubau. Zwei Jahre nach ihrer Einweihung war die neue Stierkampfarena bereits zu klein geworden, so dass 1916 die beiden Architekten *Ignasi Mas Morell* und *Domènec Sugrañes Gras* mit einer umfassenden Erweiterung der Monumental beauftragt wurden.

In einem separaten Haus neben den Ställen ist das **Museu Taurí** untergebracht, in dem viel Interessantes zum Thema *Stierkampf* zu sehen ist: Matadorkostüme, Stierköpfe, Fotos und Poster.

Öffnungszeiten S. 124

Von der Avinguda de Gaudí zum Parc Güell – gebaute Utopien

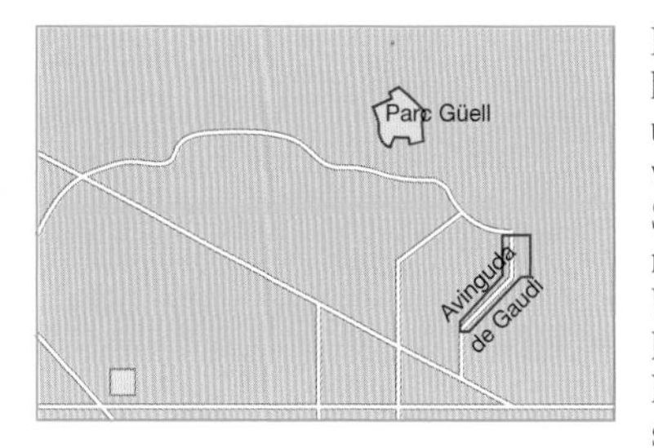

Barcelona ist eine Stadt der scharf kalkulierenden Kaufleute, der Bankiers und Immobilienmakler. Ein Sprichwort sagt, der Katalane verstehe es, Steine in Brot zu verwandeln. Dennoch ist Barcelona auch eine Stadt der Utopien, der hochfliegenden Ideen. Die bekannteste ist vielleicht Cerdàs Plan der Eixample, einer demokratischen Stadterweiterung [s. S. 76]. Eine andere ist *Gaudís* Idee der riesigen Kirche **La Sagrada Família**, die zu Beginn des 20. Jh. entwickelt wurde. In diesen Fragment gebliebenen Bau strömen nun Scharen von Touristen. Zudem wurde eine gewaltige Krankenhausanlage in grandiosestem Jugendstil errichtet, die zugleich modernsten Erfordernissen gerecht wurde, und es gab sozialutopische Ansätze zu einer Stadt im Grünen, aus der die weitläufige Anlage des Parc Güell hervorging.

62 Avinguda de Gaudí

Der Boulevard verbindet zwei der bedeutendsten Bauten des Modernisme.

Die Avinguda de Gaudí wurde durch Plätze und Parks in die Umgestaltung und Erneuerung Barcelonas einbezogen [s. S. 65]. Weitgehend verkehrsberuhigt, verwandelte sie sich in eine kleine Rambla dieses Viertels. Die Mitte des Boulevards, in Höhe des Carrer Castillejos, markiert eine **Skulptur** von Apel.les Fenosa. Ein bronzenes Mädchen stürmt mit wehendem Haar einem Engel mit mächtigen Schwingen entgegen – »Das schöne Wetter folgt auf den Sturm«.

Die wichtige **städtebauliche Funktion** dieses Straßenzuges liegt in der Verbindung der bedeutendsten Bauten der beiden größten Architekten des Modernisme begründet: Am Beginn der Avinguda steht die *Sagrada Família*, das Hauptwerk Gaudís. Den Abschluss bildet das *Hospital de Santa Creu i Sant Pau* [Nr. 64], das Hauptwerk von Lluís Domènech i Montaner.

63 Sagrada Família

Plaça de la Sagrada Família

Gaudís berühmtestes Gebäude, sein Lebenswerk – ›eine Predigt in Stein‹.

Bereits ein Jahr nach der Grundsteinlegung übernahm der erst 31-jährige *Antoni Gaudí* [s. S. 89] 1883 die Bauleitung für die Kirche zur Heiligen Familie, die allein durch Spenden finanziert werden sollte. Sein Vorgänger Francisco del Villar hatte eine neugotische Kathedrale geplant, von der zu diesem Zeitpunkt erst Teile der Krypta fertig gestellt waren.

Die Kirche sollte zum Lebenswerk Gaudís werden. Die letzten zwölf Jahre seines Lebens widmete er ausschließlich diesem **Projekt**, zum Schluss bezog er sogar eine Werkstatt auf der Baustelle, um dort immer präsent zu sein. Gaudí hatte als Bauzeit 200 Jahre veranschlagt und daher auch keinen Gesamtentwurf hinterlassen. Kommende Generationen sollten ein Mitspracherecht an der Architektur dieses Mammutprojekts haben. So sind nur Teilmodelle, verschiedene Entwürfe und eine Übersicht zur religiösen Symbolik des ganzen Baues erhalten. Über dem Grundriss des lateinischen Kreuzes sollte eine fünfschiffige Basilika mit dreischiffigem Querschiff entstehen. Siebzehn minarettartige, je 100 m hohe *Türme* sollten dieses »steingewordene Gebet« über die Stadt hinaus verkünden: Den zentralen Vierungsturm wollte Gaudí mit vier Türmen umgeben, ein Sinnbild für das Wort Christi, das durch die Schriften der vier Evangelisten in alle Welt verkündet wird. An jeder der drei Fassaden sollten vier Türme stehen, deren Summe auf die Zwölfzahl der Apostel verweist. Gaudí schwebte die Kirche zuletzt als gewaltige,

◁ *La Sagrada Família: Antoni Gaudís spektakuläres Lebenswerk ist Wahrzeichen Barcelonas*

Figurenreich und von unendlicher Formenvielfalt: Detail des Geburt-Christi-Portals an der Ostfassade der Sagrada Família mit musizierenden Engeln von Antoni Gaudí

von innen heraus leuchtende *Farbkomposition* vor: Jedes Bauteil erstrahlt in der liturgischen Farbe, die seiner symbolischen Funktion im Gesamtkomplex entspricht. Sämtliche Möglichkeiten mittelalterlicher Bildersprache sollten zusammenwirken. Was die *Konstruktion* anbelangt, war Gaudís größtes Vorbild und maßgebende Richtschnur die Natur. Gerne verwies er auf den Baum, bei dem alle Dinge ganz ohne äußere Hilfe im Gleichgewicht seien. Strebebögen und -pfeiler lehnte er als »Krücken« ab und entwickelte an ihrer Stelle schräg gestellte, sich verzweigende Stützen. Das Hauptschiff wäre so zu einem wahren Säulenwald geworden. Doch Gaudí selbst konnte nur die Krypta und den größten Teil der Ostfassade fertig stellen. Außerdem legte er die Themen der drei Fassaden fest.

Ikonographisches Programm der **Ostfassade** ist die Geburt Christi. Die *Portale* thematisieren Liebe (dargestellt ist die Geburt Christi), Hoffnung (Flucht nach Ägypten und bethlehemitischer Kindermord) und Glaube (der predigende Christus, Elisabeth, Zacharias, Maria und Joseph). An dieser größtenteils von Gaudí selbst errichteten Fassade lässt sich seine gestalterische Entwicklung gut nachvollziehen. Die Portalzone ist noch ganz im Sinne des Modernisme mit zahlreichen Figuren besetzt, besonders schön ist der *Tierfries* in den Gewänden der drei Portale. Doch je mehr die Fassade nach oben wächst, desto stärker wird die Architektur selbst zur Skulptur. Programm der zur Stadt hin orientierten **Westfassade** (Entwürfe 1911–17) ist die Passion. Die **Südfassade** (Entwurfsbeginn 1916) beschreibt das Jüngste Gericht.

1952 wurden die Arbeiten an der Sagrada Família wieder aufgenommen. Die umstrittenen *Figuren* am **Passionsportal** stammen von dem katalanischen Bildhauer *Josep Maria Subirachs*, der sie in den 80er-Jahren des 20. Jh. schuf. Beeindruckend ist seine metallisch scharf geschnittene Christusfigur hinter der Geißelsäule. In der mittleren Zone trägt Christus das Kreuz, begleitet von der Figur der Veronika. Im Hintergrund erkennt man das Kreuz auf Golgatha, flankiert von Maria und Johannes.

Rechts von der Kirche, Carrer Mallorca 401, ist das kleine **Museu de la Sagrada Família** zur Geschichte der ›Baustelle ohne Ende‹ eingerichtet. Zu sehen sind u. a. die ersten Pläne für die neugotische Basilika von Villar. Fotos früher Projekte von Gaudí begleiten Bilder, die den Fortgang der Arbeiten an der Sagrada

Família dokumentieren. Außerdem gibt es verschiedene Entwurfszeichnungen, Skizzen und Modelle. Hoch interessant sind die Studien zu den von Gaudí geschaffenen Skulpturen.

Spannend ist ein Ausflug in die verschlungene Welt der **Turmfamilie** am Ostportal. Man kann den Aufzug benutzen oder zu Fuß die nicht enden wollenden Wendeltreppen erkunden und dabei immer neue, faszinierende **Ausblicke** über die Stadt entdecken.

Öffnungszeiten S. 124

64 Hospital de Santa Creu i Sant Pau

Carrer de Sant Antoni Maria Claret 167

Einzigartiger Klinikkomplex im Jugendstilgewand, heute Universitätsklinik.

Auf einer Fläche von 10 ha, was etwa neun Wohnblöcken des Stadtviertels Eixample entspricht, errichtete *Lluís Domènech i Montaner* ab 1902 ein weitläufiges Krankenhaus. Geschickt vereinte er beste Jugendstil-Architektur mit damals modernsten technischen, hygienischen und organisatorischen Anforderungen. Das **Projekt** fußt auf der Idee der Gartenstadt. Domènech bettete 48 voneinander unabhängige Pavillons, die für die verschiedenen medizinischen Abteilungen benötigt wurden, in eine weitläufige **Gartenanlage** ein. Die Verbindungsgänge sind wie alle technischen Einrichtungen unter die Erde verlegt.

Schon von weitem sieht man das **Hauptgebäude**, hoch und schmal, bekrönt von einem Uhrtürmchen und durchbrochen von drei Achsen riesiger Rundbogenfenster, eher Durchgang als Zentrum. Den Eintretenden begrüßt eine biedermeierlich pathetische *Skulptur* der Barmherzigkeit: Unter der Büste des Bauinitiators Pau Gil sitzt eine Frau, an die sich ein kranker Mann und ein Mädchen schmiegen. Die **Eingangshalle** mit Muldengewölben und gedrungenen Säulen wirkt ›mittelalterlich‹, aufgelockert durch die üppigen Blattkapitelle sowie helle Fliesen in Rosa und Hellblau. Die *Skulpturengruppe* links vor der Treppe ist ebenfalls ein Konglomerat aus Mittelalter und Modernisme: Ein jugendlicher hl. Martin teilt seinen Mantel mit dem Bettler, assistiert von einer Nonne und einem Priester.

Gaudí – Barcelonas Vorzeigearchitekt

Im Jahre 1852 erblickte **Antoni Gaudí i Cornet** *in der Provinzstadt Reus, südwestlich von Tarragona, das Licht der Welt. Der junge Katalane studierte und baute fast ausschließlich in Barcelona. Er und seine architektonischen Mitstreiter, darunter die Baumeister* **Domènech i Montaner** *und* **Puig i Cadafalch**, *setzten die Highlights in das eintönige Raster der Eixample, Barcelonas Stadterweiterung. Gaudí konnte es sich leisten, verschwenderisch und innovativ zu bauen. Sein Geld- und Auftraggeber war das Großbürgertum Barcelonas, darunter Gaudís Freund und Mäzen, der Textilfabrikant* **Graf Eusebi Güell**, *der ihn in die gute Gesellschaft einführte.*

Die **Inspiration** *für die Gestaltung seiner Wohnhäuser und Villen, seiner Gartensiedlungen und Kirchen suchte Gaudí in der Vielgestaltigkeit der Natur. Er liebte geschwungene Konturen, Schlangenlinien, reichen Ornamentschmuck und entwickelte neue Theorien über die Stütztechnik. Auch die* **Innenausstattung** *vieler Bauten wurde von Gaudí selbst übernommen. Mit Vorliebe schmückte er seine Bauwerke mit Holzeinlegearbeiten, skurrilen Möbelstücken, bunten Glastüren, Keramik- und Eisenverzierungen.*

Beispiele seines Wirkens sind über die ganze Stadt verteilt. Höhepunkt ist jedoch zweifellos die **Sagrada Família** *[Nr. 63], die bis heute nicht vollendete Sühnekirche, der Gaudí die letzten zwölf Jahre seines Lebens widmete, bis er 1926 nach einem Straßenbahnunfall im Antic Hospital de Santa Creu i Sant Pau starb.*

Verlässt man das Hauptgebäude nach hinten, kommt man zu den ersten **Pavillons**, die eine fantastische Mischung mittelalterlicher und arabisierender Architektur und Dekoration bilden, vereint unter dem weiten Mantel des Jugendstils: farbige Kuppeln, minarettartige Türme, ein Wegkreuz u. v. m.

Der katalanische Bankier Pau Gil hatte in seinem Testament den Bau eines Krankenhauses verfügt. Aus seinem Nachlass wurde ein großes Gelände, angrenzend an die Eixample, erworben. 1902–11 konnte allerdings nur ein Viertel der vorgesehenen Arbeiten bewältigt werden, dann war das ausgesetzte Legat erschöpft. Man beschloss daher, das alte Hospital de Santa Creu i Sant Pau [Nr. 45], das ohnehin aus der Altstadt verlegt werden musste, mit diesem Krankenhaus zu verbinden. Aus seinen Mitteln sollten die restlichen Grundstücke erworben und das Projekt fertiggestellt werden. 1912 begann damit die **zweite Bauphase** des Hospitals. Nach dem Tod von Lluís Domènech i Montaner 1923 führte sein Sohn *Pere Domènech i Roura* die Arbeiten weiter. Am 16. Januar 1930 übergab Alfonso XIII. das neue Krankenhaus seiner Bestimmung.

Faszinosum sondergleichen: der Jugendstilkomplex des Hospital de Santa Creu i Sant Pau von Domènech i Montaner als Potpourri mittelalterlicher und arabischer Formen

Traumlandschaft aus Kachelbruch: Antoni Gaudís berühmte Schlangenbank im Parc Güell ist eine Attraktion, die sich kaum ein Barcelona-Besucher entgehen lässt

TOP TIPP 65 Parc Güell

Haupteingang am Carrer Olot

Fantasievoller katalanischer Gegenentwurf zur englischen Gartenstadt.

Der Mäzen und Freund Gaudís, Graf Eusebi Güell, war ein begeisterter Anhänger der um die Jahrhundertwende populären Idee der englischen Gartenstädte. 1900 beauftragte er *Gaudí* [s. S. 89] mit dem Bau einer solchen Wohnkolonie auf dem baumlosen Hügel der Muntanya Pelada. Gaudí teilte die vorhandenen 15 ha in rund 60 dreieckige **Parzellen** auf, die zusammen ein großes Quadrat ergaben, und sah den Rest des Grundstückes für Parkanlagen und Gemeinschaftseinrichtungen vor. Von den Parzellen konnten jedoch nur zwei verkauft werden, eine an Gaudí selbst, die andere an einen Freund. Der finanzielle Misserfolg zwang Güell und Gaudí, 1914 ihr Projekt aufzugeben. In den 20er-Jahren des 20. Jh. öffnete die Stadt den Park für die Allgemeinheit.

In dem Musterhaus, in dem Gaudí ab 1906 gelebt hatte, ist heute das **Museu Casa Gaudí** eingerichtet. Ausgestellt sind Hausgerät, Zeichenmaterial, persönliche Dinge und Mobiliar aus einigen der von dem Architekten gebauten Häuser. ***Öffnungszeiten S. 124***

Eine hohe Mauer mit sieben Toren umgibt den **Park**. Der Haupteingang im Carrer Olot wird von zwei ovalen *Pavillons* (links das Pförtnerhaus, rechts das Verwaltungsgebäude) gerahmt. Wieder zeigt sich Gaudís Bestreben, Natur und Architektur zu verbinden. Wie große Pilze mit auslappenden, bizarr hochgezogenen Kappen wachsen die beiden Häuschen aus der Natursteinmauer. Durch das schmiedeeiserne *Tor*, verziert mit Gaudís typischem Palmblattmotiv, führt der Weg zu einer zweiteiligen, geschwungenen *Treppenanlage*, unterteilt von Pflanzbecken und zwei *Brunnen*. Aus dem einen ragt ein bunter Schlangenkopf, aus dem anderen reckt sich eine riesige gesprenkelte Echse dem Besucher entgegen. Über die Treppe gelangt man in eine weite *Säulenhalle*, die als Markthalle geplant war. Die 68 dorischen Sandsteinsäulen sind schräg gestellt und innen hohl. Sie dienen als Fallrohre für Regenwasser, das in eine Zisterne weitergeleitet wird, aus der auch die Brunnen des Treppenaufganges gespeist werden. Das Dach der Markthalle ist gleichzeitig ein großer, freier Platz. An seinem Rand windet sich die berühmte *Schlangenbank* entlang, gänzlich von farbigen Kachelbruchstücken und Glassplittern bedeckt.

FIB
ENTRADA VISITANTES PROFESIONALES
9

Montjuïc – Museumsvielfalt am Hausberg Barcelonas

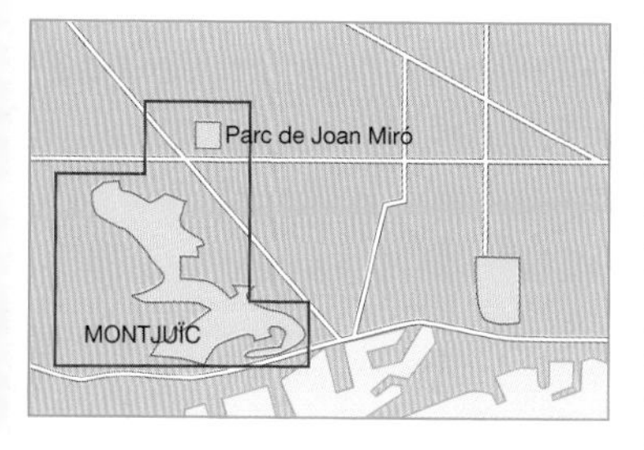

Montjuïc und Tibidado sind die markantesten Kuppen einer Hügelkette, die den Rahmen Barcelonas bilden. Gleichzeitig bieten sie dem Großstädter grüne **Erholungsgebiete** und den Blick auf das Meer und in die Berge.

Das wohl reizvollste Angebot des Montjuïc sind seine Museen unter schattigen Bäumen: Da gibt es mit der **Fundació Joan Miró** ein Museum für moderne Kunst, das für seine mittelalterlichen Fresken aus den Pyrenäen weltberühmte **Museu Nacional d'Art de Catalunya**, das **Museu Arqueològic** zur Besiedlungsgeschichte Kataloniens sowie das repräsentative **Museu Etnològic** mit Exponaten verschiedener Volksstämme aus allen Erdteilen. Im **Poble Espanyol**, dem sog. Spanischen Dorf, sind alle Landschaften Spaniens mit Nachbildungen ihrer typischen Häuser vertreten. Außerdem locken eine Reihe neuer **Parks** sowie die zur Olympiade 1992 entstandenen **Sportanlagen**.

66 Plaça d'Espanya

Weiträumiges Vestibül des Weltausstellungsareals von 1929.

Die kreisförmige Plaça d'Espanya ist einer der verkehrsreichsten Plätze Barcelonas und Schnittpunkt der beiden größten Straßen der Stadt, der Gran Via de les Corts Catalanes und der Avinguda del Paral.lel. Im Zentrum des Platzes errichtete der Gaudíschüler *Josep Maria Jujol* ein allegorisches **Monument**, unentschieden zwischen Triumphtor und kleinem Tempel, mit dem Thema ›Spanien überantwortet sich Gott‹. Die weiblichen *Figuren* der Brunnenanlage verkörpern die drei Meere, die Spanien umschließen: das Mittelmeer, das Kantabrische Meer und den Atlantik.

Zwischen Carrer Tarragona und Gran Via de las Corts Catalanes liegt **Les Arenes**, die zweite Stierkampfarena der Stadt, mit 52 m Durchmesser. Sie fasst 15 000 Zuschauer, wird heute allerdings nicht mehr für Stierkämpfe benutzt. Statt dessen werden hier nun Zirkus- und Open-air-Veranstaltungen aufgeführt. Rechts neben der Arena glänzt ein riesiger *Schmetterling* über den Häusern in der Sonne. Der Baumeister *Josep Graner i Prat* verkleidete mit diesem Falter aus Keramikbruchstücken den Giebel seines 1912 errichteten Mietshauses, der **Casa de la Papallona** (Carrer Llança 20).

Im Bann leuchtenden Wasserzaubers: vom Palau Nacional bietet sich der schönste Blick auf das nächtliche Schauspiel der Font Màgica an der Plaça d'Espanya

Zwei 47 m hohe venezianische *Backsteintürme* markieren den Beginn der **Avinguda de la Reina Maria Cristina**, einer breiten Prachtstraße, die direkt auf den Montjuïc zuführt. Sie wird gesäumt von eindrucksvollen Messegebäuden und endet in einer breiten Treppenanlage. Die *Wasserbecken* in der Straßenmitte werden am Fuß der Treppe von einer kreisrunden Brunnenschale abgeschlossen. Bei Nacht verwandeln sich diese Wasserspiele bisweilen in einen leuchtenden, sprühenden Vorhang aus Wasser und Licht, die **Font Màgica**. Diese technische Meisterleistung mit 4730 Lampen in zehn verschiedenen Farben entwickelte der Ingenieur *Carles Buïgas* anlässlich der Weltausstellung 1929.

Point de vue der Prachtstraße ist der **Palau Nacional**, der ehem. spanische Pavillon der Weltausstellung. Das monumentale Gebäude birgt seit 1934 das Museu Nacional d'Art de Catalunya [Nr. 67] mit katalanischen Kunstschätzen, die in ihrer ausdrucksstarken Schlichtheit wenig mit dem auftrumpfenden Prunk ihres Gehäuses gemein haben.

67 Museu Nacional d'Art de Catalunya

(Palau Nacional)
Parc de Montjuïc

Die wohl größte Sammlung romanischer Wandmalereien auf der Welt.

Barcelona verlor seine politische und wirtschaftliche Bedeutung zu Beginn der Neuzeit. Damals begannen die europäischen Königs- und Fürstenhöfe mit ihren Kunstsammlungen, die heute die Bestände der großen Museen Europas bilden. Noch Ende des 19. Jh. besaß Barcelona daher lediglich einige unerhebliche Sammlungen. Erst ab 1907 wurde im Museum des Parc de la Ciutadella gezielt romanische und gotische Kunst gesammelt, bis die Bestände schließlich so anwuchsen, dass man in ein größeres Gebäude auswich. 1934 wurde im ehem. spanischen Pavillon das Museum für Katalanische Kunst eröffnet: eine exquisite **Sammlung** mittelalterlicher Wandmalereien, die sich in den abgelegenen Kirchen und Klöstern der Pyrenäen und ihrer Ausläufer erhalten hatten. Zwei Beweggründe ließen diese außergewöhnliche Sammlung zustande kommen: zum einen die katalanische Renaixença im 19. Jh., die eine intensive Beschäftigung mit der mittelalterlichen Vergangenheit mit sich brachte, zum anderen der Wunsch, den Verfall katalanischen Kulturgutes zu verhindern und seinen Ausverkauf ins Ausland zu unterbinden. In einer groß angelegten Aktion wurden die *Fresken* – nachdem einige zuvor bereits in den Handel gelangt waren – von den Wänden der Kirchen abgenommen und in dem neuen Museum zusammengetragen.

In den *Kirchen* wurde vom 10. bis zum 12. Jh. in erster Linie die Wand hinter dem Hauptaltar, die Apsis, mit Malereien geschmückt. In der Halbkuppel thront Christus als Pantokrator in der Mandorla. In der linken Hand hält er sein Buch, die rechte hat er zum Segensgestus erhoben. Ihn umgeben die vier geflügelten Wesen zusammen mit den ranghöchsten Engeln (Cherubim und Seraphim). Irdische Basis dieses ›Himmels‹ sind die zwölf Apostel, in ihrer Mitte Maria. Im untersten Abschnitt breiten sich Fabelwesen zwischen dekorativen Tüchern aus. Ab

›Christus Pantokrator‹: das Apsisfresko von Sant Climent aus Taüll im Museu Nacional d'Art de Catalunya ist ein Glanzstück der katalanischen Malerei des 12. Jh.

Blickpunkt der Prachtstraße Avinguda de la Reina Maria Cristina: Palau Nacional, in dem das Museu Nacional d'Art de Catalunya einen imposanten Rahmen gefunden hat

Ende des 12. Jh. kann auch die Maria des byzantinischen Typus der ›Gottesgebärerin‹ anstelle des Pantokrators in der Mandorla thronen.

Eines der ältesten und qualitätvollsten Beispiele einer solchen Apsisausmalung stammt aus **Sant Quirze de Pedret** und entstand wohl um 1100. In der Wölbung sieht man die thronende Gottesmutter, darunter die klugen (links) und törichten (rechts) Jungfrauen: in Erdfarben gehaltene elegante Erscheinungen mit riesigen Augen, ganz nach byzantinischem Geschmack.

Weniger höfisch ist das Apsisfresko aus **Santa Maria d'Aneu**, 12. Jh. Die thronende Gottesmutter (stark beschädigt) empfängt die drei Weisen, die sich demütig mit ihren Gaben nähern. Die am besten erhaltene Figur des Melchior bietet eine der seltenen Gelegenheiten, weltliche Kleidung des Mittelalters kennen zu lernen. Unter den Weisen erscheinen menschliche Köpfe, umgeben von sechs gewaltigen Schwingen, die mit Augen übersät sind – Cherubim aus der Vision des Ezechiel.

Ein Höhepunkt der katalanischen Malerei des 12. Jh. ist der Christus aus der Apsis von **Sant Climent**, Taüll, im Boital: Im Zentrum einer sehr dichten und ausgewogenen Komposition thront die majestätische Figur Christi. Sie ist umgeben von den vier Wesen, den vier Evangelisten und Cherubim. Das geöffnete Buch verkündet ihn als ›Licht der Welt‹, als ihren Anfang und ihr Ende. Ungewöhnlich ist die realistische Darstellung Mariens als zahnlose Matrone im Kreise der Jünger.

Der Eindruck aus solchen mittelalterlichen Kirchen wird ergänzt durch interessantes *liturgisches Mobiliar, Altarantependien* und *Holzplastiken*. Wichtigste Themen in der Plastik sind die thronende Gottesmutter und Christus als König am Kreuz in langem, gegürtetem, farbig gefasstem Gewand.

In den **gotischen Sälen** liegt der Schwerpunkt auf der *Tafelmalerei*. Hier wird zwischen drei Schulen unterschieden: der sog. französischen Gotik, der italienischen Gotik und der internationalen Gotik. Großteils sind die Meister nun namentlich bekannt und dokumentiert: Die berühmtesten in Barcelona tätigen Künstler waren *Pere Garcia de Benavarri* (mit einer überraschend lyrischen Darstellung der Enthauptung Johannes des Täufers), *Bernat Martorell, Bartolomé Bermejo* und *Jaume Huguet*. In den Kirchen der Stadt finden sich vereinzelt Altäre von ihrer Hand. *Profane Gegenstände* wie Truhen, Brettspiele, Reste bemalter Holzdecken aus Adelspalästen der Stadt runden die gotischen Exponate ab.

Aus dem Palau Aguilar im Carrer Montcada, heute Museu Picasso [Nr. 29], stammt ein großes Wandgemälde, das nach Art einer Chronik Bild für Bild die Eroberung Mallorcas zeigt (um 1280). Fast modern mutet die Trauerszene auf dem Sarkophag des Sancho Saiz Carrillo (um 1300) an: Die Trauernden sind in sackartige, schwarzbraun gestreifte Gewänder gehüllt und raufen sich das gelöste Haar. Den Abschluss des Museums bilden **Maler der Neuzeit**. Höhepunkte sind hier Werke von El Greco, Francisco de Zurbarán, Jusepe de Ribera, Francisco Ribalta und Diego Velázquez.

Mons Jovis, Judenberg, Montjuïc: Geschichte eines Berges

Seit langem mit der Stadtgeschichte verknüpft, ist der Montjuïc, der Hausberg Barcelonas. Schon in vorrömischer Zeit bestand hier eine **primitive Siedlung**. *Die Römer nannten den Berg angeblich ›Mons Jovis‹ – ›Jupiterberg‹ – und bauten im 3. Jh. n. Chr. eine Verbindungsstraße zwischen ihm und dem Mons Taber (Kathedrale). Auf dem Mons Jovis befand sich ein* **jüdischer Friedhof** *– Funde von alten Grabsteinen sind im Castell de Montjuïc [Nr. 71] ausgestellt – und so erhielt der Berg wohl später den Namen ›Judenberg‹.*

Der Stadt im Südwesten vorgeschoben, bot der 213 m hohe, jäh zum Meer abfallende Montjuïc stets eine strategisch wichtige Position. Von hier aus wurden mit Feuer und Kerzen Signale an die Schiffe ausgesandt. 1640 entstand auf der Kuppe eine primitive **Befestigung**, *die 54 Jahre später im Spanischen Erbfolgekrieg zur heutigen Festung ausgebaut wurde. Erst 1929, als in Barcelona die zweite Weltausstellung stattfand, bezog man den Montjuïc in das* **Stadtgebiet** *ein. Damals wurden seine weitläufigen Parks und Gärten angelegt mit zahlreichen Gebäuden für die Weltausstellung, einem Stadion und einer Schwimmhalle. Auf halber Höhe kam ein Vergnügungspark hinzu.*

Dem Museum angeschlossen ist die **Col.leccio Cambó**, die im Monestir de Pedralbes [Nr. 84] der Sammlung Thyssen Platz machte. Zu sehen sind 48 Ölgemälde aus der Renaissance und dem Barock mit Werken u. a. von Goya, El Greco und Claudio Coello.

Öffnungszeiten S. 124

68 Museu Arqueològic

Parc de Montjuïc,
Passeig de Santa Madrona 39–41

Verwaiste Bruchstücke aus der Vergangenheit Barcelonas in exquisitem Rahmen.

Eigentlich nur provisorisch im Pavillon der grafischen Künste der Weltausstellung 1929 untergebracht, befindet sich das Archäologische Museum noch heute dort. Der Architekt *Jaume Marti i Camona* baute den Mittelsaal des **Gebäudes** unaufdringlich, aber effektvoll zu einem runden, sich über zwei Stockwerke erstreckenden Raum um. Ein riesiger, bläulich schimmernder Glasstern in der Decke verbindet die beiden Geschosse und betont sie als Höhepunkt gegenüber den übrigen Räumlichkeiten.

Der chronologisch aufgebaute **Rundgang** beginnt an der linken Tür des Vestibüls. ›Am Anfang war die Steinzeit …‹: In eine Modellhöhle kehren gerade Adam und Eva von der Jagd zurück. Im Weiteren sind Werkzeuge, Grabbeigaben und Modelle verschiedener Bestattungsweisen von der Steinzeit bis zur Kultur der Balearengräber zu sehen. Interessante Zeugnisse der Kultur der Karthager stammen aus der Nekropole Puig dels Molins auf Ibiza. Das bedeutendste Stück ist die sog. *Dame von Ibiza*, geschmückt mit Diadem und Kollier. Daneben gibt es Oranten, Idole und Schmuck aus Gold und Glas. Den größten und am ausführlichsten dokumentierten Saal nehmen *Funde aus Emporion* ein. Empúries, nördlich von Barcelona, war eine der westlichsten Kolonien Griechenlands im Mittelmeerraum. Im 2. Jh. v. Chr. wurde es römisches Militärlager und schließlich römische Stadt. Vom täglichen Leben in Empúries zeugen zahlreiche Tongefäße, Scherben schöner schwarz-roter Keramik, Reste römischer Fresken, Glasbruchstücke und verschiedenste Geräte aus Bronze: Weihgaben, Schmuck, Öllampen, Gefäße, Hausrat und Instrumente für die Körperpflege.

Ein ästhetischer Höhepunkt des Museu Arqueològic ist der Pompejanische Rundsaal, in dem Gefäße aus buntem Glas und die Figur eines trunkenen Fauns zu sehen sind

Im neu gestalteten **Mittelsaal** sind einige schöne Statuen und frühchristliche Sarkophage aus Barcelona zu sehen. Im **Obergeschoss** befinden sich etruskische Sarkophage und, für den, der das Barri Gòtic [s. S. 18] bereits erkundet hat, interessante Überreste römischer Bauten.

Öffnungszeiten S. 124

69 Museu Etnològic

Passeig de Santa Madrona 22

Kunsthandwerk ferner Kulturen anschaulich präsentiert.

Das Völkerkundemuseum wurde 1948 gegründet und fand 1973 hier in einem modernen Bau mit gestaffelten sechseckigen Ausstellungskojen eine neue Heimstätte. Die **Sammlungsbestände** kommen aus dem Norden Marokkos, Japan, Nepal, Indien, Tibet, Afghanistan, Südamerika, Äthiopien, Senegal, der Türkei und den Philippinen. Exzellent ist die Abteilung japanischer Keramik, ungewöhnlich breit gefächert die archäologische Sammlung aus dem präkolumbischen Mittel- und Südamerika. Diese Vielfalt brachte ein dreigleisiges Ausstellungskonzept mit sich. Neben einer ständigen Ausstellung zu Japan im ersten Stock gibt es mitunter Dauerausstellungen über zwei Jahre hin, mit denen eine Kultur schwerpunktmäßig erfasst werden soll: Textilien, Kleidung, Hausgerät, Nahrung usw. Daneben gibt es einige Monate dauernde Kurzausstellungen.

Öffnungszeiten S. 124

70 Fundació Joan Miró

Plaça Neptúr – Parc de Montjuïc

Ein lichtes Museum eröffnet die heitere Welt des Malers Miró.

Auf halber Höhe des Montjuïc, kurz vor dem Vergnügungspark, steht zwischen Zypressen eine Gruppe schlichter weißer Würfelhäuser, das Miró-Museum. Berauschend sind die Farb- und Lichtkontraste zwischen den weißen Baukuben, dem Grün der Bäume des umgebenden Parks und dem meist strahlend blauen Himmel. Mit dem Wind über den Hügeln entschwindet die erdrückende Lärm- und Smogkulisse der Stadt. An klaren Tagen scheint der Tibidabo greifbar nahe.

Josep Lluís Sert (1902–1983), Schüler Le Corbusiers und einer der bedeutendsten katalanischen Architekten dieses

Jahrhunderts, schuf den **Bau** für seinen Freund Joan Miró 1972–75. Er orientierte sich an der klaren Organisation des mediterranen Bauernhauses und gruppierte die kubischen Gebäudeteile additiv um zwei Innenhöfe. Erweiterungsbauten wie 1986 und 2000 sind problemlos möglich. Durch letztere gewinnt das Museum weitere 500 m². Teil davon ist die *Sala K*, in der die 300 Werke umfassende Privatsammlung des japanischen Galeristen Kasumasa Katsuta als langfristige Leihgabe Platz findet. Erhalten bleibt das spanungsreiche Wechselspiel von Licht und Schatten, Innen und Außen, Kunst und Architektur. Die fließend ineinander übergehenden *Innenräume* werden überraschend nach oben aufgebrochen oder greifen aus auf *Dachterrassen*, die nicht nur zum Betrachten der farbigen, formal verknappten Skulpturen Mirós einladen, sondern auch überwältigende Ausblicke über die Stadt bieten.

In diesem lichtdurchfluteten Gebäude kommen die so populär gewordenen Arbeiten des Katalanen **Joan Miró** ideal zur Geltung. Es sind starkfarbige Werke, aufgebaut aus hintersinnigen Chiffren, denen er poetische Titel gab: ›Entfliehendes Mädchen‹, ›Die Zärtlichkeit eines Vogels‹, ›Frau und Vogel‹, ›Frau bei Nacht inmitten eines Vogelschwarmes‹, ›Mond, Sonne und Stern‹. Gezeigt wird ein einzigartiger Überblick über die gesamte Schaffensbreite Mirós: Gemälde, Skulpturen, textile Objekte, Bühnenentwürfe, Skizzen und Zeichnungen, die die Entwicklung des Künstlers von Kindheit an verfolgen lassen. Im Archiv wird darüber hinaus das gesamte grafische Œuvre Mirós aufbewahrt. Eine Schenkung anlässlich der Museumseröffnung ist der sog. Quecksilber- oder **Merkurbrunnen** von *Alexander Calder*. Der Amerikaner schuf ihn 1937 für den spanischen Pavillon auf der Weltausstellung in Paris.

Die Idee zu einer Miró-Stiftung geht auf *Joan Prats*, einen Jugendfreund des Künstlers, zurück. Er legte mit einer Schenkung, die frühe Werke bis 1960 umfasste, den Grundstock zu der **Sammlung**. Hinzu kamen zahlreiche Alterswerke, die Miró selbst beisteuerte, und

Heitere Kunst: in munter-kraftvollen Farben leuchtet die Skulptur ›La Défense‹ (1975) des katalanischen Künstlers in der Fundació Joan Miró

Erinnerung an kriegerische Zeiten: im Castell de Montjuïc, das lange als Festung, Militärgefängnis und Hinrichtungsstätte diente, ist heute das Museu Militar eingerichtet

eine posthume Stiftung seiner Frau Pilar. Ergänzt wird dieser Bestand durch eine Sammlung moderner und zeitgenössischer Kunst, zumeist Schenkungen der jeweiligen Künstler an die Stiftung, sowie durch Wechselausstellungen mit Werken der internationalen Avantgarde. Das **Studienzentrum** bietet eine ausgezeichnete Bibliothek, Aufführungen zeitgenössischer Musik, Film, Video und andere Veranstaltungen. Außerdem gibt es eine gut sortierte Museumsbuchhandlung mit internationalen Publikationen.

Folgt man beim Miró-Museum der Straße hügelaufwärts, gelangt man zur Drahtseilbahn **Funicular**. Sie erspart den manchmal schweißtreibenden weiteren Aufstieg zum Castell [Nr. 71] und gewährt einen atemberaubenden Blick über die Stadt sowie auf den Parc d'Atraccions mit seiner Jahrmarktatmosphäre.

Öffnungszeiten S. 123

71 Castell de Montjuïc
(Museu Militar)

Museum an einem geschichtsträchtigen Ort mit einzigartigem Ausblick.

Über dem jäh zum Meer abfallenden Hang krönt die Festung mit sternförmiger Anlage den Montjuïc. Die erste **Befestigungsanlage** errichteten die Katalanen 1640 mit größter Hast in nur 30 Tagen. Hier besiegten sie die Truppen Philipps IV., mussten aber bereits 1652 die Festung an den spanischen Staat übergeben. 1694 wurde sie ausgebaut, 1706 von den Truppen der Bourbonen gesprengt und schließlich im 18. Jh. von diesen noch einmal erweitert. Seit 1962 ist die Anlage wieder im Besitz der Stadt, die sie renoviert und in das **Museu Militar** umgewandelt hat, das aus verschiedenen städtischen Sammlungen sowie Beständen des spanischen Heeres zusammengestellt

Grüne Oasen am Montjuïc

Stille, blühende Gärten, besucht nur von Liebespaaren und kartenspielenden Rentnern, sowie großflächige Grünanlagen laden rund um den Montjuïc zu erholsamer Rast abseits des städtischen Trubels ein. Oberhalb des Hafens erstrecken sich TOP TIPP *die* **Jardins Mossèn Costa i Llobera**, *der artenreichste Tropengarten des Mittelmeerraums mit einem kleinen Teich. Weiter östlich, hinter dem Palau Nacional [Nr. 67], liegen die* **Jardins de Joan Maragall**, *die Spaziergängern und Erholungsuchenden allerdings nur sonntags (10–14 Uhr) die Pforten öffnen. Hinzu kam südlich des Olympiastadions der weitläufige, für den olympischen Marathonrundkurs angelegte* **Parc del Migdia**.

wurde. Gezeigt werden Relikte aus der spanischen Geschichte, darunter das Schwert des Cid, verschiedenste *Waffen*, moderne wie historische *Uniformen*. Sehenswert sind vor allem die reich verzierten arabischen Waffen. Eine *Ahnengalerie* der Grafen und Könige Barcelonas führt die Dynastie bis auf Karl den Großen zurück. Im *Untergeschoss* sind Modelle verschiedener spanischer Burganlagen zu sehen, maßstabsgetreue Zinnsoldatenheere, in denen sogar Soldaten auf Fahrrädern zu finden sind, und einige Fundstücke zur Geschichte des Montjuïc. Interessant sind außerdem die *Grabsteine* vom jüdischen Friedhof am Montjuïc.

Öffnungszeiten S. 124

72 Poble Espanyol

Avinguda del Marquès de Comillas

Ein Querschnitt aller Haustypen des Landes im Maßstab 1 : 2.

Durch eines der gewaltigen Stadttore von Avila betritt man das Spanische Dorf. Genau wie die beiden mächtigen Rundtürme, die dieses Tor flankieren, besteht das gesamte Dorf aus originalgetreuen Nachbildungen im Maßstab 1:2. Versammelt sind besonders charakteristische Häuser, Plätze und Straßen aus allen Regionen Spaniens. In den Gebäuden sind zudem einige interessante Hand-

Stimmungsvolles Klein-Spanien: das schon tagsüber viel besuchte Freilichtmuseum Poble Espanyol ist auch charmanter Treffpunkt für Nachtschwärmer

Nachbau eines architektonischen Schmuckstücks: Pavelló Mies van der Rohe, den der deutsche Bauhaus-Künstler für die Weltausstellung 1929 errichtet hatte

werksbetriebe, viele Souvenirläden, teure, aber mäßige Restaurants, Bars, Cafés sowie eine Bank untergebracht.

Mit am lebendigsten ist das **andalusische Viertel** gelungen: eine verwinkelte Gasse zwischen blendend weiß getünchten Mauern, Blumenkästen mit Geranien und ein kleiner stiller Platz mit einer Mariensäule (Plaza de la Hermandad, Córdoba). Hier in der Nähe ist auch die **Glashütte**, in der die spanische Kunst des Glasblasens vorgeführt wird. Auch dieses historische Dorf der Weltausstellung von 1929 blieb von dem Erneuerungseifer Barcelonas im Olympiafieber nicht verschont. Seine Gründungsväter *Miquel Utrillo* und *Xavier Nogués* hätten sich sicherlich nicht träumen lassen, dass 60 Jahre später in den ›Türmen von Avila‹ von den Stardesignern Mariscal und Arribas eine topmoderne **Nachtbar** eingerichtet werden würde.

73 Pavelló Mies van der Rohe

Avinguda del Marquès de Comillas

Wallfahrtsort für Architekturstudenten aus aller Welt.

Anlässlich des 100. Geburtstags von *Ludwig Mies van der Rohe* (1886–1969) wurde der deutsche Pavillon, den er für die Weltausstellung 1929 gebaut hatte, rekonstruiert. Der letzte Direktor des Bauhauses entwarf das einzige moderne Gebäude des gesamten Geländes und fiel

In konzentrierter Versunkenheit: Bronzefigur einer tanzenden Frau von Georg Kolbe im Pavelló Mies van der Rohe

damit deutlich aus dem allgemein prunkvollen, historisierenden Rahmen. Zu seiner Zeit kaum beachtet, gilt der deutsche Pavillon heute als eines der Meisterwerke der Architektur des 20. Jh. Aus schlanken Stützen, Glas und dünnen Wandscheiben komponierte der Architekt einen klarlinigen, noblen **Bau** und legte davor ein rechtwinkliges Wasserbecken an. Ein Kunstgriff, der die ephemere Schwerelosigkeit dieses lockeren Gebildes noch unterstreicht. Es gibt keinen fest definierten Raum, Innen und Außen gehen fließend ineinander über. Im hinteren, kleinen Wasserbecken steht eine *Bronzefigur* von Georg Kolbe, eine nackte Frau mit tänzerisch erhobenen Armen, ganz in sich versunken und dennoch raffinierter Bezugspunkt in dem schwebenden Raumgefüge. Die *Onyxwand* im Inneren verleiht dem Pavillon einen Hauch von Kostbarkeit. Der *Barcelona-Stuhl*, der bedeutendste Möbelentwurf Mies van der Rohes in den späten 20er-Jahren des 20. Jh., war hier 1929 ausgestellt.

Attraktion und Clownerie: nicht nur die berühmte Skulptur ›Dona i Ocell‹ belebt den Parc de Joan Miró mit kräftiger Farbigkeit

74 Parc de Joan Miró

(Park de l'Escorxador)
Carrer de Tarragona –
Carrer d'Aragó

Umstrittene Platzanlage unter der wohlwollenden Obhut von Mirós ›Frau und Vogel‹.

Der **Parc de Joan Miró** gehört zu den ersten neu gestalteten Stadträumen in dem Projekt ›Neue Plätze und Parks‹ [s. S. 65]. Auf dem 6 ha großen Gelände standen vorher die Hauptschlachthöfe (katalan.: Escorxador) der Stadt. Der Platz liegt inmitten der rasterförmigen Bebauung der Eixample [s. S. 75]. Die Anwohner wünschten sich einen lockeren englischen Park und liefen Sturm gegen den Entwurf der Architekten Solanas, Quintana, Galí und Arriola, der Bezug nimmt auf den gepflasterten öffentlichen Platz, wie er im mediterranen Raum üblich ist.

Wahrzeichen des Platzes ist Mirós bunte **Skulptur**, überzogen von Keramikbruchstücken, die ›Dona i Ocell‹ (Frau mit Vogel), deren schlanke Höhe sich heiter und gar nicht monumental in dem umgebenden Wasserbecken widerspiegelt. Der Platz nimmt spielerisch Bezug auf die strengen Achsen der Umgebung.

Durch ein weiteres Wasserbecken vom übrigen Parkgelände abgegrenzt und nur über eine Brücke zugänglich, ist der niedrige Bau der **Miró-Bibliothek** am Carrer de Vilamarí. Insgesamt ist die Anlage ein eher traditioneller, von der Umgebung weitgehend abgeschlossener Park mit unterschiedlichen Angeboten für Familien. Kurz vor seinem Tod 1983 vollendete Miró dreißig kleine Skulpturen in leuchtenden Farben, die im Park verstreut stehen.

75 Plaça dels Països Catalans

Ein minimalistisches Platzkunstwerk vor dem Hauptbahnhof.

Umstritten ist die **Gestaltung** des Vorplatzes von Sants, Barcelonas größtem und wichtigstem Bahnhof. Hier treffen die Nord-Süd-Linie der RENFE (staatliche Bahngesellschaft) und die städtische Metro zusammen. Die Gleise sind in unterirdische Tunnels verlegt, über denen ein weitläufiges, hochmodernes Bahnhofsgebäude mit zwei angrenzenden Parkhäusern errichtet wurde. Die Umge-

Futuristische Leuchttürme und eine stählerne Drachengestalt von Andrés Nagel sind die Wahrzeichen des 1985 neu entstandenen Parc de l'Espanya Industrial

bung des Bahnhofs wird durch große Straßen, einige markante Hochhausbauten und niedrigere Häuser des alten Vorortes Sants bestimmt. Die geringe Tragfähigkeit der Stahlbetonkonstruktion über den tiefer gelegten Gleisfeldern erlaubte keine Bepflanzung, die Erde ist hier zubetoniert.

Die Architekten *Helio Piñón* und *Albert Viaplana* gestalteten den Bahnhofsvorplatz und thematisierten die baulichen Vorgaben in einer minimalistischen **Installation**. Zwei elegante Stahlkonstruktionen – leichte Baldachine auf filigranen Stützen, der eine hoch und statisch, der andere lang gestreckt und bewegt –, eine sich 85 m hinziehende, geschwungene Bankreihe aus schwarzem Granit, schräg gestellte Lichtmasten, zeitweise Wasser sprühende Edelstahlrohre und große Stahlkugeln sind zu einem lockeren Platzgefüge zusammengefasst. Auf diese Weise entstehen unregelmäßige offene Räume, in denen Licht und Schatten bei Tag und Nacht – dann noch betont durch die Flutlichtanlage – eine wichtige Rolle spielen.

76 Parc de l'Espanya Industrial

Carrer de Watt 24–34,
Carrer de Sant Antoni

Spiel, Spaß und Kunst auf einem Areal – Park im neuen Trend.

Mit dem Parc de l'Espanya Industrial schufen die Architekten Lluís Peña Ganchegui und Francesc Ruis den Gegenpol zu der nahe gelegenen abstrakten Plaça dels Països Catalans [Nr. 75]. Bunt, vielgestaltig, voll verschiedenster Möglichkeiten zu aktiver Betätigung, ist er ein bürgernaher Vergnügungspark. Schon von weitem sieht man die verfremdeten *Leuchttürme*, die das ehemalige Fabrikareal mit 37 000 m² Fläche von der Umgebung abgrenzen. Der um ca. 5 m abgesenkte Park besitzt eine weitläufige *Wasserfläche*, auf der gerudert werden kann, einen riesigen stählernen *Drachen*, dessen Schwanz eine Rutschbahn verbirgt (von dem Bildhauer Andrés Nagel), Kaskaden und eine lang gezogene Treppenanlage.

Crash Cars
Nivell C
Zoochok

Tibidabo und Umgebung – vergnügliche Parks und stille Oasen

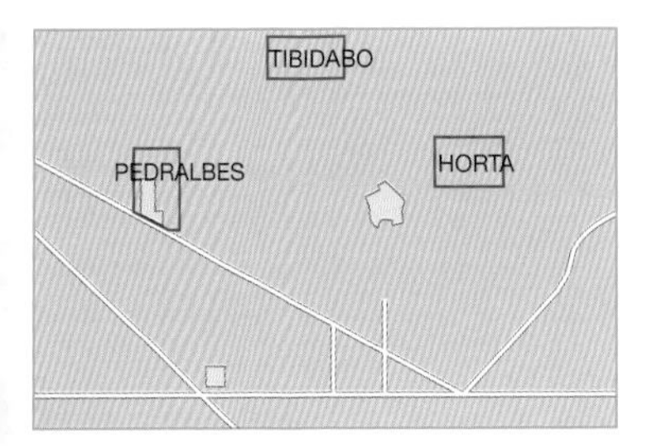

Der Tibidabo ist mit 512 m der höchste Punkt der **Collserola**, der Hügelkette, die die Stadt vor kalten Nordwinden schützt. Erklimmen lässt er sich entweder in der rumpelnden, herrlich altmodischen ›Tramvia Blau‹, einer blauen Straßenbahn, die zwischen der Avinguda del Tibidabo und der Zahnradbahn ›Funicular‹ pendelt, oder mit dem Auto über eine kurvenreiche Straße durch Pinienwälder, vorbei an vielen Picknickplätzen. Der Name ›Tibidabo‹, **›Dir werde ich geben‹**, stammt aus dem Volkslatein und spiegelt den unbändigen Stolz der aufstrebenden Industriestadt Ende des 19. Jh. wider. Hier soll der Teufel Jesus mit dem Versprechen versucht haben: »Dies alles werde ich dir geben, wenn du mir zu Füßen fällst und mir huldigst.« Wie es jedem Katalanen einleuchtet, bietet die Wüste von Palästina wahrlich nichts im Vergleich zu den Reichtümern Barcelonas. Wo sonst also sollte die Versuchung Jesu stattgefunden haben?

77 Tibidabo

Aussichtspunkt mit vielerlei Attraktionen.

Gegen Ende des 19. Jh. wurde der Tibidabo von der Bevölkerung Barcelonas in Besitz genommen. Wahrzeichen dieses Berges ist ein *Vergnügungspark* unterhalb der Votivkirche **El Sagrat Cor**. Der Grundstein dieser massigen neugotischen Kirche wurde 1902 gelegt. Architekt war *Enric Sagnier*. Mit dem Lift gelangt man zu einer Plattform und über einige Treppen weiter hinauf zu den Füßen der riesigen *Christusstatue* auf dem mittleren Kirchturm. Von hier bietet sich ein weiter *Blick* über das Häusermeer Barcelonas, das sich gegen Abend mit schimmernden und glitzernden Lichterketten schmückt. An klaren Tagen kann man sogar Montserrat, den ›Heiligen Berg‹, sehen.

Viel weiter noch reichen die Sender des neuen olympischen Telekommunikationsturmes **Torre de Collserola** unterhalb der Kirche. Das schlanke, 288 m hohe Gebilde – ein Wunderwerk der Technik – entwarf der britische Architekt *Sir Norman Foster.*

Der 1899 eröffnete **Parc d'Atraccions** ist der älteste Vergnügungspark Spaniens. Berühmt ist das 1928 installierte *rote Flugzeug*, das man früher zum vorbereitenden Training für Luftreisende empfahl. Außerdem gibt es ein romantisches Karussell, Riesenrad, Geisterbahn und vieles mehr.

Das **Museu d'Autòmates del Tibidabo** erfreut besonders Techniknostalgiker. Hinter der leicht angestaubten Bezeichnung Automaten-Museum verbirgt sich eine wahre Wunderwelt aus mechanischen *Puppen* und *Spielzeug* des 19. Jh.: frühe Roboter, eine riesige Eisenbahn, ein bewegliches Puppentheater und ein Roulette aus dem Jahre 1918. Besonders bestaunt wurden schon zu ihrer Zeit *Figuren in Glaskästen*, die sich auf Knopfdruck in Bewegung setzen.

Öffnungszeiten S. 124, 128

78 Parc de la Creueta del Coll

Haupteingang vom Passeig de la Mare de Déu del Coll

Spielen, Plantschen, Sonnenbaden am Rande der Großstadt im alten Steinbruch.

MBM – Martorell–Bohigas–Mackay, eines der bekanntesten Architekturbüros in Barcelona – zeichnet für diesen 16 ha großen Landschaftspark in einem dicht bebauten Vorortgebiet verantwortlich. Das Gelände zwischen Tibidabo [Nr. 77]

◁ *Dem Himmel nah: im Riesenrad des Parc d'Atraccions auf dem Tibidabo liegt einem ganz Barcelona zu Füßen* und Parc Güell [Nr. 65] war Ödland, ein verkarsteter Hügel mit einem steil abfallenden leeren Krater, wo sich ein Steinbruch in den Berg gefressen hatte. Die Wände des Steinbruchs fassen heute einen **Teich**, über dem eine riesige, von vier Stahlseilen gehaltene Betonkralle schwebt, eine **Skulptur** des baskischen Bildhauers *Eduardo Chillida*. Vor dieser ›Tarantel‹-Schlucht liegt etwas tiefer ein zweiter, fast kreisförmiger **See**, in dem gebadet und gerudert werden darf. Ein *Wasserfall* verbindet beide miteinander. Sonnenbaden kann man auf der palmenbestandenen Halbinsel. Künstlerischer Akzent des Vorplatzes ist eine **Stahlstele** von *Ellsworth Kelly*.

79 Entorn del Velòdrom d'Horta und Parc del Laberint

Passeig de la Vall d'Hebron

Landschaftliche Gestaltung eines Gedichts und ein beschauliches Labyrinth.

Die kleine Grünanlage **Entorn del Velòdrom d'Horta** neben dem Radrennstadion gehört zu den reizvollsten und im wahrsten Sinne des Wortes lyrischsten Anlagen der Stadt. Aufgabenstellung war, den Zwickel zwischen dem Oval des Radrennstadions und dem Weg, der hinauf in den Parc del Laberint führt, gestalterisch zu bewältigen. Der Dichter *Joan Brossa* versuchte hier, ein Gedicht aus den Buchseiten zu befreien und es in der Landschaft dreidimensional zu visualisieren. Ein gewaltiges, aufrecht auf einem quadratischen Platz stehendes A bezeichnet den Anfang eines rot gesandeten, geschwungenen Weges. Links und rechts davon sind im Rasen Interpunktionszeichen verstreut. Zunächst von hohen Zypressen dem Blick verborgen, endet der Weg auf einem zweiten, kleineren Platz. Das riesige A findet sich dort wieder, doch nun in Stücke geborsten, die am Boden liegen.

TOP TIPP Naturfreunde, die in dieser Gegend sind, besuchen auch den **Parc del Laberint** am Hügel über dem Radrennstadion. Er wurde im 18. Jh. angelegt und bot dem katalanischen Adel Kurzweil und Mußestunden im Schatten. Heute steht er jedem offen, der den relativ weiten Weg von der nächsten Metrostation auf sich nimmt. Den Eintretenden empfängt, halb verborgen hinter einem Gemäuer, ein romantisches *Lustschlösschen* – eine Art Maurenburg über oktogonalem Grundriss, bekrönt von zierlichen Zinnen. Hinter dem Schlösschen liegt links ein verträumter *Park*. Geradeaus führt der ansteigende Weg hinauf in den weiten französischen Park mit Tempelchen, Bächen, Wasserbecken und dem 1792 angelegten **Labyrinth** aus hohen Thujen. In seiner Mitte wartet die Jägerin

Verirren leicht gemacht: im Parc del Laberint ist ein guter Orientierungssinn gefragt

Diana zusammen mit dem bogenbewaffneten Amor auf vergnügtes, Versteck spielendes Publikum. Hüterin des Parks ist eine *Quellnymphe*. Sie ruht am Ende der Anlage in einer offenen Grotte und bewacht die Wasser ihres Reiches.

80 Museu de la Ciència

Carrer Teodor Roviralta 55

Ein Experimentierparadies für Jugendliche wie Erwachsene, die gerne Knöpfe drücken.

Nahe der Avinguda del Tibidabo, einen kurzen Spaziergang von der Metrostation entfernt, vorbei an schönen alten Villen und großen Gärten, steht das Wissenschaftsmuseum, eine Einrichtung der Fundació Caixa de Pensions. Ein leuchtend roter, moderner Backsteinbau empfängt den Besucher und leitet ihn weiter in ein lang gestrecktes, vielgiebeliges **Gebäude** mit raffinierten arabisierenden Fensterbögen und modernistischen Fliesenmotiven. Die Architekten *Garcés* und *Sòria* vereinten hier meisterhaft und mutig Moderne und Modernisme. Architekt des alten Baues, der um 1900 entstand, war *Josep Domènech i Estapà*.

Das pädagogisch aufgebaute **Museum** ist beliebtes Ziel von Schulklassen und experimentierfreudigen Jugendlichen. In zwei Geschossen lassen sich mit Hebeln und Knöpfen interessante Demonstrationen aus *Wellen-* und *Farbenlehre, Optik* und *Mechanik* in Bewegung setzen. Im Keller kann man *Erdgeschichte* und *exotische Tierwelt* entdecken, das *Planetarium* eröffnet den Blick ins Universum. Zwei weitere Säle sind Wechselausstellungen vorbehalten, in denen Neuheiten aus Wissenschaft und Technik gezeigt werden. Der Museumsladen bietet ein gutes Angebot an technischem und wissenschaftlichem Spielzeug und Büchern.

Öffnungszeiten S. 124

81 Col.legi de les Teresianes

Carrer Ganduxer/Carrer d'Alacant

Frauenkloster in asketisch schlichtem Bau.

Antoni Gaudí baute das Ordenshaus der Teresianerinnen 1889/90, etwa gleichzeitig mit dem Palau Güell an den Rambles [s. S. 46]. Die Mittel waren knapp bemessen, die **Bauaufgabe** war eine vollkommen andere. Nicht Repräsentation in

Architektur der Zurückhaltung und Strenge: Antoni Gaudís Col.legi de les Teresianes

prunkvollem Rahmen wurde angestrebt, sondern Schlichtheit und Beschränkung auf das Notwendigste. Dennoch ist das Ergebnis gleichermaßen brillant, eng verwandt mit Gaudís Bischofspalast in Astorga.

Ist man Gaudís expressive Räume und skulpturale Bauformen gewohnt, überrascht er hier mit straffem, konstruktivem Rationalismus. Als er 1888 den Bau übernahm, stand das Gebäude bereits bis zum ersten Stock. Er entwickelte aus diesen Vorgaben einen strengen, gotisierenden Kubus, der von Zinnen bekrönt ist. Die *Gebäudeecken* sind betont durch Gaudís charakteristische vierarmige Kreuze auf spitzen Turmhelmen. Gleichförmige Reihen hoher schmaler Fenster und horizontale Backsteinblenden rhythmisieren die flächigen, klaren *Natursteinfassaden*. Das Ordenswappen markiert die Vorbauten und die oberen Gebäudeecken. Signet des Kollegs ist der *Parabolbogen* des Eingangs mit dem kunstvollen Schmiedeeisengitter. Diese Portalform wird im Inneren des Hauses in den Gewölben der langen Gänge fortgeführt, die zu den schönsten von Gaudí entworfenen Räumen gehören.

TOP TIPP 82 Finca Güell

Avinguda de Pedralbes 7

Maurische Pavillons in einem großen gepflegten Garten.

Das Landgut, das der Industrielle *Graf Eusebi Güell* 1883 bei dem Dorf Les Corts de Sarrià, nördlich von Barcelona, erworben hatte, wird heute von der Avinguda Pedralbes durchschnitten und ist Teil des neuen Universitätsviertels. Die Renovierung der Villa sowie der Neubau des Pförtnerhauses, der Pferdestallungen samt Reithalle und die Einfriedung des Grundstücks war 1884 der erste Auftrag Eusebi Güells für den jungen Architekten *Antoni Gaudí*.

Bestes katalanisches Kunsthandwerk zeigt heute noch das berühmte **Drachentor**, der Haupteingang zu dem Anwesen. Es besteht aus einem 5 m breiten, schmiedeeisernen Torflügel, dem ein 10 m hoher Pfosten als Gegengewicht dient. Die jugendstilartige *Bekrönung* dieses Pfostens mit ihren kugeligen Früchten ist eine Anspielung auf den Garten der Hesperiden, bewacht von einem schrecklichen fauchenden Drachen. Beim Öffnen der Tür hebt dieser allerdings brav die Tatze.

Das **Pförtnerhaus** und die **Reithalle** sind kubische Backsteingebäude mit Kuppel und Laterne. Unübersehbar ist hier wieder Gaudís Interesse für die Kunst der Mudéjares, den Baustil der Mauren, die getauft im christlichen Spanien lebten. Keramikbruchstücke und Backsteinblenden überziehen die Gebäude mit lebhaftem geometrischem Dekor. Bemerkenswert ist auch die erstmalige Verwendung von Parabolbögen und -gewölben, die später ein Charakteristikum von Gaudís Architektur wurden. Seit 1956 sind die Gebäude Sitz der **Càtedra Gaudí**, des Gaudí-Lehrstuhls an der Fakultät für Architektur in Barcelona.

83 Palau Reial de Pedralbes

(Museu de Ceràmica)
Avinguda Diagonal 686

Bürgerpalast in herrlichem Park.

Die Bezeichnung Königspalast ist irreführend, denn das Gebäude ist erst knapp 70 Jahre alt und aus einer Erweiterung eines Landsitzes der Familie Güell hervorgegangen. Die vermögendsten und angesehensten Geschäftsleute Barcelonas hatten das ursprüngliche Gebäude 1925 umbauen lassen und es Alfonso XIII. bei einem Besuch der Stadt als Geschenk übergeben. Mehr weitläufige Villa als Palast, steht das hellgelbe **Gebäude** mit ausschwingenden Flügeln, die ein Wasserbecken umschließen, inmitten eines englischen Parks. Im Inneren sind die üblichen Repräsentationsräume zum Teil sehr schön möbliert.

Beim Entwurf für die Neubauten der Finca Güell ließ sich Antoni Gaudí von seiner Begeisterung für die Baukunst der Mauren leiten

Mit Ausnahme der hier untergebrachten Museen ist der Palast ist nicht öffentlich zugänglich. Die Sammlung des **Museu de Ceràmica** besticht durch die Vielfalt ihrer Objekte von der Frühgeschichte Barcelonas bis zu zeitgenössischer Keramik. Das **Museu d'Arts Decoratives** bietet eine Sammlung von Dekorationsgegenständen – Möbel, Uhren, Glas – vom Mittelalter bis in unsere Tage. Besonders interessant ist die Industriedesign-Sammlung (1930–90).

Wunderschön zum Spazierengehen oder Lesen ist der **Park** von *Nicolau M.ªRubió i Tudurí* mit Marmorfiguren unter alten Bäumen, kleinen Brunnen und Quellen.

Öffnungszeiten S. 124

Im Dormitorium des Monestir de Pedralbes sind nun alte Meisterwerke der Col.lecció Thyssen-Bornemisza zu bewundern

84 Monestir de Pedralbes

Baixada de Monestir 9

Königliches Kloster und Grablege – inzwischen eine Oase am Rande der Großstadt.

Ein Wegkreuz am Ende der Avinguda de Pedralbes kündigt das Kloster schon von weitem an. 1326 gründete Königin Elisenda de Montcada, vierte und letzte Gemahlin von König Jaume II. von Aragón, dieses Kloster und übergab es dem Klarissinnenorden. 1969 zogen die Schwestern in einen Neubau um, das alte Kloster wurde von der Stadt übernommen und renoviert. Es ist seit 1983 teilweise für die Öffentlichkeit zugänglich.

Die **Klosterkirche** ist ein typisches und dank der kurzen Bauzeit ein sehr stilreines Beispiel der katalanischen Gotik, eng verwandt mit der Kirche Santa Maria del Pi [s. S. 44]. Die *Seitenfassade* gewinnt aus der Spannung zwischen schlichten horizontalen Gesimsbändern und dem aufragenden Oktogon des kräftigen Turmes eine geometrische Harmonie, die Le Corbusier begeisterte. Über dem Portal ist das immer wieder anzutreffende *Wappen* der Klostergründerin eingemeißelt. Durch *Glasfenster* aus dem 14. Jh. – dunkel, doch in kräftigen Farben – fällt gedämpftes Licht in den weiten, einschiffigen *Innenraum*. Die Gewölbe mit den großen Schlusssteinen sind weit heruntergezogen, ein Querhaus gibt es nicht. In dem farbig gefassten *Alabastersarkophag* (1364) rechts vom Altar ruht Elisenda de Montcada, auf der Tumba ihre Liegefigur. In den Kapellen an der Kirchenwand gibt es einige *Aristokratengräber*, zum Teil mit schönen Figuren, doch abgesehen davon fehlt die ursprüngliche Ausstattung der Kirche.

Der **Kreuzgang** des Klosters ist ungewöhnlich groß und ausgewogen. Zweigeschossige Arkadengalerien mit einer Art Altane als Abschluss umgeben ihn an drei Seiten. An den schlanken Säulchen des Kreuzgangs kehrt das Wappen der Gründerin in den Palmettenkapitellen wieder. Die erste *Kapelle* rechts im Kreuzgang ist dem hl. Michael geweiht, als Seelenwäger erscheint er an der rechten Wand. Berühmt sind hier die *Fresken* (ab 1346), die Ferrer Bassa zugeschrieben werden. Offensichtlich hatte der Künstler Italien bereist, denn seine Landschaftsräume und Heiligen, gekleidet in großflächige, voluminöse Gewänder, zeugen deutlich von seiner Kenntnis Giottos und der zeitgenössischen Malerei Sienas. Dargestellt sind Szenen aus dem Leben Jesu, an denen besonders die Liebe zum drastischen Detail und die Lebendigkeit in den Gesichtern und Gesten der Figuren auffällt.

Seit 1993 sind in einem Teil der Klostergebäude – u. a. im ehem. Dormitorium der Klarissinnen – Gemälde und Skulpturen der **Col.lecció Thyssen-Bornemisza** ausgestellt. Zu sehen sind Werke älterer Meister wie Fra Angelico, Tizian, Lucas Cranach, Veronese, Velázquez und Zurbarán.

Öffnungszeiten S. 124

Barcelona aktuell A bis Z

Vor Reiseantritt

ADAC Info-Service: Tel. 018 05/ 10 11 12, Fax 30 29 28 (0,12 €/Min.)

ADAC im Internet: www.adac.de

Barcelona im Internet: www.bcn.es

Informationen bietet das **Spanische Fremdenverkehrsamt**,
Internet: www.tourspain.es

Deutschland
Kurfürstendamm 180, 10707 Berlin,
Tel. 030/8 82 65 43, Fax 8 82 66 61,
E-mail: berlin@tourspain.es

Grafenberger Allee 100, 40237 Düsseldorf, Tel. 02 11/6 80 39 81, Fax 6 80 39 85,
E-mail: dusseldorf@tourspain.es

Myliusstraße 14,
60323 Frankfurt/ Main,
Tel. 069/72 53 13, Fax 75 53 13,
E-mail: frankfurt@tourspain.es

Postfach 15 19 40, 80051 München,
Tel. 089/5 38 90 75, Fax 5 32 86 80,
E-mail: munich@tourspain.es

Prospektbestellung in Deutschland:
Tel. 061 23/991 34, Fax 9 91 51 34

Österreich
Walfischgasse 8, 1010 Wien,
Tel. 01/5 12 95 80, Fax 5 12 95 81,
E-Mail: viena@tourspain.es

Schweiz
Seefeldstraße 19, 8008 Zürich,
Tel. 0 12 52 79 30, Fax 0 12 52 62 04,
E-Mail: zurich@tourspain.es

Allgemeine Informationen

Reisedokumente

Für Reisende aus Deutschland, Österreich und der Schweiz genügt ein gültiger **Personalausweis** oder ein **Reisepass**, für Kinder unter 16 Jahren ein Kinderausweis oder Eintrag im Elternausweis.

Kfz-Papiere

Führerschein, Fahrzeugschein und Internationale Grüne Versicherungskarte. Zusätzlich wird eine Vollkasko- und Insassenunfallversicherung empfohlen.

Krankenversicherung und Impfungen

Auslandskrankenscheine der Krankenkasse gewährleisten die Deckung von Arzt- und Arzneimittelkosten entsprechend dem auch im Inland üblichen Rahmen. Es ist ratsam, zusätzlich eine *Reisekranken- und Rücktransportversicherung* abzuschließen.

Für **Haustiere** benötigt man ein höchstens 30 Tage altes tierärztliches Gesundheitszeugnis sowie eine Tollwutimpfbescheinigung (mind. 20 Tage, max. 11 Monate alt).

Zollbestimmungen

Innerhalb der **EU** dürfen Waren zum eigenen Verbrauch unbegrenzt mitgeführt werden. Zur Abgrenzung zwischen privater und gewerblicher Verwendung gelten folgende Richtmengen: 800 Zigaretten, 400 Zigarillos, 200 Zigarren, 1 kg Rauchtabak, 10 l Spirituosen, 20 l Zwischenerzeugnisse, 90 l Wein (davon max. 60 l Schaumwein) und 110 l Bier.

Bei Reisen von und durch **Drittländer** (Schweiz) dürfen zollfrei 200 Zigaretten, 1 l Spirituosen über 22 % oder 2 l unter 22 % alc., 50 ml Parfüm, 250 ml Eau de Toilette, 500 g Kaffee und 100 g Tee mitgeführt werden.

Geld

Währungseinheit ist der Euro. Die gängigen *Kreditkarten* werden in Banken, Ho-

◁ *Barcelonas reiche Vielfalt: Antiquitätenshopping am Passeig de Gràcia oder feuriges Bühnenerlebnis beim Flamenco-Festival (***oben***), köstlicher Gaumenschmaus mit Paella und fröhliches Nachtschwärmen in der Designerbar Velvet (***Mitte***), Freiluftcafé an der Moll de la Fusta oder traditionelle Geselligkeit beim Weinfest in Sitges (***unten***)*

tels und vielen Geschäften akzeptiert. An zahlreichen *EC-Geldautomaten* kann man rund um die Uhr Geld abheben. Auch mit der *Postbank SparCard* erhält man an VISA-Plus-Automaten rund um die Uhr Geld (max. 2000 € im Monat).

Tourismusämter

Ajuntament (Rathaus), Plaça de Sant Jaume 1, Tel 933 02 42 00

Turisme de Barcelona, Calle Tarragona 149–157, Tel. 934 23 18 00, Fax 934 23 26 49

Patronat de Turismo, Generalitat de Catalunya, Gran Via de les Corts Catalanes 658, Tel 933 01 74 43, Fax 934 12 25 70

Palau de la Virreina, Rambla 90, Tel 933 01 77 75

Officina de Información Turística de la Generalitat de Catalunya, Passeig de Gràcia 107, Tel 932 38 40 00. Infos über Barcelona, Katalonien und Spanien.

Notrufnummern

Policia Local: 092

Unfallrettung: 061

Polizeizentrale: 932 90 30 00 (auch deutsch- und englischsprachige Beamte)

Feuerwehr: 080

Pannenhilfe RACE (*Real Automóvil Club de España*), Tel. 915 93 33 33

Unfallhilfe (*Auxilio en Carretera*) leistet innerorts auch die *Policia Municipal*, außerorts die *Guardia Civil de Trafico*.

Abschleppdienst (*Assistencía Catalana*): Tel. 933 54 79 99

ADAC-Notrufstation Barcelona: Tel. 935 08 28 28 (ganzjährig)

ADAC-Notrufzentrale München: Tel. 0049/89/22 22 22 (rund um die Uhr)

ADAC-Ambulanzdienst München: Tel. 0049/89/76 76 76 (rund um die Uhr)

Österreichischer Automobil Motorrad und Touring Club

ÖAMTC Schutzbrief Nothilfe: Tel. 0043/(0)1/2 51 20 00

Touring Club Schweiz

TCS Zentrale Hilfsstelle: Tel. 0041/(0) 2 24 17 22 20

Diplomatische Vertretungen

Deutsches Konsulat, Passeig de Gràcia 111 (Metro: Diagonal), Tel. 932 92 10 00, Fax 932 92 10 02

Österreichisches Konsulat, Calle Mallorca 214 (Metro: Passeig de Gràcia), Tel. 934 53 72 94, Fax 934 53 49 80

Schweizer Konsulat, Gran Via Carles III 94, 7° (Metro: Maria Cristina), Tel. 933 30 92 11, Fax 934 90 65 98

Besondere Verkehrsbestimmungen

Tempolimits (in km/h): Für Pkw, Motorräder und Wohnmobile bis 3,5 t gilt in geschlossenen Ortschaften 50, außerorts 90, auf Straßen mit mehr als einer Autofahrspur in jeder Richtung und auf Schnellstraßen 100, auf Autobahnen 120. Für Pkw mit Anhänger gilt außerorts 70, auf Schnellstraßen und Autobahnen 80. *Überholverbot* besteht 100 m vor Kuppen sowie auf Straßen, die nicht mindestens 200 m zu überblicken sind.

Abschleppen durch Privatfahrzeuge ist verboten. Während der Fahrt ist *Telefonieren* nur mit Freisprecheinrichtung erlaubt. Die *Promillegrenze* liegt bei 0,8.

Gesundheit

Ärztlicher Notdienst: Information der *Securidad Social*, Tel. 061

Zahnärztlicher Notdienst: Amesa, Gran Via de les Corts Catalanes 680, (Metro: Passeig de Gràcia/Urquinaona), Tel. 933 02 66 82, Mo–Fr 9.30–13.30 und 15–18.30 Uhr

Anreise

Auto

Umfangreiches **Informations-** und **Kartenmaterial** können Mitglieder des ADAC in Deutschland kostenlos bei den Geschäftsstellen oder unter Tel. 018 05/ 10 11 12 (0,12 €/Min.) bestellen. Im ADAC-Verlag sind außerdem das Reisemagazin sowie der Cityplan *Barcelona* erschienen.

Barcelona ist über die französischen **Autobahnen** Lyon – Orange (A 7) und Orange – Perpignan (A 9) sowie die spanische A 7 über Girona zu erreichen (Autobahnen jeweils gebührenpflichtig).

Die Versorgung mit bleifreiem **Benzin** (*Sin Plomo* bzw. *Euro Super*) ist flächendeckend. Autobahntankstellen akzeptieren Kreditkarten und sind durchgehend geöffnet, die übrigen nur bis ca. 20 Uhr. Zentral gelegene Tankstellen in Barcelona findet man in der Avinguda Paral.lel (zwischen Hafen und Plaça Espanya).

Bahn

Auskunft der Spanischen Eisenbahnen RENFE: Tel. 902240202, Internet: www.renfe.es

Bahnhöfe in Barcelona: Bis zum Frühjahr 1992 galt der Bahnhof *Estació Central Barcelona Sants* als Hauptbahnhof. Nach der Restaurierung hat die schöne alte Eisenkonstruktion *Termino* (auch *Estació de França* genannt) wieder einen Teil des Zugverkehrs übernommen. Daneben sind die beiden unterirdischen Bahnhöfe *Passeig de Gràcia* und *Plaça Catalunya* von Bedeutung. Durchgehende Schnellzüge (Talgo) von und nach Paris, Zürich, Bern und Genf halten in der Estació de França (Termino).

Bus

Linienbusverbindungen bestehen ab der Schweiz und Deutschland. Auskünfte erteilen jedes Reisebüro und die Deutsche Touring GmbH (Europabus), am Römerhof 17, 60486 Frankfurt, Tel. 069/790350, Fax 7903219, Internet: www.deutsche-touring.com. Die meisten internationalen Busse halten am Busbahnhof **Estació d'Autobusos de Sants** (Metro: Sants-Estació), Tel. 934904000.

Ein neuer Busbahnhof am ehem. Bahnhof Estació de Nord nimmt den größten Teil der innerspanischen Linien und einige internationale Busunternehmen auf. **Estació d'Autobusos de Barcelona Nord**, Ali Bei 80 (Metro: Arc de Triomf), Tel. 932656508.

Flugzeug

Der Flughafen **El Prat** liegt südlich von Barcelona, 12 km vom Stadtzentrum entfernt. Das Flughafengebäude wurde 1991 von Ricardo Bofill vollkommen umgestaltet und erweitert. Für die reibungslose Verbindung zur Innenstadt sorgen zahlreiche Taxen, der preiswerte Flughafenzug und der moderne, behindertengerechte Aerobus [s. S. 138].

Allgemeine Information Flughafen El Prat: Tel. 932983838

Bank, Post, Telefon

Bank

Die **Banken** sind in der Regel im Stadtzentrum Mo–Fr 9–14, Sa 9–13 Uhr geöffnet, die Hauptfilialen auch nachmittags bis ca. 16.30 Uhr. *Sparkassen* öffnen bereits um 8.15/8.30 Uhr. Juni–Sept. bleiben mit einigen wenigen Ausnahmen die Geldinstitute samstags geschlossen.

Post

Die **Postämter** (*Oficina de Correos*) sind Mo–Fr 9–14 Uhr, Sa 9–13 Uhr geöffnet. Längere Öffnungszeiten hat das Hauptpostamt, Plaça Antoni López (Metro: Barceloneta). **Briefmarken** (*Sellos*) erhält man auch in Tabakgeschäften (*Tabacos*, *Estancos*). Die **Postsparkasse** befindet sich im Carrer Fusteria 2–4.

Telefon

Internationale Vorwahlen:
Spanien 0034
Deutschland 0049
Österreich 0043
Schweiz 0041

Die früheren Ortsnetzkennzahlen (z.B. 93 für Barcelona) sind nunmehr fester Bestandteil der Telefonnummern und werden immer mitgewählt.

Telefonapparate funktionieren mit Münzen oder mit Kreditkarten. Praktischer ist die Benutzung der **Telefonkarte** (*Tarjeta de Telefónico*), die man bei der Telefongesellschaft Telefónica oder in autorisierten Geschäften kaufen kann.

In ganz Spanien können handelsübliche **GSM-Mobiltelefone** aller deutscher Anbieter benutzt werden.

Einkaufen

Öffnungszeiten: 9–13.30 und 17–20 Uhr. Boutiquen öffnen erst ab 10 Uhr. In den Randgebieten und Wohnvierteln schließen die Geschäfte am Samstagnachmittag. Im Zentrum öffnen die meisten Läden auch am Samstag bis 20 Uhr; Montag ist jedoch oft geschlossen. Kaufhäuser haben Mo–Sa 10–20/21 Uhr geöffnet, Konditoreien, Zeitungs- und Blumenhändler auch am Sonntagmorgen.

Quirlige **Einkaufsstraßen** mit preiswerter und frecher Mode liegen rund um die

Markthallen des Zentrums sowie zwischen Rambles und Kathedrale. Die schönsten **Fußgängerzonen** sind Portaferrissa, Carrer Comtal und Carrer Petritxol.

Wer aufmerksam durch das **Barri Gòtic** spaziert, stößt auf alte Familienbetriebe, Krämerläden voll kurioser Gegenstände oder verstaubte Hut- und Posamentengeschäfte. Die beste Adresse für betuchte Einkäufer ist das Eixample-Geschäftsviertel mit den prachtvollen Boulevards **Passeig de Gràcia** und **Rambla de Catalunya**. Dort sind auch die Modemacher und viele der einschlägigen Designerläden zu finden. An der Avinguda Diagonal bieten Edel-Boutiquen ihren zahlungskräftigen Kunden internationale Mode an. **Souvenirgeschäfte** sind rund um die Rambles angesiedelt. Lebens- und Genussmittel kauft man in den reizvollen, wohl sortierten Kolonialwarengeschäften oder in den großen Markthallen.

Antiquitäten

Barri Gòtic: Carrer de la Palla, Carrer Banys Nous, Baixada de Santa Eulàlia

Eixample: Carrer Rosselló, Còrsega, Enrique Granados, zwischen Rambla de Catalunya und Aribau

El Bulevard dels Antiquaris: Passeig de Gràcia 55–57, 1° (Metro: Passeig de Gràcia), Tel. 932154499, Internet: www.bulevarddelsantiquaris.com. Mehr als 70 Antiquitätenhändler und Kunstgalerien in einer überdachten Ladenpassage.

Els Encants, Plaça de les Glòries Catalanes (Metro: Glòries), Mo, Mi, Fr, Sa. Flohmarkt am Rande der Stadt.

Feria de los Anticuarios: Antiquitätenmesse im März, meist in den Messehallen an der Plaça Espanya.

Mercat Gòtic de Antiguitats, Plaça Nova (Metro: Liceu), Do 9–20 Uhr. Antiquitätenmarkt unter freiem Himmel.

Bücher

Altaïr, Balmes 69, ab Ende 2000 Gran Via 616 (Metro: Passeig de Gràcia), Tel. 934542966. Bestsortierte Reisebuchhandlung der Stadt mit spezieller Nautik-Abteilung.

Happy Books, Provença 286 (Metro: Diagonal), Tel. 934873001. Preiswerte Bücher. Wunderschöner Patio mit Café.

Llibreria del Raval, Elisabets 6 (Metro: Liceu), Tel. 933170293. Allroundbuchhandlung in einer Kirche von 1693.

Herder, Balmes 26 (Metro: Universitat), Tel. 933170578. Deutsche Buchhandlung in Universitätsnähe.

Delikatessen

Colmado Quilez, Rambla de Catalunya 63 (Metro: Passeig de Gràcia), Tel. 932152356. Bekannt für die Erfüllung ausgefallener kulinarischer Wünsche.

Escribà, Rambla 83 (Metro: Liceu), Tel. 933016027. Verlockende Kuchen, leichte Moussetorten und das schönste Jugendstil-Schaufenster der Stadt.

Fargas, Pi 1 (Metro: Catalunya), Tel. 933020342. Kaffee, Schokoladen- und Pralinenspezialitäten. Schmuckstück des Ladens ist eine alte Kakaomühle.

TOP TIPP **J. Murrià Queviures**, València 310 (Metro: Passeig de Gràcia), Tel. 932155789. Edle Weine, feine Liköre und weitere Delikatessen. Schaufenster mit Reklameschildern der Jahrhundertwende dekoriert.

Planelles-Donat, Cucurulla 9 und Portal de l'Angel 7 und 25 (Metro: Catalunya). Spezialität: Turrón Köstlichkeit aus Alicante aus Honig und Mandeln).

Design

TOP TIPP **B. D. Ediciones de Diseño**, Mallorca 291–293 (Metro: Diagonal), Tel. 934586909. Reproduktionen von Gaudí-Stühlen und ultramoderne Möbelkreationen im Designer-Show-room der historischen Casa Thomas.

Dos i Una, Rosselló 275 (Metro: Diagonal), Tel. 932177032. Geschenkeladen mit Barcelona-Motiven auf Tellern, T-Shirts und Schmuckstücken.

Vinçon, Passeig de Gràcia 96 (Metro: Diagonal), Tel. 932156050, E-Mail: bcn@vincon.com. Designer-Kaufhaus mit schicken Objekten aus aller Welt.

Kopfschmuck, Hüte und Posamenten

Fábrica de Peines Ciutad, Portal de l'Angel 14 (Metro: Catalunya), Tel. 933170433. Bürsten, Kämme, Spangen, Bänder kurz: alles für Haupt und Haar.

Jover, Cardenal Casañas 14 (Metro: Liceu), Tel. 933178993. Eine wahre Fundgrube für Stylisten.

Sombrería Obach, Call 2 (Metro: Liceu), Tel. 933184094. Alles vom Córdoba-Hut bis zur Baskenmütze.

Kosmetik/Parfüm

Regia, Passeig de Gràcia 39 (Metro: Passeig de Gràcia), Tel. 932160121. Spanische Duftwasser von Puig oder Myrurgia und Parfümmarken aus aller Welt. Im Hinterzimmer: wertvolle Sammlung von Parfümgefäßen.

Kunsthandwerk

Einen privilegierten Platz haben einheimische Kunsthandwerker im **Poble Espanyol** [Nr. 72], wo Besucher Glasbläsern, Stoffdruckern und Teppichknüpfern über die Schulter schauen können. Katalanische **Keramikartikel**, etwa aus der der Ortschaft La Bisbal nördlich von Barcelona, gibt es in zahlreichen Geschäften zu kaufen.

La Caixa de Fang, Freneria 1, hinter der Kathedrale (Metro: Jaume I), Tel. 933151704. Keramikkunst aus Katalonien. Typische Schmortöpfe aus Ton, rustikale Holzbestecke.

La Manual Alpargatera, Avinyó 7 (Metro: Liceu), Tel. 933010172. Katalanische Leinenschuhe mit Hanfsohle, alle Farben und Größen, mit Verzierungen nach Wunsch des Kunden.

Molsa, Plaça Sant Josep Oriol I (Metro: Liceu), Tel. 933023103. Alte und neue Keramikartikel, Pappmaché-Figuren.

Kuriositäten

Cereria Subirà, Baixada Llibreteria 7 (Metro: Jaume I), Tel. 933152606. Kerzengießerei aus dem Jahre 1761, Jugendstildekoration.

El Ingenio, Rauric 6–8 (Metro: Liceu), Tel. 933177138. Scherzartikel, Masken, Pappmaché-Figuren. Im Hinterzimmer werden Riesenköpfe und Giganten für die Volksfeste Barcelonas hergestellt.

El Rey de la Magia, Princesa 11 (Metro: Jaume I), Tel. 933197393. Utensilien und Ratschläge für Zauberkünstler und solche, die es werden wollen.

Gràfiques El Tinell, Freneria 1 (Metro: Jaume I), Tel. 933150758. Druckstöcke der katalanischen Handwerksinnungen

Superbe Eleganz: extravagant und leuchtend präsentiert sich Barcelonas Mode

aus dem 18. Jh., Postkarten, Exlibris, Lesezeichen, Briefpapier, Visitenkarten.

Mode

Adolfo Domínguez, Passeig de Gràcia 89 (Metro: Diagonal), Tel. 932151339. Boutique des span. Modeschöpfers mit eleganter Damen- und Herrenmode.

Furest, Passeig de Gràcia 12–14 (Metro: Passeig de Gràcia/Catalunya), Tel. 933012000. Seit 1898 klassische Herrenkleidung für den Gentleman.

Gonzalo Comella, Passeig de Gràcia 6 (Metro: Passeig de Gràcia), Tel. 934160334. Traditionelles Bekleidungsgeschäft für die ganze Familie, mit Modemarken aus aller Welt.

Groc, Rambla de Catalunya 100 (Metro: Diagonal), Tel. 932150180 oder 932157474. Herren- und Damenmode von Antoni Miró.

Josep Font-Luz Diaz, Passeig de Gràcia 106 (Metro: Diagonal), Tel. 934156550. Junges Designerteam mit Vorliebe für sanfte Farben, Naturfasern und bequeme Schnitte.

La Perla Gris, Rosselló 220 (Metro: Diagonal), Tel. 932152991. Seit 1924 zarte Spitzen, verführerische Nachtgewänder und Bademoden.

Loewe, Passeig de Gràcia 35 (Metro: Passeig de Gràcia), Tel. 932160400.

Elegante Handtaschen, Lederjacken und andere Accessoires.

Lydia Delgado, Minerva 21 (Metro: Diagonal), Tel. 934159998. Verspielte, romantische Mode für zierliche Frauen.

Sistem Action, Rambla de Catalunya 108 (Metro: Diagonal), Tel. 932150956. Junge, freche Mode.

Trono Barcelona, Provença 290 (Metro: Diagonal), Tel. 932156748. Nette Boutique im Souterrain mit Kreationen der Designerin Maite Antigas.

Zara, Portal de l'Angel 24 (Metro: Catalunya), Tel. 933012925. Erfolgreichster spanischer Prét-à-Porter-Hersteller mit mehr als 100 Boutiquen in ganz Spanien.

Im Maremàgnum (am Hafen), rund um Passeig de Gràcia, Rambla de Catalunya und Plaça Francesc Macià drängen sich in überdachten **Einkaufspassagen** winzige Boutiquen Tür an Tür. Die bekannteste Modepassage dieser Art ist **Boulevard Rosa** (3-mal in Barcelona), Passeig de Gràcia 51–55 (Metro: Passeig de Gràcia), Diagonal 472 (Metro: Diagonal), Diagonal 609 (Metro: Maria Cristina)

Musik

Casa Beethoven, Rambles 97 (Metro: Liceu), Tel. 933014826. Gesangbücher und Partituren. Bekannte Opernstars gehören zum Kundenstamm.

Castelló, Tallers 7 (Metro: Catalunya), Tel. 933025946. Riesenauswahl an Schallplatten, Musikkassetten und CDs.

Schmuck

Baguès Joieria, Passeig de Gràcia 41 (Metro: Passeig de Gràcia), Tel. 932160173. Das erste Haus der Stadt für edle Geschmeide.

Joaquim Berao, Rosselló 277 (Metro: Diagonal), Tel. 932186187. Einer der bekanntesten Schmuckdesigner Spaniens. Aktuelle Modelle aus Gold, Silber und Bronze.

Schuhe

Die meisten Schuhgeschäfte sind in den Straßen Portal de l'Angel und Porta Ferrissa zu finden.

Menorca Pell, Plaça Gal.la Placídia 13–15 (Metro: FFCC Gràcia), Tel. 932380639. Kleine Boutique mit sportlichen Qualitätsschuhen aus Menorca.

Märkte

Jedes Stadtviertel besitzt einen eigenen Lebensmittelmarkt. Insgesamt gibt es in Barcelona mehr als 40 Markthallen. Die schönsten Märkte befinden sich im Zentrum der Stadt:

Mercat de Sant Antoni, Urgell-Borell/Manso-Tamarit (Metro: Sant Antoni). Frischwaren Mo–Sa in der Markthalle. Textilien an den Tagen Mo, Mi, Fr und Sa, Büchermarkt am Sonntagvormittag rund um das Marktgebäude [Nr. 46].

Kleine Boutiquen und große Modeschöpfer

Trotz ihres Hangs zur Individualität unterwerfen sich Spanier widerspruchslos dem Modediktat. Dies gilt auch für die dynamische Hauptstadt Kataloniens. Schnell haben Besucher in den Schaufenstern der Geschäfte die neueste Modefarbe, das Kleidungsstück der Saison und die vorgeschriebene Rocklänge registriert.

Wer das Besondere sucht, einfallsreiche Modemacher und originelle Kreationen aufspüren möchte, der muss schon etwas tiefer in die Millionenstadt eintauchen. Die Werkstätten und Verkaufsräume der Star-Designer sind in stillen Nebenstraßen der **Avinguda Diagonal** *oder unauffälligen Bürgerwohnungen an der* **Rambla de Catalunya** *versteckt. Einen Überblick über die spanische und katalanische Modeszene bieten die zweimal jährlich stattfindenden Messen* **Pasarela Gaudí**, *auf denen katalanische Modemacher wie Antoni Miró, Josep Font und Lydia Delgado ihre neuesten Kreationen vorstellen.*

Preiswerte Prêt-à-Porter-Modelle findet man in den über die ganze Stadt verteilten **Modepassagen**, *in denen sich Tür an Tür winzige Boutiquen drängen, oder rund um den* **Mercat de Sant Antoni**, *wo die Marktverkäufer viermal wöchentlich ihre Kleiderstände aufbauen. Wer selbst mit Nadel und Faden umgehen kann, findet in Barcelonas Altstadt unzählige Stoff- und Posamentengeschäfte, deren Auswahl an Spitzen, Borten und Federboas das Herz jedes Hobby-Couturiers höher schlagen lässt.*

Mercat de Sant Josep (Boqueria), Rambles 105 (Metro: Liceu), Mo–Sa. Die größte Auswahl an frischen Waren, von exotischen Früchten bis zu fangfrischen Meerestieren. Ein Erlebnis für alle Sinnesorgane [Nr. 19].

Nach Ladenschluss

Vip's, Rambla Catalunya 7, Tel. 933174923 (Metro: Catalunya). Caféteria-Restaurante, Boutiquen, Bücher, Zeitschriften, Lebensmittel, an 365 Tagen im Jahr Mo–Do 8–2, Fr 8–3, Sa/So 9–3 Uhr.

Essen und Trinken

Bars und Restaurants sind zu jeder Stunde gut besucht: Erstes und zweites Frühstück, Mittagsmahl, Nachmittagskaffee, Aperitif und Abendessen lassen Restaurantbesitzer, Küchenchefs und Kellner nie zur Ruhe kommen.

Essenszeiten heißt es jedoch einzuhalten: Bars, Caféterias und Tapa-Lokale öffnen bereits am frühen Vormittag. An den Restauranttisch setzt man sich aber nie vor 13 Uhr. Richtig lebhaft wird es in den Speiselokalen erst gegen 14 Uhr, wenn alle Büroangestellten in die lange Mittagspause gehen und die Geschäfte ihre Rollläden herunterlassen. Abends erscheint niemand vor 21 Uhr im Restaurant. Gekocht wird bis gegen 24 Uhr. Einige Lokale servieren auch nach Mitternacht noch ein warmes Mahl. Mit wenigen Ausnahmen haben Barcelonas Restaurants am Sonntag geschlossen.

Ein Mittag- oder Abendessen besteht üblicherweise aus drei Gängen: Vorspeise, Hauptgang und Dessert. Oft wird die MwSt. (IVA) extra berechnet. Die Bedienung ist im Preis inbegriffen. Ein **Trinkgeld** von ca. 5% wird erwartet. In den Nobelrestaurants ist eine **Reservierung** unbedingt zu empfehlen.

Kleines Gourmet-Lexikon

Vorspeisen, Salate, Soßen, Beilagen

Amanida catalana: Gemischter Salat, dekoriert mit Spargel, Wurst und Käse.

Allioli: Knoblauchmayonnaise, wird zu Fisch- und Grillgerichten gereicht.

Calçots: Lauchzwiebeln, auf dem Holzfeuer gegrillt (nur im Winter).

Escalivada: Kalte Vorspeise aus Auberginen, Tomaten, Paprika und Zwiebeln, auf dem Holzfeuer gegart und mit Olivenöl angerichtet.

Escudella i Carn d'Olla: Klare Suppe mit Nudel-, Reis-, Kartoffel-, Kohl-, Gemüseeinlage und Botifarra Negra (schwarze katalanische Wurst) als Vorspeise. Im Anschluss werden Gemüse, Schweine- und Rindfleisch serviert.

Esqueixada: Kalte Vorspeise mit Stockfischstückchen, Tomaten, Paprika, Zwiebeln und Oliven.

Espinacs a la catalana: Blattspinat mit Rosinen und Pinienkernen.

Faves a la catalana: Saubohneneintopf

Pa amb Tomàquet: Geröstetes Bauernbrot, mit Tomate eingerieben. Wird als Beilage gereicht oder ersetzt als Torrada (mit Wurst, Käse, Schinken, Anchovis belegt) den Hauptgang. Sehr beliebt: Torrada amb Pernil (mit Schinken).

Hauptgerichte

Bacallà: Stockfisch; in Barcelona steht in fast jedem Restaurant Bacallà a la llauna (mit Paprika, Tomaten, Knoblauchsoße) auf der Karte.

Botifarra: Katalanische Bauernbratwurst, meist mit weißen Bohnen als Botifarra amb Mongetes serviert.

Conill: Kaninchen, gegrillt. Conill amb Ceba mit Knoblauch und Zwiebeln oder a l'Empordanesa, mit Schokoladensoße.

Moixernons: Getrocknete Pilze als Zutat bei Ragouts, Fleisch- oder Stockfischgerichten. Sehr typisch: Fricandó amb Moixernons (Rindfleischragout).

Paella: Reisgericht, ursprünglich aus Valencia. Zahlreiche Varianten: Arròs Negre (mit schwarzem Tintenfischsud), Arròs a Banda, Arròs a la Cazuela.

Pebrots farcits: Gefüllte Paprikaschoten, meist mit Brandada de Bacallà (Stockfischpaste).

Rovellons oder **Girgoles:** Pilze, mit Petersilie und Knoblauch gebraten.

Suquet de peix: Fischeintopf mit Meeresfrüchten, Kartoffeln und Erbsen, Soße aus Öl, Weißwein, Knoblauch, Petersilie und Zwiebeln.

Truites: variantenreiche Omelettes (mit Thunfisch, Gemüse, Käse, Schinken ...).

Desserts

Crema catalana: Karamelisierte Vanillecreme in der typischen braunen Tonschale.

Mató: Ungesalzener Frischkäse, meist mit Honig als Mel i Mató.

Pijama: Dessertmischung aus Speiseeis, Crème Caramel und Dosenfrüchten (Pfirsich oder Ananas).

Postres de Músic: Mandeln, Nüsse und Rosinen in einer Tonschale serviert, dazu ein kleines Glas Moscatel.

Spitzenrestaurants

Casa Calvet, Casp 48 (Metro: Urquinaona), Tel. 934 12 40 12, So geschl. Mediterrane Küche in gastlichen Räumen mit Jugendstilschnörkeln. Das Wohnhaus Casa Calvet gehört zu den weniger bekannten Werken von Antoni Gaudí.

Neichel, Beltran i Rotzide 16 (Metro: Maria Cristina), Tel. 932 03 84 08, So geschlossen. Eine der besten Speiseadressen Spaniens. Einziges Gourmet-Restaurant Barcelonas mit zwei Sternen im Guide Michelin. Stammgäste sind Bankiers, Politiker, Opernsänger und Fußballstars. Tischreservierung notwendig.

Regionale spanische Spezialitäten

Amaya, Rambles 20–24 (Metro: Drassanes), Tel. 933 02 10 37. Seit rund 50 Jahren ein Klassiker. Ungezwungene Atmosphäre, bunt gemischtes Publikum, überaus freundliche Kellner. Baskische und katalanische Küche. Spezialitäten: Meeresfrüchte (frische Garnelen aus Palamós), Innereien (Hirn, Leber, Niere).

El Gran Café, Avinyó 9 (Metro: Liceu), Tel. 933 18 79 86, So geschl. Dekoration im Stil um 1900, Pianospieler. Gerichte nach französisch-katalanischer Art, feine Desserts.

Els Pescadors, Plaça Prim I/Poblenou, (Metro: Poblenou), Tel. 932 25 20 18. Moderner und alter Restauranttrakt mit Holzverkleidung und Marmortischen. Spezialität: Salate, Torrades, Botifarra, tgl. frischer Fisch und Meeresfrüchte.

Los Caracoles, Escudellers 14 (Metro: Drassanes), Tel. 933 02 31 85. Katalanische Küche in kachelgeschmückten Räumen. Internationales Publikum, anregende Atmosphäre, Musikbegleitung.

Madrid-Barcelona, Aragó 282 (Metro: Passeig de Gràcia), Tel. 932 15 70 26, So geschl. Altertümliche Bar mit Restaurant aus dem Jahre 1939. Serviert wird Hausmannskost: kräftige Suppen, Reisgerichte, Innereien. Dessertspezialität: überbackene Äpfel mit Vanilleeis.

Pitarra, Avinyó 56 (Metro: Barceloneta/Drassanes), Tel. 933 01 16 47, So geschl. Gemütliche Gastlichkeit, aufmerksamer Service und riesige Portionen. Spezialität: Wildgerichte und frische Pilze. Kleines Privatmuseum im ersten Stock, das dem katalanischen Dichter und Theatermann Frederic Soler (genannt Pitarra) gewidmet ist

TOP TIPP **Senyor Parellada**, Argenteria 37 (Metro: Jaume I), Tel. 933 10 50 94. So geschl. Herr Parelladas Empfehlung sind Anchovis der Costa Brava, Makkaroni des Anwalts Solé, Lammbraten oder diverse Stockfischgerichte. Verlockendes Dessertbuffet. Tisch unbedingt mindestens einen Tag im Voraus reservieren.

TOP TIPP **Set Portes**, Passeig Isabel II 14 (Metro: Barceloneta), Tel. 933 19 30 33, Internet: www.setportes.com. Traditionsreiches Speiselokal mit 150-jähriger Geschichte. An den Stuhllehnen blitzen vergoldete Schilder mit Namen wie Pablo Picasso oder Salvador Dalí. Sonntagnachmittag kommen vielköpfige katalanische Familien zu Paella (jeden Tag eine andere Version), Buñuelos de Bacalao (Stockfischkrapfen), Fischplatten und der obligatorischen Crema catalana.

Fischrestaurants

Botafumeiro, Gran de Gràcia 81 (Metro: Fontana), Tel. 932 18 42 30, Anfang Aug. geschl. Traditionelle galizische Küche, feine Fische und immer frische Meeresfrüchte. Gehobenes Niveau (1 Stern im Guide Michelin) mit entsprechenden Preisen. Empfehlenswert: große Fischplatte für mehrere Personen.

Carballeira, Reina Cristina 3 (Metro: Barceloneta), Tel. 933 10 10 06, So abends und Mo geschl. Versteckt gelegenes Fischrestaurant mit langer Tradition. Köstliche Reisgerichte, kleine Tintenfische und frischer Fisch.

Chicoa, Aribau 71–73 (Bus: 64), Tel. 934 53 11 23, So geschl. Gutbürgerliches Restaurant mit afrikanischem Namen aber traditioneller katalanischer Küche. Stockfischgerichte in zehn Varianten. Immer gut besucht.

Gastronomie und Design

El Tragaluz, Passatge de la Concepció 5 (Metro: Diagonal), Tel. 934 87 01 96. An den Restaurantwänden ließ Javier

Mariscal seine Farbpinsel spielen. Der Akzent liegt ganz auf Design, Gastronomie ist Nebensache.

Gambrinus, Moll de la Fusta (Metro: Barceloneta), Tel. 932219607, Mi geschl. Seit 1988 gehört die riesige Garnele auf dem Dach zu den Wahrzeichen der Stadt. Mo–Fr preiswerte Tagesgerichte. Die Karte bietet Fisch, Schalentiere und Reisgerichte. Im Sommer Bar- und Restaurantbetrieb auf der Terrasse.

Restaurants mit Garten

Bonanova, Sant Gervasi de Cassoles 103 (FFCC: El Putxet), Tel. 934171033, So abends und Mo geschl. Kachelverzierte Speiseräume im Stil der Jahrhundertwende im Erdgeschoss eines Wohnhauses, kühle Terrasse im Innenhof. Katalanische Saisonküche.

El Asador de Aranda, Avinguda del Tibidabo 31 (FFCC: Av. Tibidabo), Tel. 934170115, So abends geschl. Imposante Traumvilla, durch Rubió i Bellver auf den Ruinen eines früheren Dominikanerklosters errichtet. Spezialität des Hauses: Lammbraten, nach kastilischer Art im Ofen zubereitet. Als Appetitanreger: Schinken, Wurst und gebratene Paprika. Dessert: Blätterteig mit Vanillecreme – einfach himmlisch!

La Balsa, Infanta Isabel 4 (FFCC: Avda. Tibidabo/Bus: 22/58), Tel. 2115048, So und Mo mittags geschl. Preisgekröntes Kunstwerk der Innenarchitekten Oscar Tusquets und Lluís Clotet. Beliebte Schlemmeradresse der Barceloneser Oberschicht. Im Sommer: begrünte Terrasse. Im Winter: lauschige Atmosphäre wie in einer großen Gartenlaube.

TOP TIPP **La Venta**, Barcelona 22, Plaça Dr. Andreu (Tramvia Blau), Tel. 932126455, So geschl. Die Perle unter den Gartenrestaurants. Man speist unter Palmen, auf halber Höhe des Tibidabo. Im Winter genießt man Kaminfeuer im Jugendstil-Interieur.

Vegetarische Kost

La Bona Tierra, Encarnació 56 (Bus: 39), Tel. 932198213, So geschl. Drei kleine Speisesäle und zauberhafter Garten im Stadtteil Gràcia. Es gibt z. B. Salate, Gemüse, überbackene Cannelloni, Fruchtsäfte und hausgemachte Torten.

Preiswerte Lokale

Agut, Gignàs 16 (Metro: Barceloneta/Jaume I), Tel. 933151709, So abend und Mo geschl. Bilder und Erinnerungsstücke schmücken verschiedene Speisesäle. Der Menschenauflauf vor der Tür spricht für die gute, günstige Küche.

Campechano Merendero, València 286 (Metro: Passeig de Gràcia), Tel. 932156233. Einfaches Grillrestaurant, bei Studenten beliebt. Die Inneneinrichtung (zwischen Jahrmarktdekor und Picknicklandschaft) übertrifft alles.

Can Punyetes, Marià Cubí 189 (Bus: 14), Tel. 932009159. Lautes Ambiente, immer voll. Junge Leute lassen sich offenen Wein, große Salatteller und Grillgerichte schmecken.

›Bon Profit!‹ – guten Appetit!

Die **katalanische Küche** *ist deftig, fast bäuerlich. Gekocht und gebraten wird mit Olivenöl. Aus Kräutern und Knoblauch, Rosinen, Mandeln und Pinienkernen werden schwere Soßen gerührt. Im Landkreis Empordà entstand die Tradition, süße und salzige Komponenten zu einer Sinfonie unterschiedlicher Geschmacksrichtungen zu vereinen. Ente mit Backpflaumen, Fleisch mit karamelisierten Äpfeln oder Huhn mit Languste sind nur einige der mehr oder weniger gewagten Kreationen. Von bestechender Einfachheit und ein Klassiker der katalanischen Gastronomie ist dagegen das berühmte* **Pa amb Tomàquet**, *das auf keinem Restauranttisch fehlen darf. Es handelt sich um große Scheiben geröstetes Bauernbrot, das mit Tomate eingerieben, mit Salz bestreut und durch ein paar Tropfen Olivenöl verfeinert wird.*

Der Begriff **Cuina de Mercat** *(Marktküche) deutet auf frische Produkte aus Meer und Gemüsegarten hin. Vielen bekannten Küchenchefs kann man frühmorgens im Boquería-Markt beim Einkauf begegnen. Aber nicht nur aus der Markthalle kommen die in der Küche verwendeten Produkte. Viele Köche beziehen ihre Waren direkt vom Lande, zum Beispiel Wurstwaren aus Vic, frischen Fisch aus Blanes oder Sekt aus den Kellereien des Penedés.*

Egipte, Rambles 79 (Metro: Liceu), Tel. 933 17 74 80. Schon Pepe Carvalho (Held der Krimis von Manuel Vazquéz Montalbán) ging im ›alten‹ Egipte hinter der Markthalle essen. Heute sitzt man im ›neuen‹ Egipte und lässt sich Spargel-Lachsmousse, gefülltes Huhn und hausgemachte Süßspeisen schmecken.

Fremdländische Küche

Brasserie Flo, Jonqueres 10 (Metro: Urquinaona), Tel. 933 19 31 02. Großer Belle-Epoque-Saal. Auf der Karte: Austern, Elsässer Sauerkraut, Entenpastete.

Govinda, Plaça Villa de Madrid 4–5 (Metro: Catalunya), Tel. 933 18 77 29, So und Mo abend geschl. Indische und vegetarische Küche.

La Cantina Mexicana, Encarnació 51 (Bus: 39), Tel. 932 10 68 05, So geschl. Mexikanische Gerichte, Tequila und Liveauftritte im Mariachi-Stil.

La Rosa del Desierto, Plaça Narcís Oller 7 (Metro: Diagonal), Tel. 932 37 45 90, So abend geschl. Marokkanische Spezialitäten (Cous Cous).

Little Italy, Rec 30 (Metro: Jaume I), Tel. 933 19 79 73, So geschl. Italienisches Designerlokal in ehem. Stockfischfabrik.

Pekíng, Rosselló 202 (Metro: Diagonal), Tel. 932 15 01 77, So geschl. Ungewöhnliches China-Restaurant mit postmodernem Dekor.

Yamadori, Aribau 68 (Bus: 64), Tel. 934 53 92 64, So geschl. Japanisches Restaurant, klein aber fein und immer gut besucht. Reservierung unerlässlich.

Café-Restaurants

TOP TIPP **Laie Llibreria Café**, Pau Claris 85 (Metro: Catalunya/Passeig de Gràcia), Tel. 933 02 73 10, So geschl. Freundliche Bürgerwohnung über der Buchhandlung mit Café-Bar, Tagesmenü, À-la-Carte-Restaurant. Im Sommer Tische im kleinen Kieselsteingarten. Wechselausstellungen, Bücher und Zeitschriften. Nachmittags und abends beliebter Treffpunkt für Gesprächsrunden, mitunter Livemusik.

Mordisco, Rosselló 265 (Metro: Diagonal), Tel. 932 18 33 14. ›Biss‹ heißt das Lokal mit Designer-Akzenten. Ganztägig geöffnet, daher sowohl für Frühstück oder Kuchenschlacht, diskrete Rendezvous, kleine Zwischenmahlzeiten oder das schnelle Abendessen geeignet.

Weinbars

Die spanischen *Bodegas* sind keine gutbürgerlichen Weinstuben, sondern rustikale Weinkeller mit großen Fässern und umfangreicher Flaschensammlung. Sie dienen in erster Linie dem Weinverkauf. Viele Bodegas besitzen aber auch einen einfachen Schankraum, in dem man im Stehen oder an einfachen Tischen ein Gläschen probieren kann.

La Barcelonina de Vins i Esperits, València 304 (Metro: Passeig de Gràcia), Tel. 932 15 70 83, tgl. 19.30–2 Uhr. Wohl geordnete Flaschensammlung, langer Marmortresen und einige Tische für ein kleines Mahl. Edle Tropfen werden glasweise ausgeschenkt

La Bodega, Plaça Molina 2 (FFCC: Plaça Molina), Tel. 932 37 84 34, So geschl. Weinlokal mit einfachen Marmortischen und großer, dekorativ in Szene gesetzter Auswahl an Weinflaschen in der Bodega. Im Hinterzimmer Restaurant mit kleinem Garten.

La Bodegueta, Rambla de Catalunya 100 (Metro: Diagonal), Tel. 932 15 48 94. Beliebter Treff im Geschäftsviertel. Mittags gibt es ein Tagesmenü für die Büroangestellten aus der Nachbarschaft.

Bierbars und Tapa-Lokale

Barcelona ist keine ausgesprochene Hochburg des typisch spanischen *Tapeo*. Zwar werden in fast jeder Bar einige kulinarische Kleinigkeiten (*Tapes*) angeboten, aber richtiggehende Tapa-Tempel sind eine Ausnahmeerscheinung. Einfache Tapa-Lokale liegen in der Hafengegend, rund um die Straßenzüge Ample und Mercè. Höheren Standard kann man in folgenden Lokalen erwarten:

Casa Fernández, Santaló 46 (Bus: 14), Tel. 932 01 93 08. Gestylter Lagerraum, viele Biersorten, leckere Kleinigkeiten, modisches Publikum.

José Luis, Diagonal 520 (Metro: Diagonal), Tel. 932 00 83 12. Mundgerechte Montaditos (Canapés und Minibrötchen), warme Köstlichkeiten als Tapa-Portion. Am langen Tresen kommt man bei Bier oder Wein schnell ins Gespräch.

Pinotxo, Marktbar/Restaurant im Mercat de La Boqueria, vom Haupteingang an den Rambles gleich rechts. Gutes, reichhaltiges Frühstück für Frühaufsteher oder verspätetes Abendessen für Nachtschwärmer.

1001 Nacht der Meeresfrüchte: die große Fischplatte im Restaurant Botafumeiro

Kaffeehäuser und Granges

Schon früh am Morgen werden in Barcelona die ersten Espressomaschinen eingeschaltet, auf Bar- und Kaffeehaustresen frische Croissants, Ensaïmades, Xuxos und Magdalenes aufgetürmt. Bauarbeiter treffen sich zum ersten Carajillo (schwarzer Kaffee, in dem der kleine Schuss Brandy nur am Duft zu erkennen ist). Zwischen 10 und 11 Uhr drängt ein Heer von Beamten, Bank- und Büroangestellten in die Cafés. Wer es beschaulicher möchte, weicht auf verträumte Literatencafés aus.

Bar del Pi, Plaça Sant Josep Oriol 1 (Metro: Liceu), Mo–Fr 9–22.30, Sa/So 10–21.30 Uhr mit kurzer Mittagspause. Kleine, einladende Bar mit Piano. Im Sommer dient die schöne Plaça vor der Tür den Gästen als Sonnenterrasse.

Bracafé, Casp 4–6 (Metro: Catalunya), tgl. 7–23 Uhr. Ausschank von brasilianischem Kaffee mit viel Atmosphäre.

Café de l'Opera, Rambles 74 (Metro: Liceu), tgl. 9–2 Uhr. Gegenüber der Liceu-Oper, Dekoration im Jugendstil, sehr gemischtes Publikum.

Els Quatre Gats, Montsió 3-bis (Metro: Catalunya), Mo–Sa 9–2, So 17–2 Uhr. Historisches Kaffeehaus mit Jugendstil-Interieur. Pablo Picasso gehörte einst zu den Stammgästen [Nr. 33].

Mauri, Rambla de Catalunya 102 (Metro: Diagonal), tgl. 9–21 Uhr, So 9–15, 17–21 Uhr. Heiße Schokolade, feine Cremetörtchen und Canapés zu stolzen Preisen. Schönes Dekor.

TOP TIPP **Mesón del Café**, Llibreteria 16 (Metro: Jaume I), Tel. 933 15 07 54, Mo–Sa 7–2.30 Uhr. Winzig klein und immer gut besucht. Verschiedene Kaffeespezialitäten. Eine Kuriosität ist die uralte Espressomaschine.

Eine katalanische Besonderheit sind die **Granges**, Milchgeschäft und Schokoladenausschank in einem, in denen Leckermäuler voll auf ihre Kosten kommen.

Dulcinea, Petritxol 2 (Metro: Liceu), tgl. 9–13, 16.30–21 Uhr. Uralte Granja in der schönsten Fußgängergasse der Stadt. Früher Literaten-Treffpunkt, heute beliebter Halt nach dem Einkaufsbummel. Heiße Schokolade auf Schweizer, französische oder spanische Art.

TOP TIPP **Granja Viader**, Xuclà 4 (Metro: Liceu), So, Mo vormittags und mittags 13.45–17 Uhr geschl. Gilt als älteste Granja der Stadt. Blitzblanke Marmortische. Frischkäse aus eigener Herstellung, Cremespeisen und traumhafte Magdalenes mit Apfelscheiben.

Granja Xador, Argenteria 61 (Metro: Jaume I), Di–So 9–1 Uhr. Jugendstil-Einrichtung mit schönen Plakatreproduktionen der Jahrhundertwende.

La Xicra, Plaça del Pi 2 (Metro: Liceu), tgl. 10–21, Sa/So mittags von 14–17 Uhr geschl. Gemütliche Granja mit Kachel- und Holzverkleidung. Ausgezeichnete Gebäck- und Kuchenauswahl.

Feste und Feiern

Feiertage

Jeden Dezember werden die offiziellen Feiertage für das kommende Jahr bekannt gegeben; Abweichungen sind üblich.

Arbeitsfreie Tage sind *1. Januar* (Neujahr/Any Nou), *6. Januar* (Heilige Drei Könige/Reis), *Karfreitag* (Divendres Sant), *Ostermontag* (Dilluns de Pasqua Florida), *1. Mai* (Tag der Arbeit/Dia del Treball), *Pfingstmontag* (Pasqua Granada), *24. Juni* (Johannisfest/Sant Joan), *11. September* (Nationalfeiertag Kataloniens/La Diada), *24. September* (Fest der Stadtpatronin/Festa de la Mercè), *12. Oktober* (Entdeckung Amerikas/Dia de la Hispanitat), *8. Dezember* (Unbefleckte Empfängnis/Immaculada Concepció), *25. Dezember* (1. Weihnachtsfeiertag/Nadal), *26. Dezember* (Stephanstag/Sant Esteve)

Atemberaubendes Spektakel: Feuerlauf ›Correfoc‹ beim Stadtfest La Mercè

Feste

Auch an Werktagen finden die Barcelonesen oft einen Grund, die Arbeit ruhen zu lassen: es gibt zahlreiche Heilige zu ehren, Messen zu zelebrieren oder Stadtteilfeste zu organisieren [s. S. 26].

Klima und Reisezeit

Am besten besucht man Barcelona im Frühjahr (Mitte März – Mitte Juni) und Herbst (September – Ende Oktober), da es im Hochsommer extrem heiß wird und viele Sehenswürdigkeiten sowie touristische Einrichtungen geschlossen haben.

Klimadaten Barcelona

Monat	Luft (°C) min./max.	Wasser (°C)	Sonnen-std./Tag	Regen-tage
Jan.	6/13	13	4	5
Febr.	7/14	12	5	5
März	9/16	13	6	8
April	11/18	14	7	9
Mai	14/21	16	8	8
Juni	18/25	19	9	6
Juli	20/28	22	10	4
Aug.	21/28	24	8	6
Sept.	19/25	22	6	7
Okt.	15/21	20	6	9
Nov.	11/16	16	5	6
Dez.	8/13	14	4	6

Kultur live

Kartenvorverkauf (Theater, Oper, Konzert)

Die jeweils zuständige Vorverkaufsstelle ist im Veranstaltungskalender der Tageszeitungen oder im Wochenprogramm (*Guía del Ocio*) angegeben. Zentrale Informations- und Vorverkaufsstelle für kulturelle Veranstaltungen ist der Palau de la Virreina, Rambles 99. Karten für Rock- und Popkonzerte werden meist in Buchhandlungen, Schallplattengeschäften oder im Verkaufshäuschen an der Ecke Plaça Universitat/Carrer Aribau verkauft.

Oper, Ballett

Gran Teatre del Liceu, Rambles 61 (Metro: Liceu), Tel. 934 85 99 13, Mo – Fr 10 – 19 Uhr (Information). Als eines der größten Opernhäuser Europas mit langer Tradition bietet das Liceu heute wieder Ballettwochen, Opern und Symphoniekonzerte, nachdem am 31. Januar 1994 die gesamte Innenausstattung einem Großfeuer zum Opfer gefallen war. Die Restaurierungsarbeiten wurden sofort in Angriff genommen und im Oktober 1999 öffnete das Liceu erneut seine Pforten [Nr. 20].

Palau de la Música Catalana, Sant Francesc de Paula 2 (Metro: Urquinaona), Tel. 932 95 72 00. Prachtvoller Modernisme von Domènech i Montaner. Alle Musikrichtungen. Der Besuch ist ein Erlebnis für Augen und Ohren [Nr. 34].

Theater

Llantiol, Riereta 7 (Metro: Liceu), Tel. 933 29 90 09. Di – Sa 22, So 19 Uhr. Unterhaltsame Shows mit Pantomime, Verwandlungskunst und Magie. Das Café-Theater in einer früheren Druckerei diente internationalen Zauberkünstlern und katalanischen Theatergruppen (›Vol Ras‹, ›Tricicle‹) als Sprungbrett.

Mercat de les Flors, Lleida 59 (Metro: Espanya), Tel. 934 26 18 75. Experimentelles und Avantgardistisches im ehem. Blumenmarkt. Zwischendurch auch ein wenig Klassik, Tanz, Musik und einmal im Jahr der Theatermarathon, eine Chance für Nachwuchskünstler. Die Kuppel über der Eingangshalle wurde von Miquel Barceló gestaltet.

Teatre Condal, Paral.lel 91 – 93 (Metro: Paral.lel), Tel. 934 42 31 32/934 42 85 84.

Musicals, Komödien, Gastspiele von Gruppen aus dem In- und Ausland.

Teatre Goya, Joaquim Costa 68 (Metro: Universitat), Tel. 933 18 19 84. Komödien in katalanisch oder kastilisch. Auch Tanztheater und Musicals.

Teatre Lliure, Montseny 47 (Metro: Fontana), Tel. 2 18 92 51. Seit 1976 bürgt das ›Freie Theater‹ im Stadtteil Gràcia für anspruchsvolles Theater und fantasievolle Bühnenbilder. Empfehlenswert ist auch das Theater-Restaurant im 1. Stock, im Sommer mit Terrasse.

Teatre Nacional de Catalunya, Plaça de les Arts 1 (Metro: Marina), Tel. 933 06 57 00, Internet: www.tnc.es. 1997 eingeweihtes Staatstheater. Daneben wurde 1999 das neue **Auditorium** eröffnet. In dem funktionalistischen Konzerthaus von Rafael Moneo sollen künftig auch ein Museum der Musik sowie eine Musikhochschule Platz finden.

Villarroel Teatre, Villarroel 87 (Metro: Urgell), Tel. 934 51 12 34. Eine der interessantesten Bühnen der Stadt, große Erfolge mit internationalen Stücken.

Puppen- und Kindertheater

Fundació Joan Miró, Plaça Neptú/ Parc de Montjuïc (Metro: Espanya, Bus: 61), Okt. – Mai, Tel. 933 29 19 08, Internet: www.bcn.fjmiro.es. Kindertheater: Sa 17.30, So 11 und 13 Uhr [Nr. 70]

Jove Teatre Regina, Sèneca 22 (Metro: Diagonal), Tel. 932 18 15 12. Kinderprogramm: Sa und So nachmittag

Teatre Malic, Fussina 3 (Metro: Arc de Triomf/Barceloneta), Tel. 933 10 70 35. Kleines Puppentheater, 1984 von der Marionettengruppe ›La Fanfarra‹ gegründet. Puppen- und Marionettenspiel, Clownerien.

Konzert

Neben klassischen Konzerten [s. Oper, Ballett] finden Musikliebhaber das ganze Jahr über ein breitgefächertes Angebot: Jazz-Wochen, Flamenco-Festivals, traditionelle oder zeitgenössische Musik.

Casa Elizalde, València 302 (Metro: Passeig de Gràcia), Tel. 934 88 05 90. Weitere Informationen über: Ibercamera, Tel. 933 01 69 43, und Palau de la Virreina, Tel. 933 01 77 75

Sala Cultural Caja Madrid, Plaça de Catalunya 9 (Metro: Catalunya), Tel. 933 01 44 94

Kino

Filmoteca de la Generalitat de Catalunya, Av. de Sarrià 33 (Metro: Hospital Clínic), Tel. 934 10 75 90. Tgl. 3 Vorstellungen, So mittag Kinderprogramm

Casablanca, Passeig de Gràcia 115 (Metro: Diagonal), Tel. 932 18 43 45. Ausgezeichnete Streifen aus Frankreich, Italien und Deutschland im Original.

Coliseum, Gran Via de les Corts Catalanes 595 (Metro: Catalunya), Tel. 934 12 12 14. Wunderschöner Kinosaal, nur Kassenschlager im Programm.

Maldà, Pi 5 (Metro: Liceu), Tel. 933 17 85 29. Programmkino in einer altmodischen Einkaufspassage. Richtiges Kintopp mit jeweils 2 guten Filmen zum Einheitspreis und in Originalversion.

Maremágnum, Port Vell/Moll d'Espanya (Metro: Drassanes), Tel. 9 32 25 81 00 und 9 32 25 11 11. Kinocenter mit 8 Sälen sowie Imax-Kino im neuen Freizeit- und Einkaufszentrum am alten Hafen. Von der Moll de la Fusta über den Holzsteg Rambla de Mar erreichbar.

Verdi, Verdi 32/Stadtteil Gràcia, (Metro: Fontana), Tel. 932 37 05 16. Engagiertes Programmkino mit 5 Sälen. Wochenends 0.30 Uhr Nachtvorstellung.

Museen, Sammlungen, Paläste

Museen und Sammlungen

Col.lecció Thyssen-Bornemisza, Baixada de Monestir 9 (FFCC: Reina Elisenda), Tel. 932 80 14 34, Internet: www.museothyssen.org, Di – So 10 – 19 Uhr [Nr. 84]

Fundació Antoni Tàpies, Aragó 255 (Metro: Passeig de Gràcia), Tel. 934 87 03 15, Di – So 10– 20 Uhr [Nr. 53]

Fundació Joan Miró, Plaça Neptú, Parc de Montjuïc (Metro: Espanya, Bus: 61), Tel. 933 29 19 08, Di – Sa 10–19, So 10– 14.30 Uhr , im Sommer Do bis 21.30 Uhr [Nr. 70]

Galeria de Catalans Il.lustres, Carrer Bisbe Caçador 3 (Metro: Jaume I), Mo – Fr 9 – 14 Uhr [Nr. 9]

Galerie der Fundació Caixa de Pensions, Carrer Montcada 14 (Metro: Jaume I), Tel. 933 10 06 99, Di – Sa 11 – 15 und 16 – 20 Uhr [Nr. 28]

Institut Amatller d'Art Hispànic, Passeig de Gràcia 41 (Metro: Passeig de Gràcia), Tel. 932 16 01 75, Mo–Fr 10–13.30, Di/Do 15.30–19 Uhr [Nr. 50]

Monestir de Pedralbes, Baixada de Monestir 9 (FFCC: Reina Elisenda), Tel. 932 03 92 82, Di–So 10–14 Uhr [Nr. 84]

Museu Arqueològic, Parc de Montjuïc, Passeig de Santa Madrona 39–41 (Metro: Espanya), Tel. 934 23 21 49, Di–Sa 9.30–19, So 10–14.30 Uhr [Nr. 68]

Museu Casa Gaudí, Olot/Parc Güell (Bus 24/25), Tel. 932 19 38 11, tgl.10–18 Uhr, im Sommer bis 19/20 Uhr [Nr. 65]

Museu d'Art Contemporani, Plaça dels Angels 1 (Metro: Universitat), Tel. 934 12 08 10, Internet: www.macba.es, im Sommer Mo/Mi–Sa 10-20, Do bis 21.30 Uhr, im Winter Mo/Mi–Fr 11–19.30, Sa 10–20, So 10–15 Uhr [Nr. 44]

Museu d'Art Modern, Parc de la Ciutadella (Metro: Barceloneta/Arc de Triomf), Tel. 933 19 57 28, Di–Sa 10–19, So 10–14.30 Uhr [Nr. 41]

Museu d'Arts Decoratives, Avinguda Diagonal 686 (Metro: Palau Reial), Tel. 932 80 50 24, Di–Sa 10–18, So 10–15 Uhr [Nr. 83]

Museu d'Autòmates del Tibidabo, Parc d'Atraccions del Tibidabo (Funicular), Tel. 932 11 79 42, sommers wechselnde Öffnungszeiten, winters geschl. [Nr. 77]

Museu d'Història de la Ciutat, Veguer 2 (Metro: Jaume I), Tel. 933 15 11 11, Di–Sa 10–20, So 10–14 Uhr [Nr. 11]

Museu de Calçat Antic, Plaça Sant Felip Neri (Metro: Liceu), Tel. 933 21 16 22, Di–So 11–14 Uhr [Nr. 16]

Museu de Cera, Passatge de la Banca 7/ Rambles, (Metro: Drassanes), Tel. 933 17 26 49, Mitte Juli–Mitte Sept. tgl. 10–22 Uhr, sonst Mo–Fr 10–13.30, 16–19.30, Sa/So bis 20 Uhr [Nr. 21]

Museu de Ceràmica, Avinguda Diagonal 686 (Metro: Palau Reial), Tel. 932 80 16 21, Di–Sa 10–18, So 10–15 Uhr [Nr. 83]

Museu de Geologia, Parc de la Ciutadella (Metro: Arc de Triomf), Tel. 933 19 68 95, Di–So 10–14 Uhr [Nr. 39]

Museu de la Ciència, Teodor Roviralta 55 (FFCC: Avda. Tibidabo), Tel. 932 12 60 50, Di–So 10–20 Uhr [Nr. 80]

Museu de la Música, Diagonal 373 (Metro: Diagonal), Tel. 934 16 11 57, Di–So 10–14, Mi 17–20 Uhr [Nr. 57]

Museu de la Sagrada Família, Calle Mallorca 401 (Metro: Sagrada Família), Tel. 934 55 02 47, April–Sept. 9–20, Okt.–März 9–18 Uhr [Nr. 63]

Museu de Zoologia, Parc de la Ciutadella (Metro: Arc de Triomf), Tel. 933 19 69 12, Di–So 9–13 Uhr [Nr. 38]

Museu del F. C. Barcelona, Arístides Maillol/Estadi del F. C. Barcelona, (Metro: Collblanc/Maria Cristina, Bus: 15), Tel. 934 96 36 00, Mo–Sa 10–18.30, So 10–14 Uhr [s. S. 40]

Museu Diocesà de Barcelona, Casa Pia Almoina, Pla de la Seu (Metro: Urquina-ona/Jaume I), Tel. 933 15 22 13, Di–Sa 11–14, 17–20, So 11–14 Uhr [Nr. 13]

Museu Etnològic, Passeig Santa Madrona/Montjuïc (Metro: Poble Sec), Tel. 934 24 64 02, Do 10–19, Mi/Fr–So 10–14 Uhr [Nr. 69]

Museu Frederic Marès, Plaça Sant Iu 5 (Metro: Jaume I), Tel. 933 10 58 00, Di–Sa 10–17, So 10–14 Uhr [Nr. 12]

Museu Marítim, Abigunda Avenida Drassanes (Metro: Drassanes), Tel. 933 18 32 45, im Sommer tgl. 10–17 Uhr, im Winter Di–Sa 10–18, So 10–14 Uhr [Nr. 23]

Museu Militar, Castell de Montjuïc (Bus: 61, Telefèric), Tel. 933 29 86 13, Di–So 9.30–19.30 Uhr [Nr. 71]

Museu Nacional d'Art de Catalunya (MNAC), Palau Nacional, Parc de Montjuïc (Metro: Espanya), Tel. 934 23 71 99, Internet: www.mnac.es, Di–Sa 10–19, So/Fei 10–14.30 [Nr. 67]

Museu Picasso, Montcada 15 (Metro: Jaume I), Tel. 933 19 69 02, Di–Sa/Fei 10–20, So 10–15 Uhr [Nr. 29]

Museu Taurí, Gran Via de les Corts Catalanes 749 (Bus: 6/7/56), Tel. 932 45 58 03 und 932 32 71 58, nur während der Stierkampfsaison April–Sept. Mo–Sa 10–13.30, 16–19, So 10.30–13.30 Uhr [Nr. 61]

Museu Tèxtil i d'Indumentària, Montcada 12–14 (Metro: Jaume I), Tel. 933 19 76 03, Di–Sa 10–20, So 10–15 [Nr. 28]

Paläste

Casa Milà, Passeig de Gràcia 35 (Metro: Diagonal), Tel. 934 84 59 95, tgl. 10–20 Uhr [Nr. 54]

Palau Güell, Carrer Nou de la Rambla 3 (Metro: Drassanes), Tel. 933 17 51 98, Mo–Sa 10–14, 16–20 Uhr [Nr. 20]

Palau Reial Major, Plaça del Rei (Metro: Jaume I), Tel. 933 15 11 11, Di–Sa 10–20 Uhr, So 10–14 Uhr [Nr. 11]

Ausstellungen

Centre de Cultura Contemporània de Barcelona, Carrer Montalegre 5 (Metro: Universitat), Tel. 933 10 64 100, im Sommer Di—Sa 11–20, So 11–15 Uhr, im Winter Di/Do/Fr 14–16 Uhr geschl., So 11–19 Uhr. Drei Ausstellungssäle für zeitgenössische Kunst, Auditorium, Buchhandlung, Caféteria [Nr. 44].

Centre Cultural de la Caixa de Pensions, Passeig de Sant Joan 108 (Metro: Verdaguer), Tel. 934 58 89 07, Di–Sa 11–20, So 11–15 Uhr [Nr. 60]

Centre d'Art Santa Mònica, Rambles 7 (Metro: Drassanes), Tel. 933 16 28 10, Mo–Sa 11–14, 17–20, So 11–15 Uhr [Nr. 21]

Palau de la Virreina, Rambles 99 (Metro: Liceu), Tel. 933 01 77 75, Di–Sa 11–20, So 11–14 Uhr [Nr. 19]

Galerien

Rund um den Carrer Consell de Cent, zwischen Passeig de Gràcia und Balmes, liegt das traditionelle Viertel der Galeristen. Rund zehn der bekanntesten haben hier ihr Domizil. Weitere Galerien haben sich im Carrer de València, de Mallorca und in der Rambla de Catalunya, dazu gesellt. Avantgardistisch und experimentell geht es um die alte Markthalle des Mercat del Born im Viertel La Ribera zu.

Galeria Carles Taché, Consell de Cent 290 (Metro: Passeig de Gràcia), Tel. 934 87 88 36, Di–Sa 10–14, 16–20.30 Uhr. Preisgekrönte Galerie mit international bekannten spanischen Künstlern.

Galeria Maeght, Montcada 25 (Metro: Barceloneta/Jaume I), Tel. 933 10 42 45, Di–Sa 10–14, 16–20 Uhr [Nr. 26]

Gothsland, Consell de Cent 331 (Metro: Passeig de Gràcia), Tel. 934 88 19 22, Mo–Sa 10–13.30, 16.30–20.30 Uhr. Viel nationaler und internationaler Jugendstil. Wechselnde Malerei-Ausstellungen.

Joan Prats, Rambla Catalunya 54 (Metro: Passeig de Gràcia), Tel. 932 16 02 84, Di–Sa 10.30–13.30, 17–20.30 Uhr. Werke katalanischer Maler von Joan Brossa bis Ràfols Casamada in einem ehem. Hutgeschäft.

La Sala Vinçon, Passeig de Gràcia 96 (Metro: Diagonal), Tel. 932 15 60 50, Mo–Sa 10–14, 16.30–20.30 Uhr. Designerladen, einst Wohnort von Ramon Casas. Im 1. Stock ausgefallene Installationen. Zur Weinachtszeit bietet der *Hipermerc' Art* (Supermarkt der Kunst) Werke bekannter Künstler und junger Talente zu erschwinglichen Preisen.

Sala Parés, Petritxol 5 (Metro: Liceu), Tel. 933 18 70 20, Mo–Sa 10.30–14, 16.30–20.30 Uhr. Gegründet 1840 – die älteste Galerie der Stadt. Auf 2 Etagen Ausstellungen bekannter spanischer Maler. Gegenüber die neue ›Galeria Trama‹.

Nachtleben

Bars

Ein Besuch der neuen Designer-Lokale kommt einer Sightseeing-Tour gleich. Überhaupt sind Barcelonas nächtliche Tummelplätze in erster Linie ›Schauplätze‹ und nur ganz selten Kommunikationsstätten.

Eine Klassifizierung der verschiedenen Nachtbars ist nicht einfach. Viele Etablissements bieten Discomusik, Liveauftritte, Video- oder Dia-Shows, Billardtische und Restaurantbetrieb unter einem Dach. Wein-, Cocktail- und Champagner-Bars kann man zum Aperitif schon vor dem Abendessen besuchen. In den einschlägigen Tempeln der Nacht geht der Betrieb aber nicht vor Mitternacht los. Das Auffinden der einzelnen Nachtlokale ist alles andere als einfach, denn sie sind über die ganze Stadt verstreut. Nur auf den Straßen Aribau und Balmes stockt Freitag- und Samstagnacht der Verkehr. Ein sicheres Zeichen dafür, dass sich hier ein großer Teil des nächtlichen Zirkus abspielt. Schöne Gartenlokale an den Hängen des Tibidabo bieten in den Sommermonaten eine ideale Alternative zu den verrauchten Bars der Innenstadt.

Boadas, Tallers 1 (Metro: Catalunya), Tel. 933 18 95 92, Mo–Sa 12–2 Uhr. Seit 1933 Treffpunkt von Intellektuellen und Cocktailfans. Schon Ernest Hemingway ging hier ein und aus.

Harlem Jazz Club, Comtessa Sobradiel 8 (Metro: Liceu), Tel. 933 10 07 55, Di–Sa 20–3, So 20–2 Uhr. Livemusik: Jazz, Brasilianisches oder Tango.

L'Antiquari de la Plaça del Rei, Veguer 13 (Metro: Jaume I), Tel. 933 10 04 35, tgl. 17–2 Uhr. An der mittelalterlichen Plaça del Rei: Kaffee, Cava und Cocktails, manchmal Livemusik.

La Cava del Palau, Verdaguer i Callis 10 (Metro: Urquinaona), Tel. 933100938, Mo – Do 19 – 2.30, Fr – Sa 19 – 3.30 Uhr. Im Schatten des Palau de la Música: katalanischer Sekt in allen Varianten, mit Pianobegleitung.

La Fira, Provença 171 (Metro: Diagonal), Tel. 933237271, Mo – Do 22 – 3, Fr – Sa 19 – 4, So 18 – 1 Uhr. Jahrmarkt-Bar als Alternative zur kühlen Postmoderne: Kettenschaukeln, Spiegelkabinett, Schaukelpferdchen und alte Spielautomaten gehören zum Inventar.

Merbeyé, Plaça Dr. Andreu (Endstation der Straßenbahnlinie Tramvia Blau), kein Telefon, Mo – Sa 23 – 3 Uhr. Hochaktuelles Interieur, angenehme Gartenterrasse, raschelnde Palmenblätter und in der Ferne die Lichter der Stadt.

TOP TIPP **Mirablau**, Plaça del Funicular (Endstation der Straßenbahn Tramvia Blau), Tel. 934185879, tgl. 11 – 5 Uhr. Ein Balkon über der Stadt mit fantastischem Blick. Ein Aperitif bei Anbruch der Dunkelheit ist ein unvergessliches Erlebnis.

Miramelindo, Pg. del Born 15 (Metro: Barceloneta/Jaume I), Tel. 933195376, tgl. 20 – 3 Uhr. Gemütliche Bar, im Kolonialstil dekoriert. Publikum aller Altersklassen. Leckere Früchtecocktails, Kuchen und Mousse-Schleckereien.

Network Café, Diagonal 616 (Bus: 6/7/66), Tel. 932017238, tgl. 13 – 16, So – Do 20 – 1, Fr/Sa 20 – 2 Uhr. Lokal von Eduard Samsó. Eine Weltkugel verbindet die drei ultragestylten Etagen Drinks, Billard und Restaurant.

Nick Havanna, Rosselló 208 (Metro: Diagonal), Tel. 932156591, So – Do 23 – 4, Fr – Sa 23 – 5 Uhr. Die Designerbar Nummer 1. Ein Werk von Eduard Samsó. Ein ›Muss‹ auf der nächtlichen Pistentour.

Partycular, Av. Tibidabo 61 (FFCC: Avda. Tibidabo), Tel. 932116261, tgl. 19 – 2.30 Uhr, im Winter Mo geschl. Fantastisches Villenhaus am Hang des Tibidabo mit mehreren Stockwerken, Terrassen und lauschigem Garten.

Quilombo, Aribau 149 (Bus: 58/64), Tel. 934395406, tgl. 19 – 3 Uhr. Ein Klassiker unter den Gitarrenbars des Carrer Aribau. Junge Musiker aus Südamerika geben sich die Klinke in die Hand. Das junge spanische Publikum kennt ihre Texte auswendig.

Raval, Doctor Dou 19 (Metro: Catalunya), Tel. 933024133, tgl. 20 – 2.30 Uhr. Schauspieler-Treff in der Altstadt.

Snooker Club Barcelona, Roger de Llúria 42 (Metro: Passeig de Gràcia), Tel. 933179760, Mo – Do 19 – 3, Fr – Sa 19 – 4 Uhr. Überdimensionale Spiegel reflektieren die grünen Snookertische, wo Könner sich ganz auf die Kugeln konzentrieren. Die restlichen Gäste lassen sich von exzellenten Barkeepern die beeindruckende Sammlung von Rum- und Whiskeysorten zeigen.

Torres de Avila, Poble Espanyol/Montjuïc (Metro: Espanya), Tel. 934249309, Do – Sa 23 – 5 Uhr. Sonne, Mond und Sterne sind die Leitmotive dieser Designerbar, wo Javier Mariscal und Alfred Arribas ihrer Fantasie freien Lauf ließen. Das Lokal ist ein Erlebnis! Dachterrasse mit traumhaftem Blick.

Tres Torres, Via Augusta 300 (FFCC: Tres Torres), Tel. 932051608, Mo – Sa 17 – 3 Uhr. Traumhaftes Gartenlokal. Im Winter: Barbetrieb in gestylter Villa.

Velvet, Balmes 161 (Metro: Diagonal), Tel. 932176714, tgl. 19.30 – 4.30 Uhr. Postmoderner Stil, gemixt mit Musik und Dekorationselementen aus den 60er-Jahren des 20. Jh. Innenausstattung von Alfred Arribas: z. B. Samtvorhänge vor nackten Steinwänden. Die Herrentoilette gilt als Sehenswürdigkeit für Innenarchitekten und Schaulustige.

Diskotheken

Fibra Optica, Beethoven 9 (Bus 6/7), Tel. 932095281, tgl. 24 – 5.30 Uhr, Diskothek für junge, modische Nachtfalter.

Humedad Relativa, Plaça Mañé i Flaquer 9 (Metro: Lesseps), Tel. 932374827, Mi – So 23 – 3 Uhr. Diskomusik, Sa/So Live-Programm.

KGB, Alegre de Dalt 55 (Metro: Alfons X), Tel. 932105906, Do – Sa 22 – 5 Uhr. Die Abkürzung bedeutet ›Kiosko General de Barcelona‹. Eine alte Fabrikhalle mit postmodernem Interieur, an den kahlen Wänden Kunstwerke junger Maler. Immer wieder Überraschungen: Feste, Modenschauen, Konzerte.

La Boite, Diagonal 477 (Bus:6/7), Tel. 934195950, tgl. 23 – 5.30 Uhr. Atypische Disko mit Kaffeeausschank, kalten Gerichten und Liveeinlage um Mitternacht.

Design bis spät in die Nacht: Nick Havanna zählt zum Pflichtprogramm einer Pistentour

Otto Zutz, Lincoln 15 (FFCC: Plaça Molina), Tel. 932380722, Di–Sa 23–5 Uhr. Disko für VIPs, Do Livemusik. Wenn es auf dem Mode-, Designer- oder Filmsektor etwas zu feiern gibt, wird das Fest bestimmt nachts im ›Otto‹ beendet. Der richtige ›Look‹ ist Voraussetzung für den Einlass.

Up and Down, Numància 179 (Bus: 6/7), Tel. 932055194, Di–Sa ab 24 Uhr. Edeldiskothek, Besuch nur in Begleitung von Mitgliedern möglich.

Tanzsäle

In Barcelona sind Tanzsäle im alten Stil nicht totzukriegen: Tango, Walzer, Foxtrott und Cha-Cha-Cha für jedes Alter.

Cibeles, Còrsega 363 (Metro: Diagonal), Tel. 934573877, Do–Sa 23–5, So 18.30–21.30 Uhr. Hübscher Saal, Big Band und gemischtes Publikum.

Imperator, Còrsega 327 (Metro: Diagonal), Tel. 932374322, tgl. ab 18.30 Uhr. Moderner Tanzsaal mit Orchester. Büroangestellte, Verkäuferinnen, Damen und Herren mittleren Alters. Korrekte Kleidung ist vorgeschrieben.

La Paloma, Tigre 27 (Metro: Universitat), Tel. 933016897, Do–So 18–21.30 und ab 23.30 Uhr. In der alten Fabrikhalle wurde einst die Kolumbusstatue gegossen. Seit 1916 tanzt man unter dem großen Kronleuchter Rumba, Walzer und Paso Doble.

Flamenco und Sevillana-Lokale

El Cordobés, Rambles 35 (Metro: Drassanes), Tel. 933176653, tgl. ab 22 Uhr. Klassische Flamenco-Show, auf auswärtiges Publikum zugeschnitten.

El Patio Andaluz, Aribau 242 (Bus: 64), Tel. 932093378, tgl. ab 20.30 Uhr. Jede Nacht zwei Flamenco-Shows, Restaurantbetrieb, Tanzfläche.

Los Tarantos, Plaça Reial 17 (Metro: Drassanes/Liceu), Tel. 933183067, tgl. ab 22 Uhr. Neugestaltetes Flamenco-Lokal mit anspruchsvollem Liveprogramm, Sänger, Gitarristen und Tänzer aus Andalusien. Gleich nebenan der Jazz-Club Jamboree, der ebenfalls den Gebrüdern Mas i Mas gehört.

Tablao de Carmen, Arcos 9/ Poble Espanyol (Metro: Espanya), Tel. 933256895, Di–So ab 21 Uhr. Wechselnde Shows mit Stars aus Andalusien.

Sport

Barcelona ist eine Stadt der Sportvereine, der privaten Sportclubs und der sportlichen Massenveranstaltungen. Lange Wartelisten, eingeschränkte Öffnungszeiten und hohe Mitgliedsgebühren machen sportliche Betätigung für Auswärtige und Einzelpersonen sehr schwer.

Fahrrad-Verleih

Bicitram, Av. Marques de l'Argenteria 15 (gegenüber Bahnhof Estació de França), Sa/So ab 10 Uhr

Fitnesscenter

DIR Centre de Fitness, Gran de Gràcia 37 (Metro: Diagonal/Fontana), Tel. 934155550. Mitgliedschaft für Tage oder Wochen möglich.

Golf

Nahe Golfplätze, südlich von Barcelona, sind *Campo de Golf del Prat* (15 km) und *Campo de Golf de Sitges* (40 km).

Schwimmen

Der Großraum Barcelona besitzt eine Küstenlinie von insgesamt 40 km. Drei Viertel davon sind Sandstrände. Empfehlenswerte **Badebuchten** liegen bei den Orten Sitges (südlich) und St. Pol de Mar (nördlich). Zur Wasserqualität vor Ort gibt der **ADAC Info-Service** aktuelle Auskunft [s. S. 111].

Schwimmbäder in Barcelona:

Bernat Picornell, Avinguda del Estadi (Metro: Espanya), Tel. 934234041.

Das Schwimmbad steht ganzjährig auch Nicht-Mitgliedern zur Verfügung.

Piscina Municipal de Montjuïc, Avinguda de Miramar (Metro: Espanya), Tel. 934 43 00 46. Das Freibad öffnet nur Sa/So und nur in den Sommermonaten. Lösen von Einzeltickets ist möglich.

Piscina-Lago Creueta del Coll, Castellterçol, im Parc Creueta del Coll (Bus: 25 und 28), Ende Juni – Mitte Sept. Freibad, besonders für Kinder geeignet.

Squash

Squash Barcelona, Av. Doctor Marañón 17 (Metro: Zona Universitària), Tel. 933 34 02 58

Tennis

Club Vall Parc, Ctra. de la Rabassada (Metro: Tibidabo), Tel. 932 12 67 89

Olympiaanlagen

Die olympischen Sportstätten konzentrieren sich an vier Punkten der Stadt. Vor allem die Anlagen des Olympischen Rings auf dem Montjuïc sowie die Wohn- und Hafenanlagen im Olympischen Dorf sind einen Besuch wert.

Montjuïc: Palau Sant Jordi (Sportpalast), Estadi de Montjuïc (Leichtathletikstadion), INEFC (Sportuniversität), Piscinas B. Picornell (Schwimmanlage)

Parc de Mar: Olympisches Dorf, Jachthafen ›Nova Icària‹

Vall d'Hebron: Velòdrom (Radrennbahn), Sporthallen für Tennis, Bogenschießen und Volleyball

Diagonal: Sportstätten der Universität, Fußballstadien, Königlicher Poloclub

Veranstaltungskalender

März: ›Rallye Internacional de Coches de Época Barcelona-Sitges‹ (*Oldtimer-Rallye* von Barcelona nach Sitges)

April: ›Trofeo Conde de Godó de Tennis‹ (*Tennis-Cup*)

Mai: Carrera Ciudad de Barcelona ›El Corte Inglés‹ (*Marathonlauf*)

August: *Fußballspiel* ›Trofeo Joan Gamper‹ im Estadi Camp Nou des F.C. Barcelona

September: ›Carrera Atlética de la Mercè‹ (*Volkslauf* anlässlich der Feiern zu Ehren der Schutzpatronin La Mercè)

25. Dezember: ›Travessia del Port‹ (traditioneller *Schwimmwettbewerb*, Durchquerung des Hafenbeckens)

Stadtbesichtigung

Stadtrundfahrten

Barcelona Singular (Bus 100). Der Sightseeing-Bus mit der Nummer 100 verkehrt März – Dez. Er hält an den wichtigsten Sehenswürdigkeiten der Stadt, und Fahrgäste können an einem Tag mit demselben Ticket beliebig oft aus- und einsteigen.

Julia Tours, Ronda Universitat 5 (Metro: Universitat), Tel. 933 17 64 54

Pullmantur, Gran Via de les Corts Catalanes 645 (Metro: Catalunya/Urquinaona), Tel. 933 17 12 97

Führungen

Asociación Profesional de Informadores Turísticos de Barcelona (APIT), Plaça Ramon Berenguer el Gran 1, 1ºD (Metro: Jaume I), Tel. 933 19 84 16

Barcelona Guide Bureau (BGB), Via Laietana 54, 6º5ª (Metro: Urquinaona), Tel. 932 68 24 22

Seil-, Straßen- und Zahnradbahnen

Funicular de Montjuïc
Drahtseilbahn von der Avinguda Paral.lel auf den Montjuïc. Im Winter Sa/So 10.45 – 20 Uhr, sommers tgl. in Betrieb.

Funicular del Tibidabo
Zahnradbahn auf den Tibidabo, Tel. 932 11 79 42, tgl. 10.45 – 18.45 Uhr (alle 30 Min.), bei geöffnetem Vergnügungspark bis spät in die Nacht.

Telefèric de Montjuïc
Drahtseilbahn auf dem Montjuïc: von der Bergstation der Zahnradbahn über einen Teil des Berges bis zur Festung (Museu Militar), Tel. 934 56 64 00, im Sommer tgl., im Winter nur Sa/So.

Tramvia Blau
Liebenswerte alte Straßenbahn zwischen der Straße Balmes (Endstation der FFCC Av. Tibidabo) und der Talstation der Zahnradbahn, auf halber Höhe des Tibidabo. Tel. 933 18 70 74, tgl. 9 – 21.30 Uhr (alle 30 Min.), im Winter nur Sa/So.

Transbordador Aeri
Gondelbahn vom Montjuïc über den Hafen bis Barceloneta, Tel. 902 16 26 46.

Bergstation: neben Café Miramar, Talstationen: 1. Torre Sant Jaume und 2. Torre Sant Sebastià (Barceloneta), tgl. 12–17 Uhr, im Sommer bis 18/19 Uhr.

Aussichtspunkte

Monument a Colom

Am Ende der Rambles (Hafen) (Metro: Drassanes). Ca. 50 m Höhe, Fahrstuhl zur Aussichtsplattform, Blick über Rambles und Altstadt. 25. Sept.–31. Mai Mo–Fr 10–13.30, 15.30–18.30, Sa/So 10 bis 18.30 Uhr; 1. Juni – 24. Sept. tgl. 9–20.30 Uhr [Nr. 22].

Montjuïc

Ab der Plaça Espanya (Metro: Espanya): zu Fuß bzw. über Rolltreppen oder mit dem Bus 61; ab Av. Paral.lel (Metro: Paral.lel): Funicular de Montjuïc (Zahnradbahn). Der 213 m hohe Stadtberg zwischen dem Hafen und der Altstadt bietet zahlreiche Aussichtspunkte. Vom Mirador del Migdia genießt man den besten Blick auf die Olympiaanlagen. Auf der

anderen Seite des Berges erschließt sich vom **Café Miramar** aus das herrliche Panorama des Hafenbeckens und der Innenstadt.

Tibidabo

Der 512 m hohe Berg ist Teil des Collserola-Höhenzugs, der die Stadt im Nordwesten begrenzt. Bereits auf halber Höhe, dort, wo die Straßenbahnlinie Tramvia Blau endet, ist der Blick auf die Stadt fantastisch. Bis zur Bergspitze (Kirche, Vergnügungspark) führt eine Zahnradbahn. Die Kuppe des Tibidabo wird seit 1991 vom neuen, 288 m hohen **Torre de Collserola** überragt. Der Funkturm entstand nach Plänen des britischen Architekten Sir Norman Foster. Seit Mitte 1992 ist die verglaste Plattform Nr. 10 auf 115 m Höhe – 560 m über dem Meeresspiegel – geöffnet (unterschiedliche Öffnungszeiten, Auskunft: Tel. 934069354).

Zoo

Parc Zoologic, Parc de la Ciutadella (Metro: Barceloneta), Tel. 932212506, Mai–Aug. 9.30–19.30, Sept./April 10–19, März 10–18, Okt.–Feb. 10–17 Uhr. Star der rund 6500 Tiere aus 425 Arten im Zoologischen Garten von Barcelona ist nach wie vor der mittlerweile in die Jahre gekommene Albinogorilla *Floquet de Neu* (Schneeflöckchen). Viel besucht ist auch das *Aquarama*.

Aquarium

L'Aquarium, Moll d'Espanya del Port Vell (Metro: Drassanes), Tel. 932217474, im Sommer tgl. 9.30–22, im Winter bis 20 Uhr. Größtes Aquarium Europas mit 20 großen Wassertanks, in denen Bewohner des Mittelmeers und aus tropischen Gefilden zu sehen sind. Hauptattraktion ist das **Ozeanarium**, in dem neun Haie und 4000 andere Fische hautnah erlebt werden können.

Font Màgica

Av. de Reina Maria Cristina (Metro: Espanya), Auskunft: Tel. 010. Der große Springbrunnen unterhalb des Palau Nacional am Montjuïc, ein Werk des katalanischen Architekten Carles Buïgas, bietet sehenswerte Lichtwasserspiele.

Ausflugsziele

Cadaqués: versteckte Sommerfrische am Cabo Creus, Künstlertreffpunkt, zahlreiche Galerien und ausgezeichnete Restaurants. Anreise: Autobahn A7 oder Nationalstraße NII bis Figueres, dann Landstraße No. C260, Busse ab Estació d'Autobusos de Barcelona Nord (Metro: Arc de Triomf). Fremdenverkehrsbüro: Tel. 972258315

Figueres: Hauptstadt des Landkreises Alt Empordà, nördlich von Barcelona. Sehenswert: Museum des katalanischen Malers Salvador Dalí, Stadt- und Spielzeugmuseum. Anreise: Nationalstraße NII oder Autobahn A7 Richtung La Jonquera, Züge ab Bahnhof Sants oder Passeig de Gràcia. Fremdenverkehrsbüro: Tel. 972503155, Museu Dalí: Tel. 972677500

Girona: Provinzhauptstadt mit mehr als 70000 Einwohnern, ca. 100 km nördlich von Barcelona.

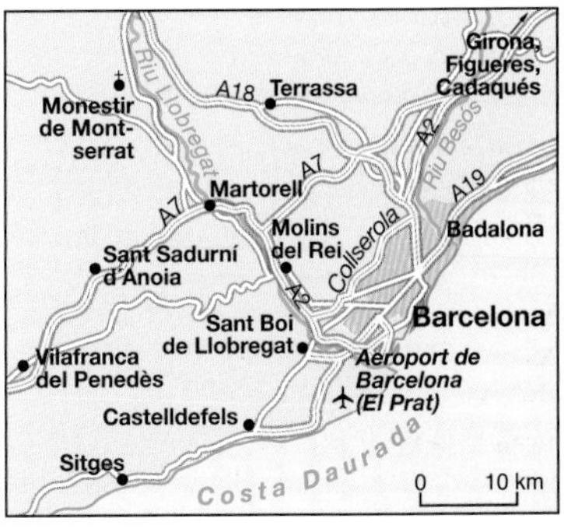

Montserrat – Pilgerstätte und Felsentürme

Etwa 70 km nordwestlich von Barcelona ragt jäh eine wilde, 5 km breite Felslandschaft aus der Ebene, die im Alttertiär aus Kalk- und Sedimentgestein entstanden ist. Wind und Wasser schliffen und nagten Jahrtausende an dem rund 1200 m hohen **Gebirgsstock**, *bis seine Felsentürme ihr heutiges bizarres Aussehen erhalten hatten.*

Die Legende erzählt von der wunderbaren Auffindung eines schwarzen **Madonnenbildes** *im Gebirge. Hirten sollen von einem wunderbaren Lichtschein und himmlischen Klängen zu einer Höhle geführt worden sein, in der sie ein hölzernes Marienbild fanden. Christen, die in der Unzugänglichkeit des Montserrat Schutz vor den Mauren gesucht hatten, hätten das angeblich vom Apostel Lukas geformte Bild dort versteckt. Man meldete dem zuständigen Bischof den Fund, doch als sich die Madonna nicht von der Stelle bewegen ließ, errichtete man um sie herum eine Kapelle.*

Sicher ist, dass der Berg sehr früh bewohnt war, es wurden Tonscherben aus der Neusteinzeit und Gräber der Iberer gefunden. Christliche Eremiten hausten in der Einsamkeit des Berges, und schon zur Zeit der Westgoten stand dort wohl eine **Marienkapelle**. *Anfang des 11. Jh. gründete Oliva, Abt der mächtigen Benediktinerabtei Ripoll in den Pyrenäen, am Montserrat ein Tochterkloster. Bald musste ein größerer Neubau errichtet werden, dessen romanisches Portal heute im rechten Teil des Kreuzgangs vor der Basilika aufgestellt ist. Im 12. und 13. Jh. wuchs das Kloster zusehends, 1409 wurde es von Ripoll unabhängig. Die Pilger nach Santiago de Compostela und die Eroberungen des katalanisch-aragonischen Königreiches hatten den Ruf seines wundertätigen Gnadenbildes weit über die Landesgrenzen hinaus verbreitet. Neben Santiago de Compostela und Guadalupe ist die Schwarze Madonna vom Montserrat – ›La Moreneta‹ (die kleine Dunkle), wie die Figur ihrer Farbe wegen liebevoll genannt wird – Spaniens bedeutendstes* **Wallfahrtsziel**.

Eine herausragende Rolle spielt das Kloster in der Renaixença, der katalanischen Nationalbewegung des 19. Jh. 1881 erhob Papst Leo XIII. ›Unsere Liebe Frau vom Montserrat‹ zur Schutzheiligen Kataloniens. Während der Francodiktatur durften nur Benediktiner am Montserrat unbehelligt Katalanisch als Schriftsprache verwenden. Die Gelehrsamkeit seiner Mönche machte das Kloster zu einem kulturellen und geistigen Zentrum.

Die zwischen steil abfallenden Felswänden liegende **Klosteranlage** *mit ihren nüchternen, hohen Seitengebäuden ist bei näherer Betrachtung eher enttäuschend. Die im Mittelalter stetig gewachsene Anlage war 1802 von den Truppen Napoleons vollständig zerstört und später durch eine allzu glatte Rekonstruktion des 19. Jh. ersetzt worden. Erhalten blieb das Gnadenbild aus dem 12. Jh.*

Sehenswert sind auch das **Bibelmuseum**, *in seinem Reichtum einzigartig in Spanien, und die* **Gemäldegalerie** *im Vorhof der Kirche.*

Sehenswerte Altstadt: Judenviertel, Kathedrale, Kirchen, Museen, Stadtmauer. Anreise: siehe oben Figueres, Fremdenverkehrsbüro: Tel. 972226575

Montserrat: bedeutendes Benediktinerkloster und beeindruckendes Bergmassiv (Wanderwege), ca. 70 km nordwestlich von Barcelona. Anreise: Autobahn A7 Richtung Tarragona/Lleida (Ausfahrt 25), Züge der *Ferrocarrils de la Generalitat de Catalunya* (FFCC) ab Plaça d'Espanya, Tel. 938777777.

Sant Sadurní d'Anoia: 44 km südlich von Barcelona, wichtiges Weinanbaugebiet und Zentrum der katalanischen Schaumweinkellereien (Las Cavas). Besichtigung verschiedener Betriebe (mit Führung) ist möglich. Einer der größten und schönsten ist Cavas Codorníu (Gebäude von Puig i Cadafalch). In der Nähe liegt Vilafranca del Penedés, Hauptstadt der Region. Sehenswert: Weinmuseum, Jugendstilhäuser im Stadtzentrum. Anreise: Autobahn A7 Richtung Lleida/Tarragona (Ausfahrt 27), Züge ab Bahnhof Sants. Cavas Codorníu in Sant Sadurní: Tel. 938183232, Fremdenverkehrsbüro in Vilafranca: Tel. 938920358, Weinmuseum Vilafranca: Tel. 938900582

TOP TIPP **Sitges:** lieblicher Badeort mit weißen Häusern, sehenswerten Museen und vielseitigem Veranstaltungsprogramm (Filmfestival, Oldtimerrallye, Theatertage), 37 km südlich von Barcelona an der Costa de Garraf. Anreise: Autovía de Castelldelfels oder Autobahn, Züge ab Bahnhof Passeig de Gràcia oder Sants. Fremdenverkehrsbüro: Tel. 938 944251

Tossa de Mar: Sommerfrische an der Costa Brava mit römischen Siedlungsresten, mittelalterlicher Stadtmauer, Kieselstrand und exzellenten Restaurants. Anreise: Busse ab Estació del Nord (Metro: Arc de Triomf), Fremdenverkehrsbüro: Tel. 972340108

Statistik

Bedeutung: Barcelona ist Hauptstadt der *Comunitat Autónoma de Catalunya* und Sitz der Autonomen Landesregierung Kataloniens (*Generalitat*). Zweitgrößte Stadt Spaniens. Älteste Industriestadt des Landes. Erzbistum.

Lage: 41° 24' 42" nördlicher Breite, 2° 7' 42" östlicher Länge. Meereshöhe bis 512 m (Tibidabo).

Wirtschaft: Ökonomische Grundlage Barcelonas ist nach wie vor die Textil- und Metallindustrie.

Einwohner: Stadt: 1,6 Millionen, Großraum: 4,2 Millionen. In ganz Katalanien leben rund 6 Mio. Menschen.

Stadtgebiet: 99 km^2

Grünzonen: 844 ha

Umfang des Hafens: 19,6 km

Küstenlinie: 13,2 km

Stadtwappen: Kreuz der Kathedrale, dahinter die rot-gelbe, Querstreifen der Grafen von Barcelona

Unterkunft

Eine Zimmervermittlung gibt es in Barcelona nicht. Die Touristen-Informationen [s. S. 112] halten jedoch Hotellisten bereit und geben gerne Orientierungshilfe. In den Monaten April/Mai und Okt./Nov. machen Messen und Sportveran-staltungen eine frühzeitige Reservierung empfehlenswert. Nur in der Nebensaison (Hochsommer, Weihnachtszeit und Wochenende) gibt es Sondertarife.

Albergue juvenil

Jugendherbergen, auch für Erwachsene. Informationen bei **Xarxa d'Albergs de la Joventut**, Rocafort 116–120 (Metro: Rocafort), Tel. 934838363

Albergue Studio, Passatge Duquessa d'Orleans 58 (FFCC: Reina Elisenda), Tel. 932050961 (Juli–Sept. geöffnet)

Hostal de Joves, Passeig de Pujades 29 (Metro: Arc de Triomf), Tel. 933003104

Pere Tarrés, Numància 149–151 (Metro: Les Corts), Tel. 934102309

Verge de Montserrat, Passeig Marc de Déu del Coll 41–51 (Metro: Vallcarca), Tel. 932105151

Hotels ***** (Luxus)

TOP TIPP **Claris**, Pau Claris 150 (Metro: Passeig de Gràcia), Tel. 934876262, Fax 932157970, Internet: www.slh.com/claris. Nobelherberge im ehem. Palast der Grafen von Vedruna (19. Jh.). Konzeption durch die Star-Architekten Bohigas, Mackay und Martorell. Edle Ausstattung (Teak, Marmor, Kupfer). 124 Maisonette-Zimmer (Suiten) für höchste Ansprüche. Fitnesscenter mit Pool. Friseur, Garten, Garage. Als Besonderheit im Haus das Museu Arquològic Fundació Clos.

De les Arts, Carrer Marina 19/21 (Metro: Ciutadella-Vila Olímpica), Tel. 932211000, Fax 932211070. Das Haus der Kategorie Grand Luxe gehört zur Ritz-Carlton-Hotelkette und liegt direkt am Sandstrand des Olympischen Dorfes. Von den oberen Etagen ist der Blick atemberaubend.

Ritz (Husa Palace), Gran Via de les Corts Catalanes 668 (Metro: Catalunya/Urquinaona), Tel. 933185200, Fax 933180148. Luxusherberge mit Tradition. Seit 1919 residieren hier Spitzenpolitiker, Weltstars und andere, die es sich leisten können.

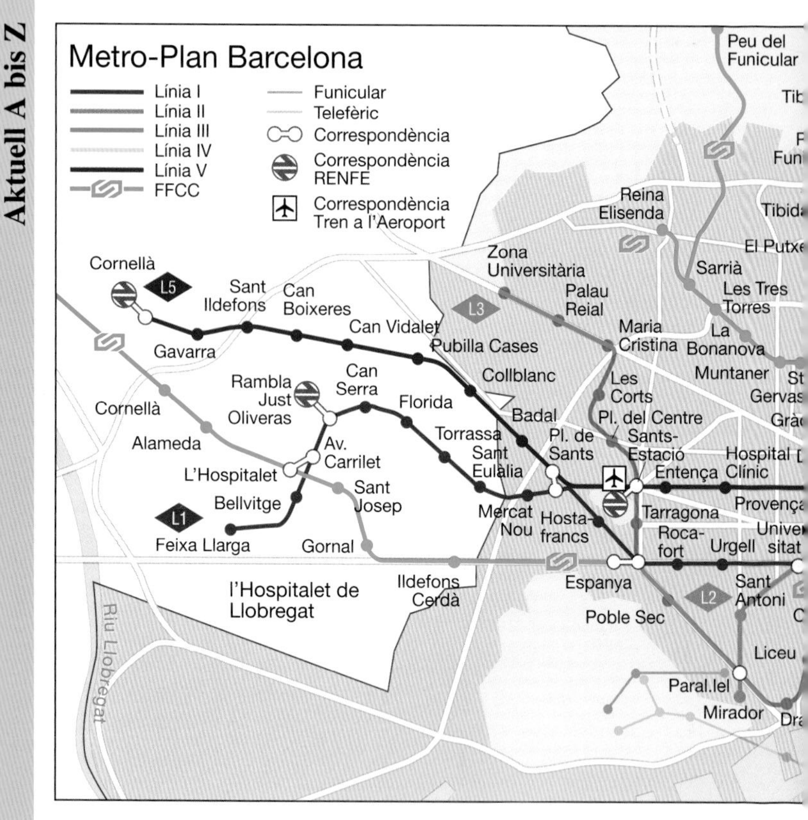

Hotels *****

Havana Palace, Gran Via de les Corts Catalanes 647 (Metro: Urquinaona), Tel. 934121115, Fax 934122611. Hotel-Palast aus dem Jahre 1991 mit besonders freundlichem Service. Viele Extras in den Zimmern, einige mit Faxanschluss und privater Dachterrasse. In der Empfangshalle: kleine Bibliothek mit Barcelona-Büchern. Fitnesscenter, exzellentes Restaurant ›Gran Place‹.

Le Meridien Barcelona, Rambles 111 (Metro: Liceu), Tel. 933186200 (Reservierung: Tel. 933184432), Fax 933017776. Bevorzugte Herberge von Opernsängern wie Pavarotti, Pop- und Rockstars von Tracy Chapman bis Julio Iglesias. Executive-Etagen für anspruchsvolle Geschäftsleute, Businesscenter mit PC, Fax, Büro- und Übersetzungsdienst.

Hotels ****

Colón, Avda. Catedral 7 (Metro: Urquinaona), Tel. 933011404, Fax 933172915. Gemütliches Haus im alten Stil, freundlicher Service und behagliche Aufenthaltsräume. Bei Filmteams und Journalisten sehr beliebt. Zimmer mit Blick auf die Kathedrale buchen!

TOP TIPP **Condes de Barcelona**, Passeig de Gràcia 75 (Metro: Diagonal), Tel. 934882200, Fax 934674785, Internet: www.hotelcondesdebarcelona.com. Das Hotel in der Casa Enric Batlló zählt zu den schönsten der Stadt. Alle Zimmer im Art-Déco-Stil. Die Suite ›Gaudí‹ mit rundem Erkerfenster ist den Aufpreis wert. Sonnenterrasse und Fitnesscenter im Dachgeschoss.

Regente, Rambla de Catalunya 76 (Metro: Diagonal), Tel. 934875989, Fax 934873227. Wohnhaus der Jahrhundertwende, erbaut durch Domènech i Montaner. Dachterrasse mit Bar, Pool und schöner Aussicht.

TOP TIPP **Rivoli Ramblas**, Rambla dels Estudis 128 (Metro: Catalunya), Tel. 933026643, Fax 933175053. Art-Déco-Hotel, gestaltet vom einheimischen Architekten Alberto Esquerdo,

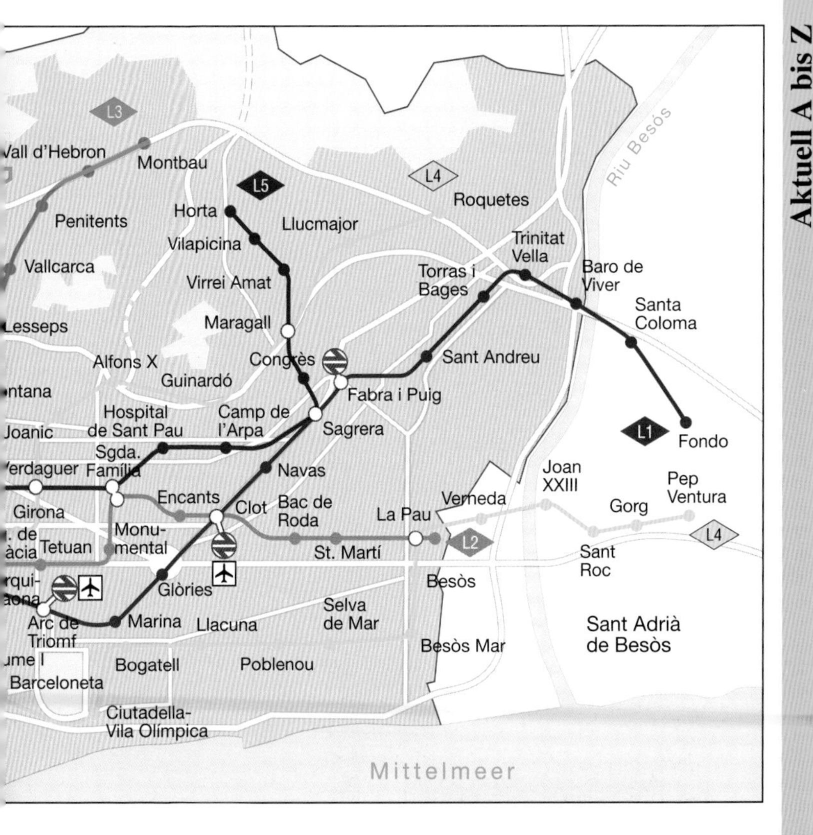

der deutschen Innenarchitektin Camilla Hamm und dem katalanischen Maler Perico Pastor. Schöne Eingangshalle mit Designermöbeln und angeschlossener Piano-Cocktail-Bar. Die Dachterrasse bietet einen Rundblick über die Altstadt. Fitnesscenter im Haus.

St. Moritz, Diputació 262 (Metro: Passeig de Gràcia), Tel. 934 12 15 00, Fax 934 12 12 36. Zentral gelegenes Hotel der neuen Generation. Freundliche Empfangshalle, angenehme Bar und Gartenterrasse. 92 geräumige Zimmer, besonders ruhig zum hellen Innenhof. Parkgarage im Haus.

Hotels ***

Atlantis, Pelai 20 (Metro: Universitat/ Catalunya), Tel. 933 18 90 12, Fax 934 12 09 14. 1991 eröffnetes Haus mit Designertouch. Zimmer und Badezimmer sind klein, aber fein, die Dekoration ist eine Freude für Augenmenschen. Suite Nummer 306 bietet 5-Sterne-Luxus mit runder Badewanne und separater Duschkabine.

Gravina, Gravina 12 (Metro: Universitat/Catalunya), Tel. 933 01 68 68, Fax 933 17 28 38. Zentral und ruhig gelegen. Aufmerksamer Service. Moderne, helle Zimmer mit kleinen Extras.

Reding, Gravina 5–7 (Metro: Universitat/Catalunya), Tel. 934 12 10 97, Fax 932 68 34 82. 44-Zimmer-Haus aus dem Jahre 1990. Große Räume, teils mit Terrasse zum Innenhof. Klimaanlage, Farbfernseher, Telefon, Schreibtisch und Minibar. Preiswertes Restaurant (Frühstücksbuffet) und Bar im Erdgeschoss.

Regencia Colón, Sagristans 13–17 (Metro: Urquinaona), Tel. 933 18 98 58, Fax 933 17 28 22. Freundliche Zimmer mit Blümchen-Dekoration. Bistro im Erdgeschoss. Bevorzugtes Hotel von Messebesuchern und Fototeams. Frühzeitige Reservierung empfohlen!

Hotels **

Paral.lel, Poeta Cabanyes 5 (Metro: Paral.lel), Tel. 933 29 11 04, Fax 934 42 16 56. Neues Haus, 1990 eröffnet, modern ausgestattete Zimmer, besonders ruhig zum hellen Innenhof. Günstige Lage, Garage gleich gegenüber.

Via Augusta, Via Augusta 63 (FFCC: Gràcia), Tel. 932179250/54, Fax 932377714. Gepflegte Eingangshalle. Die 55 Zimmer liegen auf den obersten 4 Stockwerken des privaten Wohnhauses. Zweckmäßige Einrichtung. Große Dachterrasse mit tollem Ausblick.

Hotels *

Oasis, Plaça del Palau 17 (Metro: Barceloneta), Tel. 933194396, Fax 933104874. Renoviertes 57-Zimmer-Haus neben dem Bahnhof Estació de França, Blick auf die Hafenpromenade Moll de la Fusta. La Ribera und Barceloneta liegen vor der Tür. Zweckmäßige Zimmer mit Bad und Telefon.

Peninsular, Sant Pau 34 (Metro: Liceu), Tel. 933023138, Fax 934123699. Einfache, aber wunderschöne Jugendstilherberge mit bezauberndem Lichtschacht und begrüntem Innenhof. Zimmerausstattung (mit oder ohne Bad) schlicht, aber sauber. Frühzeitige Reservierung empfehlenswert!

Verkehrsmittel

Bahnen

Im Sommer fahren **Funicular** und **Telefèric**, Seil- bzw. Zahnradbahn, auf Tibidabo und Montjuïc. Schöne Fahrten bieten auch mit der Gondelbahn **Transbordador Aero** (Montjuïc – Barceloneta) sowie die Straßenbahn **Tramvia Blau** auf den Tibidabo [s. S. 128].

Bus

Ein dichtes **Stadtbusnetz** stellt die Verbindung mit allen Stadt- und Außenbezirken sicher. Fahrscheine werden beim Fahrer gelöst oder als verbilligte Zehnerkarten an den Metroschaltern gekauft.

Es gibt drei Sonderlinien: Der **Tombbus**, ein tiefblauer Shoppingbus, befördert Einkäufer von der Plaça Catalunya durch die einschlägigen Geschäftsstraßen zur Plaça Pius XII an der Diagonal. Während der Nachtstunden verkehren 14 **Nit-Bus-Linien**, die ihren Ausgangs- und Endpunkt an der Plaça Catalunya haben. Der **Aerobus** fährt ab Plaça Catalunya/Ecke Passeig de Gràcia alle 15 Min. zum Flughafen El Prat. Fahrtzeit ca. 30 Min.

Mietwagen

Für Mitglieder bietet die **ADAC Autovermietung GmbH** günstige Konditionen. Buchungen über die jeweiligen ADAC-Geschäftsstellen oder unter Tel. 01805/318181 (0,12 €/Anruf). In der Ankunftshalle des Flughafens sowie in Barcelona selbst sind nationale und internationale Autovermietungen vertreten.

Im Innenstadtbereich sind **Parkplätze** rar und teuer. Die Parkuhren der sog. ›blauen Zonen‹ erlauben maximal 90 Minuten. Daher empfiehlt sich die Benutzung einer der zahlreichen Tiefgaragen; Leuchttafeln lotsen zu freien Plätzen hin.

Schiff

Compañia Trasmediterránea, Abfahrt am Terminal Moll de Sant Bertran, Tel. 902454645. Fähren zwischen Barcelona und Mallorca, Menorca und Ibiza.

Golondrinas, Tel. 934423106. Pendeldienst zwischen der Moll de la Fusta, dem Rompeolas (der äußeren Hafenbeckenbegrenzung) und dem Port Olímpic. Beliebtes Sonntagsvergnügen der Barcelonesen, für Touristen als Mini-Hafenrundfahrt zu empfehlen. Im Sommer tgl. 11–19, Juli/Aug. 11–21 Uhr, im Winter: Sa/So 11–17 Uhr.

Taxi

Sind Taxis frei, leuchtet auf dem Dach ein grünes Licht oder an der Windschutzscheibe ist das Schild ›Lliure‹ oder ›Libre‹ herunter geklappt. Je nach Tageszeit, Wochentag und Zonen gibt es verschiedene Tarife. Zuschläge für Fahrten von und zum Flughafen, für große Gepäckstücke, für telefonische Vorbestellung und für Hunde.

Taxi-Ruf: Barnataxi, Tel. 933577755, Taxi Groc, Tel. 934902222.

U-Bahn

Die **Metro** ist das schnellste und preiswerteste Verkehrsmittel der Stadt. Sie verkehrt Mo–Do 5–23, Fr–Sa 5–1 und So 6–24 Uhr. Einzeltickets werden am Schalter verkauft. Einige Metrostationen besitzen nur Ticketautomaten (Wechselgeld bereithalten!); Zehnerkarten sind verbilligt. Alle Informationsstellen verkaufen die 1–5 Tage gültige *Barcelona Card*. Sie beinhaltet Vergünstigungen im öffentlichen Nahverkehr sowie in Museen und zahlreichen Geschäften und Lokalen der Stadt.

Sprachführer

Das Wichtigste in Kürze

	Spanisch (Kastilisch)	Katalanisch
Ja/Nein	*sí/no*	*sí/no*
Bitte/Danke	*por favor/gracias*	*si us plau/gràcies*
Entschuldigung!	*¡perdón!/¡perdone!*	*disculpi!/disculpa!*
Können Sie mir bitte helfen?	*¿Puede ayudarme, por favor?*	*Pot ajudar-me, si us pla*
Das gefällt mir (nicht).	*(No) Me gusta.*	*(No) M'agrada.*
Ich möchte …	*Quisiera …*	*Voldria …*
Haben Sie …?	*¿Tiene usted …?*	*Té …?*
Wieviel kostet das?	*¿Cuánto cuesta?*	*Quant és?*
Kann ich mit Kreditkarte bezahlen?	*¿Puedo pagar con la tarjeta de crédito?*	*Puc pagar amb targeta de crèdit?*
Wieviel Uhr ist es?	*¿Qué hora es?*	*Quina hora és?*
Guten Morgen!/Guten Tag!	*¡Buenos días!*	*Bon dia!*
Guten Abend!	*¡Buenas tardes!*	*Bona tarda!*
Gute Nacht!	*¡Buenas noches!*	*Bona nit!*
Hallo!/Grüß Dich!	*¡Hola!/¿Qué tal?*	*Hola/Què hi ha?*
Wie ist Ihr Name, bitte?	*¿Cómo se llama usted, por favor?*	*Com es diu, si us plau?*
Mein Name ist …	*Me llamo …*	*Em dic …*
Wie geht es Ihnen?	*¿Qué tal está usted?*	*Com està?*
Auf Wiedersehen!	*¡Adiós!*	*Adéu-siau!*

Wochentage

Montag	*lunes*	*dilluns*
Dienstag	*martes*	*dimarts*
Mittwoch	*miércoles*	*dimecres*
Donnerstag	*jueves*	*dijous*
Freitag	*viernes*	*divendres*
Samstag	*sábado*	*disabte*
Sonntag	*domingo*	*diumenge*

Monate

Januar	*enero*	*gener*
Februar	*febrero*	*febrer*
März	*marzo*	*març*
April	*abril*	*april*
Mai	*mayo*	*maig*
Juni	*junio*	*juny*
Juli	*julio*	*juliol*
August	*agosto*	*agost*
September	*septiembre*	*setembre*
Oktober	*octubre*	*octubre*
November	*noviembre*	*novembre*
Dezember	*diciembre*	*desembre*

Zahlen

0	*cero*	*zero*
1	*uno*	*un/una*
2	*dos*	*dos/dues*
3	*tres*	*tres*
4	*cuatro*	*quatre*
5	*cinco*	*cinc*
6	*seis*	*sis*
7	*siete*	*set*
8	*ocho*	*vuit*
9	*nueve*	*nou*
10	*diez*	*deu*
11	*once*	*onze*
12	*doce*	*dotze*
13	*trece*	*tretze*
14	*catorce*	*catorze*
15	*quince*	*quinze*
16	*diecisésis*	*setze*
17	*diecisiete*	*disset*
18	*dieciocho*	*divuit*
19	*diecinueve*	*dinou*
20	*veint*	*vint*
21	*veintiuno, -a*	*vint-i-un*
22	*veintidós*	*vint-i-dos*
30	*treinta*	*trenta*
40	*cuarenta*	*quaranta*
50	*cincuenta*	*cinquanta*
60	*sesenta*	*seixanta*
70	*setenta*	*setanta*
80	*ochenta*	*vuitanta*
90	*noventa*	*noranta*
100	*cien, ciento*	*cent*
101	*ciento uno*	*cent un*
200	*doscientos, -as*	*dos-cents*
300	*trescientos,-as*	*tres-cents*
400	*cuatrocientos,-as*	*quatre-cents*
500	*quinientos,-as*	*cinc-cents*
600	*seiscientos,-as*	*sis-cents*
700	*setecientos, -as*	*set-cents*
800	*ochocientos, -as*	*vuit-cents*
900	*novecientos, -as*	*nou-cents*
1000	*mil*	*mil*
2000	*dos mil*	*dos mil*
10000	*diez mil*	*deu mil*
1000000	*un millón*	*un milió*
1/4	*un cuarto*	*un quart*
1/2	*medio*	*mig*

Tschüs!	*¡Hasta luego!*	*Adéu!*
Bis morgen!	*¡Hasta mañana!*	*Fins demà!*
gestern/heute/morgen	*ayer/hoy/mañana*	*ahir/avui/demà*
am Vormittag/ am Nachmittag	*por la mañana/ por la tarde*	*al matí/ a la tarda*
am Abend/ in der Nacht	*por la tarde/ por la noche*	*a la tarda/ a la nit*
um 1 Uhr/2 Uhr …	*a la una/a les dos …*	*a la una/a les dos ...*
um Viertel vor (nach) …	*a la(s) … menos cuarto (y cuarto)*	*tres quarts de … un quart de …*
um … Uhr 30	*a la/las … y media*	*dos quarts de …*
Minute(n)/Stunde(n)	*minuto(s)/hora(s)*	*minut*
Tag(e)/Woche(n)	*día(s)/semana(s)*	*dia*
Monat(e)/Jahr(e)	*mes(es)/año(s)*	*mes*

Unterwegs

Nord/Süd/West/Ost	*norte/sur/oeste/este*	*nord/sud/oest/est*
oben/unten	*arriba/abajo*	*amunt/avall*
geöffnet/geschlossen	*abierto/cerrado*	*obert/tancat*
geradeaus/links/ rechts/zurück	*derecho/ a la izquierda/ a la derecha/ atrás*	*tot dret/ a l'esquerra/ a la dreta/enrera*
nah/weit	*cerca/lejos*	*prop/lluny*
Wie weit ist das?	*¿A qué distancia está?*	*És molt lluny això?*
Wo sind die Toiletten?	*¿Dónde están los aseos?*	*On es el lavabo?*
Wo ist die (der) nächste …	*¿Dónde está …*	*On hi ha per aquí prop ...*
Telefonzelle/	*la cabina telefónica/*	*una cabina telefònica/*
Bank/Polizei/	*el banco/la policía/*	*un banc/la policia/*
Post/	*el correo/*	*un correu/*
Geldautomat?	*el cajero automático más cerca?*	*un caixer automàtic?*
Wo ist der Flughafen/ der Fährhafen?	*¿Dónde está el aeropuerto/ el puerto?*	*On és l'aeroport/ el port?*
Wo finde ich …	*¿Dónde encuentro*	*On hi ha per aquí …*
eine Bäckerei/	*una panadería/*	*un forn/una fleca*
ein Lebensmittelgeschäft/	*un supermercado/*	*un supermercat/*
den Markt?	*el mercado?*	*el mercat?*
Ist das der Weg/ die Straße nach …?	*¿Es este el camino/ la carretera a …?*	*És aquest el cami per …/ És aquesta la carretera a ?*
Ich möchte mit …	*Quisiera ir en ...*	*Voldria anar amb …*
dem Zug	*tren/*	*tren/*
dem Bus/	*autobús/*	*autobús/autocar/*
der Fähre/	*ferry/*	*ferry/*

Hinweise zur Aussprache – Spanisch und Katalanisch

c	vor ›a, o, u‹ wie ›k‹, z. B.: **c**asa, **c**aja vor ›e‹ und ›i‹ ähnlich dem englischen ›th‹, z.B.: gra**ci**as, **ci**nc
ch	wie ›tsch‹, z. B.: le**che**
g	vor ›e‹ und ›i‹ wie ›ch‹, z. B.: **ge**nte
gue, gui	wie ›ge, gi‹, z. B.: **gui**so, pa**gue**
h	ist immer stumm
j	wie ›ch‹, z. B.: **j**amón
ll	zwischen Vokalen wie ›lj‹ z. B.: tort**illa, ll**um
ñ	wie ›nj‹, z.B.: ni**ñ**o
que, qui	wie ›ke, ki‹, z. B.: **que**so, **qui**ero, por**que**
s	vor ›b, d, g, l, m, n‹ weiches ›s‹, z.B.: i**s**la, sonst immer scharfes ›s‹
v	wie ›b‹, z.B.: **v**ia, **v**ino
z	ähnlich dem englischen ›th‹, z. B.: tena**z**

Besonderheiten des Katalanischen

ç	wie scharfes ›s‹, z. B.: Fran**ç**a, dol**ç**os
g	vor ›e‹ und ›i‹ wie in Gara**ge**, z. B.: corat**ge**
j	wie ›g‹ in Gara**g**e, z. B.: men**j**ar
ny	wie ›gn‹ in ›Champagner‹, z. B.: Catalu**ny**a
s	am Anfang und Ende des Wortes scharfes ›s‹, z. B.: **s**i**s**, va**s**, **s**eda zwischen zwei Vokalen weiches ›s‹, z. B.: a**s**e
ss	zwischen zwei Vokalen scharfes ›s‹, z. B pa**ss**a
x	wie ›sch‹, z. B.: cai**x**a
z	wie weiches ›s‹, z. B.: on**z**e, set**z**e

dem Flugzeug	*avión*	*avió/*
nach … fahren.	*a …*	*a …*
Ich möchte eine Anzeige erstatten.	*Quisiera hacer una denuncia.*	*Voldria fer una denúncia.*
Man hat mir ...	*Me han robado ...*	*M'han robat ...*
Geld/die Tasche/	*el dinero/el bolso/*	*els diners/la cartera/*
die Papiere/	*los documentos/*	*la documentació/*
die Schlüssel/	*las llaves/*	*les claus/*
den Fotoapparat/	*la cámara fotógrafica/*	*l'aparell fotogràfic/*
den Koffer gestohlen.	*la maleta.*	*la maleta.*

Bank, Post Telefon

Ich möchte Geld wechseln.	*Quisiera cambiar dinero.*	*Voldria canviar diners.*
Brauchen Sie meinen Ausweis?	*¿Necesita mi documento de identidad?*	*Necessita el meu carnet d'identitat?*
Haben Sie …	*¿Tiene Usted …*	*Té targetes …*
Telefonkarten/	*tarjetas de teléfono/*	*de telèfon/*
Briefmarken?	*sellos?*	*segells?*

Tankstelle

Wo ist die nächste Tankstelle?	*¿Dónde está la estación de servicio más cercana?*	*On és la benzinera més propera?*
Ich möchte … Liter …	*Quisiera … litros de …*	*Voldria … litres de …*
Super/Diesel/	*gasolina super/diesel/*	*gasolina/super/diesel/*
bleifrei/	*gasolina sin plomo/*	*sense plom/*
mit … Oktan.	*de … octanos.*	*de … octàns.*
Volltanken, bitte!	*¡Lleno, por favor!*	*Ple, si us plau!*
Bitte prüfen Sie …	*Controle, por favor …*	*Controli, si us plau …*
den Reifendruck/	*la presión de los neumáticos/*	*la pressió dels pneumàtics/*
den Ölstand/	*el nivel del aceite/*	*el nivell de l'oli/*
den Wasserstand/	*el nivel del agua/*	*el nivell de l'aigua/*
die Batterie.	*la batería.*	*la bateria.*

Panne

Ich habe eine Panne.	*Tengo una avería.*	*Tinc una avaria.*
Der Motor startet nicht.	*El motor no arranca.*	*El cotxe no s'engega.*
Ich habe kein Benzin.	*No tengo gasolina.*	*No tinc gasolina.*
Gibt es hier in der Nähe eine Werkstatt?	*¿Hay algún taller por aquí cerca?*	*On hi ha per aqui aprop un taller?*
Können Sie mir einen Abschleppwagen schicken?	*¿Puede enviarme una grua?*	*Pot enviar-me una grua?*
Können Sie den Wagen reparieren?	*¿Puede repara el coche?*	*Pot reparar-me el cotxe?*
Bis wann ist er fertig?	*¿Cuándo estará listo?*	*Quant tardaran a arreglar el cotxe?*
Ich möchte ein Auto mieten.	*Quisiera alquilar un coche.*	*Voldria llogar un cotxe.*
Was kostet die Miete …	*¿Cuánto cuesta el alquiler …*	*Quant costa el lloguer ...*
pro Tag/pro Woche/	*por día/por semana/*	*per dia/per semana/*
mit unbegrenzter km-Zahl/	*con kilometraje ilimitado/*	*amb quilometratge ilimitat/*
mit Kaskoversicherung/	*con seguro a todo riesgo/*	*amb assegurança a tot risc/*
mit Kaution?	*con depósito?*	*amb dipòsit?*
Wo kann ich den Wagen zurückgeben?	*¿Dónde puedo devolver el coche?*	*On puc tornar el cotxe?*

Unfall

Hilfe!	*¡Ayuda!/¡Socorro!*	*Ajuda!*
Achtung!/Vorsicht!	*¡Atención!/¡Cuidado!*	*Compte!*
Rufen Sie bitte schnell …	*Por favor, llame en seguida …*	*Truqui, si us plau de pressa …*
einen Krankenwagen/	*una ambulancia/*	*a una ambulància/*
die Polizei/	*a la policía/*	*a la policia/*
die Feuerwehr.	*a los bomberos.*	*als bombers.*
Es war (nicht) meine Schuld.	*(No) Ha sido por mi culpa.*	*(No) Ha estat culpa meva.*
Ich brauche die Angaben zu Ihrer Autoversicherung.	*Necesito los datos de su seguro.*	*Necessito les dades de la seva assegurança seguro.*
Geben Sie mir bitte Ihren Namen und Ihre Adresse.	*¿Puede usted darme su nombre y dirección, por favor?*	*Pot donar-me el seu nom i la seva adreça, si us plau?*

Krankheit

Können Sie mir … einen Arzt/ Zahnarzt empfehlen?	*¿Puede recomendarme … un médico/ dentista?*	*Pot recomanar-me un metge/ un dentista?*
Wann hat er Sprechstunde?	*¿A qué hora tiene su consulta?*	*Quines hores visita?*
Wo ist die nächste Apotheke?	*¿Dónde está la farmacia más próxima?*	*Hi ha alguna farmàcia prop d'aqui?*
Ich brauche ein Mittel gegen …	*Necesito un medicamento contra …*	*Necessito un medicament contra ...*
Durchfall/	*la diarrea/*	*la diarrea/*
Fieber/	*la fiebre/*	*la febre/*
Insektenstiche/	*las picaduras de insectos/*	*les picades d'insectes/*
Kopfschmerzen/	*los dolores de cabeza/*	*el mal de cap/*
Verstopfung/	*el estreñimiento/*	*el restrenyiment/*
Zahnschmerzen.	*el dolor de muelas.*	*el mal de queixal.*

Im Hotel

Können Sie mir bitte ein Hotel empfehlen?	*¿Podría recomendarme un hotel, por favor?*	*Pot recomanar-me un hotel, si us plau?*
Ich habe bei Ihnen ein Zimmer reserviert.	*He reservado aquí una habitación.*	*Tinc una habitació reservada al seu hotel.*
Haben Sie …	*¿Tiene usted una …*	*Té una …*
ein Einzel-/ Doppelzimmer …	*habitación individual/ doble …*	*habitació individual/ doble ...*
mit Dusche/	*con ducha/*	*amb dutxa/*
mit Bad/WC	*con baño/WC*	*amb bany/WC*
für eine Nacht/	*para una noche/*	*per una nit/*
für eine Woche?	*para una semana?*	*per una setmana?*
Was kostet das Zimmer mit …	*¿Cuánto cuesta la habitación con …*	*Quant val l'habitació amb …*
Frühstück/	*desayuno/*	*esmorzar/*
Halbpension?	*media pensión?*	*mitja pensió?*

Im Restaurant

Wo gibt es ein gutes, günstiges Restaurant?	*¿Dónde hay un buen restaurante económico?*	*Hi ha algun restaurat bo i econòmic prop d'aquí?*
Welches Gericht können Sie besonders empfehlen?	*¿Qué plato puede usted recomendarme?*	*Què em recomana?*
Die Speisekarte, bitte.	*¡La carta, por favor!*	*Em pot portar la llista de plats, si us plau?*
Die Rechnung, bitte!	*¡La cuenta, por favor!*	*El compte, si us plau!*

Essen und Trinken

Apfel	*manzana*	*poma*
Aubergine	*berenjena*	*albergínia*
Banane	*plátano*	*plàtan*
Bier	*cerveza*	*cervesa*
Brot/Brötchen	*pan/panecillo*	*pa/panet*
Butter	*mantequilla*	*mantega*
Ei	*huevo*	*ou*
Eintopf	*cocido*	*escudella*
Eiscreme	*helado*	*gelat*
Espresso	*café solo*	*cafè*
Espresso mit etwas Milch	*cortado*	*tallat*
Essig	*vinagre*	*vinagrè*
Fisch	*pescado*	*peix*
Fleisch	*carne*	*carn*
Gemüse	*verdura*	*verdura*
Huhn	*pollo*	*pollastre*
Hummer	*bogavante*	*llamàntol*
Kaninchen-	*conejo*	*conill*
Kartoffeln	*patatas*	*patates*
Käse	*queso*	*formatge*
Lammfleisch	*cordero*	*xai*
Meeresfrüchte	*mariscos*	*marisc*
Milch	*leche*	*lle*
Milchkaffee	*café con leche*	*cafè amb llet*
Nachspeisen	*postres*	*postres*
Oliven	*aceitunas*	*olives*
Olivenöl	*aceite de oliva*	*oli d'oliva*
Orange	*naranja*	*taronja*
Pfeffer	*pimienta*	*pebre*
Pilze	*setas*	*bolets*
Reis	*arroz*	*arròs*
Rindfleisch	*carne de ternera*	*carn de vedella*
Salat	*ensalada*	*amanida*
Salz	*sal*	*sal*
Schinken	*jamón*	*pernil serrà*
Schweinefleisch	*carne de cerdo*	*carn de porc*
Suppe	*sopa*	*sopa*
Vorspeisen	*entremeses*	*entremès*
Wassermelone	*sandía*	*sindria*
Wein	*vino …*	*vi ...*
Weiß-/	*blanco/*	*blanc/*
Rot-/	*tinto/*	*negre/*
Rosé-Wein	*rosado*	*rosat*
Weintrauben	*uvas*	*raim*
Zucker	*azúcar*	*sucre*

Register

Bildnachweis

AKG, Berlin: 94 – *Archiv E & B, Berlin*: 144 (Schuster/Schiller) – *DIZ, München*: 13 (2), 14 (2), 15 (2) – *drumlin freie fotografen, Bad Waldsee*: 6/7, 20, 27, 55, 57 oben, 64, 71, 97, 122 (Ernst Fesseler) – *Hartmuth Friedrichsmeier, Hamburg*: 54, 83 (Scope/Pascale Desclos), 86 (Scope/Jean-Luc Barde), 102 (Friedrichsmeier), 110 oben rechts (Scope/Pascale Desclos) – *Ifa-Bilderteam, München*: 78 (Fufy), 81 oben (Hollweck), 85 (Nok-Photo), 100 (Age) – *Laif, Köln*: 4 unten, 5 (2), 11 unten, 16/17, 28 oben, 29, 33, 42 oben links, 44, 46 unten, 62, 79, 81 unten, 101 oben, 109, 129 (Miquel Gonzalez) – *Knut Liese, Ottobrunn*: 84, 130 – *Look, München*: 7 oben (Rainer Martini), 8 Mitte (Jürgen Richter), 8 unten (Rainer Martini), 95 (Jürgen Richter) – *Mauritius, Mittenwald*: 50 (AGE), 58 oben (Poehlmann), 58 unten (Torino), 65 (AGE), 66 (Raga), 80, 92 (AGE), 98 (Poehlmann), 99, 106 (AGE) – *Martin Thomas, Aachen*: 3 (2), 9, 10 oben, 38, 47, 89, 104, 107, 110 unten rechts – *Thomas Peter Widmann, Regensburg*: 8 oben, 10 unten, 21, 35, 40, 48 oben, 49, 57 unten, 60, 67, 74, 77 oben, 88, 110 oben links, 110 Mitte rechts, 110 unten links, 115 – *Ernst Wrba, Sulzbach am Taunus*: 2, 4 oben, 11 oben, 11 Mitte, 19, 23, 24, 25, 28 unten, 30, 31, 34, 37, 39, 42 oben rechts, 42 Mitte, 42 unten (2), 43, 44/45, 46 oben, 48 unten, 53, 59, 63, 68, 69 (2), 70, 72, 73, 77 unten, 90, 101 unten, 103, 110 Mitte links, 121

In der ADAC-Reiseführer-Reihe sind erschienen:

Ägypten
Algarve
Amsterdam
Andalusien
Australien
Bali und Lombok
Barcelona
Berlin
Bodensee
Brandenburg
Brasilien
Bretagne
Budapest
Burgund
Costa Brava und Costa Daurada
Côte d'Azur
Dalmatien
Dänemark
Dominikanische Republik
Dresden
Elsass
Emilia Romagna
Florenz
Florida
Französische Atlantikküste
Fuerteventura
Gardasee
Golf von Neapel
Gran Canaria
Hamburg
Hongkong und Macau
Ibiza und Formentera
Irland
Israel
Istrien und Kvarner Golf
Italienische Adria
Italienische Riviera
Jamaika
Kalifornien
Kanada – Der Osten
Kanada – Der Westen
Karibik
Kenia
Kreta
Kuba
Kykladen
Lanzarote
London
Madeira
Mallorca
Malta
Marokko
Mauritius und Rodrigues
Mecklenburg-Vorpommern
Mexiko
München
Neuengland
Neuseeland
New York
Niederlande
Norwegen
Oberbayern
Österreich
Paris
Peloponnes
Piemont, Lombardei, Valle d'Aosta
Portugal
Prag
Provence
Rhodos
Rom
Rügen, Hiddensee, Stralsund
Salzburg
Sardinien
Schleswig-Holstein
Schottland
Schwarzwald
Schweden
Schweiz
Sizilien
Spanien
St. Petersburg
Südafrika
Südengland
Südtirol
Teneriffa
Tessin
Thailand
Toskana
Tunesien
Türkei-Südküste
Türkei-Westküste
Umbrien
Ungarn
USA-Südstaaten
USA-Südwest
Venedig
Venetien und Friaul
Wien
Zypern

Weitere Titel in Vorbereitung

Impressum

Umschlag-Vorderseite: La Sagrada Família, Antoni Gaudís unvollendeter Traum einer Kirche
Foto: Look, München (Jürgen Richter)

Titelseite: Die Vielgestaltigkeit der Natur diente Antoni Gaudí als Vorbild für seine Architekturideen – Turmspitze von La Sagrada Família
Foto: Ernst Wrba, Sulzbach am Taunus

Abbildungen: siehe Bildnachweis S. 141

Lektorat und Bildredaktion: Astrid Rost
Aktualisierung: Claudia Schwaighofer
Gestaltung und Layout: Norbert Dinkel, München
Karten: Berndtson & Berndtson, Fürstenfeldbruck
Reproduktion: eurocrom 4, Villorba/Italien
Satz: Filmsatz Schröter GmbH, München
Druck, Bindung: Bosch Druck, Landshut
Printed in Germany

ISBN 3-87003-606-0

Gedruckt auf chlorfrei gebleichtem Papier

6., neu bearbeitete Auflage 2003

Redaktion ADAC-Reiseführer:
ADAC Verlag GmbH, 81365 München,
E-Mail: verlag@adac.de

Die Daten und Fakten für dieses Werk wurden mit äußerster Sorgfalt recherchiert und geprüft. Da vor allem touristische Informationen häufig Veränderungen unterworfen sind, kann für die Richtigkeit der Angaben leider keine Gewähr übernommen werden. Die Redaktion ist für Hinweise und Verbesserungsvorschläge dankbar.

1 Tag in Barcelona

Tauchen Sie ein in den Erlebnisboulevard der berühmten **Rambles** [s. S. 39] und entdecken Sie von hier die **gotische Altstadt** mit schluchtenengen Gassen und stimmungsvollen Plätzen, mit **La Catedral** [Nr. 2] und dem ehrwürdigen **Palau Reial Major** [Nr. 11] auf der **Plaça del Rei**. Schauen Sie noch beim **Museu Picasso** [Nr. 29] vorbei, bevor Sie wieder den Rambles folgen, hinunter bis zur **Kolumbussäule** [Nr. 22] am Meer, wo mitten im Hafen die Freizeitinsel Maremàgnum mit Geschäften, Lokalen und dem größten Aquarium Europas schwimmt. Gelegenheiten zum Mittagessen finden Sie in Hafennähe genug, z. B. im **Amaya**, Rambles 20–24.

Lassen Sie sich am Nachmittag von den verrückten Bauten der **Neustadt** (Eixample) verzaubern. Lebensnerv dieses Viertels ist der **Passeig de Gràcia** [Nr. 48] mit den berühmtesten Jugendstilhäusern der Stadt und mit Boutiquen, die Designermode bieten. Dann weiter zu Gaudís weltbekannter **La Sagrada Família** [Nr. 63] und in den märchenhaften **Parc Güell** [Nr. 65]. Schließlich Fernblicke vom **Tibidabo** [Nr. 77] aus und später ein Streifzug durch die schrillsten Diskotheken der Stadt [s. S. 126].

1 Wochenende in Barcelona

Freitag: Morgens bummeln Sie durch einen der Märkte wie den **Mercat de la Boqueria** an der Rambla de Sant Josep [Nr. 19] oder den **Mercat de Sant Antoni** [Nr. 46], besuchen dann den bezaubernden Kreuzgang von **Sant Pau del Camp** [Nr. 47] und kosten schließlich noch vom quirligen Leben an den **Rambles** [s. S. 39]. Den Rest des Tages verbringen Sie auf dem Montjuïc, der neben faszinierenden Blicken auf Stadt und Meer auch bedeutende Museen bietet, z. B. das **Museu Nacional d'Art de Catalunya** [Nr. 68] mit seinen romanischen Kostbarkeiten. Auf keinen Fall dürfen Sie die knallbunten Skulpturen in der **Fundació Joan Miró** [Nr. 70] versäumen. Hier legen Sie am besten auch eine Verschnaufpause bei Wein, Kaffee oder einem kleinen Imbiss ein, bevor Sie das Miniaturdorf **Poble Espanyol** [Nr. 72] besichtigen.

Samstag: Bei schönem Wetter ist ein Ausflug zum **Montserrat** [s. S. 130] zu empfehlen: die zweitgrößte Wallfahrt Spaniens in einem bizarren Felsmassiv. Nach der Rückkehr in die Stadt lohnt ein Besuch der **Fundació Antoni Tàpies** [Nr. 53], die Werke eines der bekanntesten zeitgenössischen Künstler in einem ehemaligen Verlagshaus zeigt. Mit der Zahnradbahn geht es hinauf auf den **Tibidabo** [Nr. 77], um in der Dämmerung das Lichtermeer der Stadt zu genießen. Abends empfehlen sich ein Aperitif am Flanierstreifen **Moll de la Fusta** [Nr. 31] und schließlich Fischspezialitäten in **Barceloneta** [Nr. 42].

Sonntag: Durchstreifen Sie vormittags das **Barri Gòtic** [s. S. 18], die gotische Altstadt. Vor der Kathedrale wird mittags **Sardana** [s. S. 20] getanzt – Fremde dürfen mitmachen! Den Besuch des **Museu Picasso** [Nr. 29] verbinden Sie mit einem Mittagessen im kleinen Museumsrestaurant. Nachmittags spazieren Sie dann auf dem vornehmen Boulevard **Passeig de Gràcia** [Nr. 48] und entdecken hier die schönsten Jugendstilpaläste Barcelonas und elegante Geschäfte. Ein absolutes Muss ist natürlich Gaudís **Sagrada Família** [Nr. 63]. Abschließende Höhepunkte: ein Konzert im prächtigen **Palau de la Música Catalana** [Nr. 34] mit anschließendem Diner. Abschied auf der Plaça Reial bei einem Glas Wein.

You Are Not a Sh*tty Parent

How to Practice SELF-COMPASSION and Give Yourself a Break

CARLA NAUMBURG, PhD

For Daniela, you're my favorite. I love you.

First published in the United States in 2022 by Workman
An imprint of Workman Publishing Co., Inc.

First published in Great Britain in 2022 by Yellow Kite
An imprint of Hodder & Stoughton
An Hachette UK company

1

Design by Sarah Smith

A CIP catalogue record for this title is available from the British Library
#
Trade Paperback ISBN 978 1 399 70071 9
eBook ISBN 978 1 399 70073 3

Printed and bound in Great Britain by Clays Ltd, Elcograf S.p.A.

Hodder & Stoughton policy is to use papers that are natural, renewable and recyclable products and made from wood grown in sustainable forests. The logging and manufacturing processes are expected to conform to the environmental regulations of the country of origin.

Yellow Kite
Hodder & Stoughton Ltd
Carmelite House
50 Victoria Embankment
London EC4Y 0DZ

www.yellowkitebooks.co.uk

Contents

Why I Wrote a Whole Damn Book About Self-Compassion

Not long after the world shut down in the spring of 2020, I started getting phone calls from journalists and podcasters who wanted to interview me about my book, *How to Stop Losing Your Sh*t with Your Kids*. After weeks, and then months, of trying to balance homeschooling with working from home with the anxiety of living through a pandemic with the stress of not even having two minutes to pee in privacy, parents were absolutely losing their shit with their kids.

Of course they were. We all were.

And so I got on those calls and I talked about parental shit loss and offered suggestions as often and as helpfully as I could. And almost every interview ended with the same question: "If you could leave parents with just one idea or practice or piece of advice, what would it be?"

That was often my favorite part of the conversation because it finally gave me a chance to dive into the topic I really wanted to talk about: self-compassion. Interviewers rarely asked about compassion because, well, it's kind of weird. It seems all loosey-goosey and touchy-feely and when the shit is hitting the fan and it feels like the entire world is falling apart, we parents don't need some feel-good baloney. We need answers. We need strategies and solutions.

Or so we think.

But here's the thing that most folks don't realize: Self-compassion *is* the strategy that will help us find the solution, or at least the best way through the storm.

Sometimes, if we're lucky, we can find a fix to whatever's going on. If that's the case, jump on it and do a little happy dance because those moments don't come along as often as we've been led to believe. More often than not, though, much of what we're struggling with either a) isn't a "you" or "your family" problem at all; it's a communal or societal issue that you can't fix on your own, no matter how hard you try, or b) isn't fixable at all, on any level, in which case all we can do is muddle through as best we can.

I knew all of this, but I also knew that a thirty-minute parenting podcast wasn't the time or place to get on my tiny little soapbox and start ranting about the lack of childcare and health care and mental health treatment and support that every single one of us needs—even when it's not a freaking pandemic. Instead, I talked about why we lose it and the importance of sleep and singletasking and moving our bodies in helping us stay calm. While I'm sure some of this advice was useful, I also worried that every time I suggested something parents should be doing differently, I was implying that if parents were struggling, it was because they were doing something wrong.

And that couldn't be further from the truth.

I'm not saying that parents couldn't be doing better; we all could, because that's the deal with being a human parent raising human kids. I'm just saying that in that moment, telling parents to try to take care of themselves so they could be calmer and more flexible in the face of COVID chaos was kind of like blaming parents for a gaping wound they didn't cause and then getting all hung up on which shape Band-Aid they should be using and how often they should be changing it. Certainly, when Band-Aids are all you've got, of course you're going to focus on them and that's fine. But we sure as shit shouldn't be blaming ourselves when they don't solve the fundamental problem.

And that's what I saw parents doing again and again: blaming themselves for not fixing the unfixable problems of life and parenting. For not staying calm at every moment. For not doing a better job managing their children's online learning. For leaving their jobs and stalling out their careers in order to care for the kids or for not leaving their jobs and not having enough time or energy for their families. For not making their kids get more exercise or letting them have too much screen time. For eating too much, drinking too much, buying too much crap online, and being just too damn fried and overwhelmed to even get through the day, much less parent, the way they wanted to.

And these aren't just pandemic problems; these are challenges parents have faced since the beginning of time. The pandemic was just another endless, relentless straw that broke the already overburdened camel's back.

Which is why I kept talking about self-compassion. There was no way I was ending the conversation with yet another piece of "should" advice. I wanted to give listeners the antidote to the isolation, judgment, and self-contempt that I knew far too many parents had been experiencing for years and were now buried in. And so I seized my moment and started spreading the news about connection and curiosity and kindness as often as I could to as many people as I could. I like to think it helped just a little.

Even if it did, things still got worse for parents. As the world started opening up again in the fall of 2021, we began to get data confirming what we already knew: that kids had suffered academically, mentally, emotionally, physically, and socially during the yearlong lockdown. Even though parents had been forced to choose between Shitty and Even Shittier, they blamed themselves for their children's struggles. They compared their own unwinnable situations to those of parents with more money, more resources, flexible jobs, better school systems, and access to childcare and health care and wondered why they didn't measure up.

Feeling like shitty parents isn't just another side effect of this damn pandemic (although it's a bad one); somehow it has become the theme song of our generation. For a variety of reasons we'll discuss, we parents have been holding ourselves to impossible standards, blaming ourselves for situations beyond our control, and treating ourselves like shit when we screw up.

We're suffering from Shitty Parent Syndrome, which I define as the thought, belief, or perception that you are a shitty parent, when, in fact, you're not. Shitty Parent Syndrome looks a little different for everyone, but generally speaking, it consists of three different reactions we tend to have when things fall apart or we feel like we're failing: isolation, judgment, and contempt.

We assume we're the only ones who have ever suffered and screwed up the way we're suffering and screwing up, we judge the shit out of ourselves for it, and we treat ourselves as if we don't deserve even the most basic approval or respect.

And here's the bitch of it all: Believing you're a shitty parent and treating yourself that way doesn't make anything better.

No one functions well when they feel completely worthless. I know from experience.

I spent my early parenting years neck-deep in Shitty Parent Syndrome. I wasn't just judging myself each time I lost my shit with my kids or reacted poorly to a situation; I was also completely convinced that I was a terrible mom because I despised playing dolls with my girls and I wasn't making home-cooked meals every single night and potty training was beyond a nightmare and they never seemed to have the right shoes and my part-time work schedule meant I wasn't spending enough time with my kids and even when I was, I wasn't calm or patient or

Where did Shitty Parent Syndrome come from? We'll dive into this in Chapter 5, but for now what you need to know is that it has nothing to do with the quality of your parenting. We can—and will—epically screw up, and that doesn't mean we're shitty parents. It just means we're humans doing the hardest job any of us will ever do. Our tendencies toward isolation, judgment, and self-contempt arise from a toxic combination of too much advice, too little support, and the inevitable comparisons that arise in the face of social media and (un)reality television. What I hope you can keep in mind is that no matter how specific and personal your shitty parent thoughts and beliefs may seem, they have very little to do with the quality of your parenting and a whole lot to do with how we've all been trained to judge the crap out of ourselves.

happy enough—whether we were playing Candy Land for the first time or fifty-seventh time that week.

I thought I was a terrible mom because raising kids was really, really hard and I never felt like I was doing it as well or enjoying it as much as everyone else seemed to be.

Not only did my Shitty Parent Syndrome feel like crap, but it made everything so much harder. It's not like all that time I spent hiding in the pantry and eating chocolate chips straight out of the bag calmed me down or helped me think more clearly or creatively about whatever was going on. And you and I both know that comparing myself to all those other parents out there—the ones who seemed so damn perfect—didn't do shit for my confidence. I felt exhausted, defeated, doubtful, anxious, and confused, and there's no scenario in which that helped me be more patient and present with my kids.

But I didn't realize any of that at the time. I had no idea how harmful my self-shame and self-blame was, so I kept hustling. I was certain that if I could just *do* better, if I could just find the right advice and follow it well enough and make the right choices and respond the right way, I wouldn't be a shitty parent anymore. And if I wasn't actually a shitty parent, then I wouldn't feel like one, right?

Yeah, well, not so much.

Because here's the thing. Sure, I was losing my shit with my kids and feeding them boxed mac 'n' cheese for dinner and refusing to play princess and putting them in front of the TV when I should have been finger painting.

But I wasn't a shitty parent.

And neither are you.

If you're not a shitty parent, does that mean you're a good one? Woof. That's the big question, isn't it? Are we good parents? What makes a good parent? I have spent years—YEARS, I tell you!—struggling with this issue and I can tell you with great confidence that *I have no freaking clue*. There are as many ways to raise our children well as there are families on this planet, and even if we get it all right (whatever the hell that means), there's still no guarantee that everything's going to work out well (again, whatever the hell that means). But I do know one thing with absolute certainty: Believing the shitty parent story that's kicking around in your brain isn't going to get you any closer to being a great parent, whatever that looks like for you and your family.

But What If You Actually Are a Shitty Parent?

Chances are some version of this question is hanging out somewhere in the back of your mind, because you picked up this book. Even though I don't believe there's such a thing as shitty parents, my guess is that you don't yet feel the same way. And if we don't talk about it (by which I mean, me writing at you about it), then it's always going to be there, nagging at you, undermining you at every turn.

Most parents suffering from Shitty Parent Syndrome behave in one or more of the following ways:

1. You blame yourself for choices and situations that aren't really a problem. Maybe you don't have the time or energy or money to make your daughter play a sport or take advanced math tutoring, or you're not raising them to be bilingual. Or your full-time job means your kids have to stay in afterschool and you can't make it to every game. Or you don't really enjoy being with kids, and you feel guilty for how often you wish you were alone on a beach or roaming the aisles of Target or even just sitting in the back of your closet if that's what it would take for the love of god. Or you feel like you should be doing a better job making your kids happy, and you have no idea how to do that.

While these are very real experiences and concerns, let's get crystal clear about one thing: None of these are examples of bad parenting. They're just moments when your reality doesn't measure up to the BS fantasy our society has created about how parenting should look. Shoot, we might as well judge ourselves for not having a petting zoo in the backyard because that's about as realistic.

2. You blame yourself for habits and reactions that fall somewhere between "less than ideal" and "moderately screwed up" (which, in clinical terms, we would call "normal"). I'm talking about exploding at or disconnecting from your family more often than you're comfortable with, forgetting to send your kiddo with a lunch, not following through on promises, lying to your kids because you have no freaking clue how to tell them the truth, not setting limits, not listening when they need you to, etc. etc. (I'll

stop there because I know your brain is already off and running with your own List of Reasons Why You Suck and that's totally not the vibe we're going for here.)

Unless I'm wrong (which I'm not), you skipped right past the whole "normal" part I just mentioned and dove headfirst into the List of Reasons Why You Suck. Please don't do that. Instead, try to remember that a) perfection can suck it and b) our kids don't need us to be perfect. They just need us to live our lives as best we can, love them as best we can, and show them—through our words and actions—that it's OK to get confused and make mistakes and feel bad and none of it makes us bad kids or bad parents.

3. Sometimes you cross the line. Hitting your kids. Repeatedly saying cruel, hurtful, abusive things to them. Drinking or using drugs to the point that it's interfering with your ability to show up for your kids and take care of them. When that's the case, it doesn't mean that you're a shitty parent or a shitty person. It just means you don't have the information, support, and resources to do better right now. Chances are you already feel alone, ashamed, and confused as hell. You don't need to pile on a load of judgment and contempt on top of that, and that's exactly what all your Shitty Parent Thoughts are doing. What you need are folks who can hear your stories, get curious about your experience, and treat you with kindness as they help you heal, change, and become the kind of parent you want to be. And while a book might be total crap at listening to you, reading this one is a powerful first step on the journey toward finding those people.

Regardless of how many of those boxes you check in these three scenarios, regardless of the details of your situation, regardless of how severe your Shitty Parent Syndrome is, let me say it loud and clear: You are not a shitty parent.

I'm going to say that again, this time in italics, to make sure you don't miss it. *You are not a shitty parent.*

Not to get all shouty at you, but I'm going to write it in capital letters because this is really important. YOU ARE NOT A SHITTY PARENT.

Shoot. I'm not just saying it. I wrote a whole damn book about it.

This is the part where some of you are thinking, yeah, OK, but what about the Super-Duper Shitty Parents out there? The ones who are horribly abusive and neglectful and legitimately suck at parenting? This is an important point, because there are absolutely folks who make terrible parenting choices and treat their children really badly. But I will never, ever call them Shitty Parents. My goal—as a clinical social worker, mother, and person on this planet—is to help folks grow and heal and become more engaged, empathic, and effective parents. And telling someone they're a Shitty Parent is never, ever going to achieve that. So, yes, there are parents out there who need a huge amount of help and support, but maybe instead of labeling them, we can get curious about what they need, or at the very least, offer them a whole lot of compassion?

Why I Wrote a Whole Damn Book About Why You're Not a Shitty Parent

At some point, I realized that spending three minutes on self-compassion at the end of every podcast interview wasn't enough. I might be able to introduce the idea, but parents need so much more than a sound bite. We need the skills and strategies that will help us get past the shame and self-contempt that leave us feeling stuck, confused, and doubtful of our decisions and ability to parent well. When we can respond to the shittiest moments of parenting with compassion rather than contempt, we feel calmer, think more clearly, and respond more creatively and confidently to whatever's going on.

Let me give you an example.

Imagine you're on a hike with your kids. You had set out for an easy walk through the woods, but somewhere along the way, you took a wrong turn and now you have no idea where you are. The kids are getting hungry and cranky, and you're not doing much better yourself. Maybe your back is aching or your knee is acting up, but either way, you're definitely starting to feel anxious. You need to get your family back to the car before things get really bad.

To top it all off, your partner is giving you shit about not downloading the map onto your phone before you set out on this godforsaken hike. Maybe they wanted to go mini-golfing instead and they're taking every opportunity to remind you that nobody—not a single person in the entire history of the universe—has ever gotten lost on a mini-golf course. Thanks for that one, babe.

And now one of the kids has fallen and scraped her knee and she's crying and the other one needs to poop and you didn't bring whatever the hell one is supposed to bring into the woods to deal with poop because this wasn't even supposed to be a hike, it was just supposed to be a walk, and how the hell did you screw this up so badly?

Ugh.

Just when you're about to give up and let your child poop in the woods, you see a ranger coming down the trail. Yay! You're saved! As you explain your situation, the ranger reaches into her bag and hands you a map. Hallelujah! The nightmare is over, and you'll be back in the car before everything goes to shit, literally and figuratively.

You thank the ranger, and she heads on her way. But as you unfold the paper, you realize there are no squiggly lines representing trails. There are no clear markers for getting back to your car. There are only these words: YOU'RE LOST.

You scan down the page and keep reading.

YOU'RE THE ONLY ONE WHO'S LOST.

YOU SUCK.

PS: YOU'RE A SHITTY PARENT.

Maybe at that moment, another family goes marching past you, happy as freaking clams, clearly knowing where they're going, smiling and singing as if they just walked off the set of *The Sound of Music.*

No way in hell you're going to ask them for directions.

Try to imagine how you might feel in such a moment: anxious, scared, overwhelmed, confused, ashamed, irritable, and maybe just a little pissed at that jerk of a ranger who gave you such a useless map. And I'm guessing that you'd feel alone on a beach or roaming the aisles of Target or even just sitting in the back of your closet, frustrated with yourself for getting your family lost in the first place. Perhaps you can't stop thinking about what a pathetic idiot you are, and how a better parent wouldn't have made such a moronic mistake, as evidenced by Captain von Trapp and his crew of obnoxiously happy campers. Chances are good you'd end up feeling super defensive and snapping at your family. You'd almost certainly have a hard time staying calm, thinking clearly and creatively, and feeling confident in your ability to get your family home safely.

So that sucks.

Fortunately, this is a book, not reality, which means we can go back and rewrite this story. Let's imagine that when the ranger showed up, she gave you a different map, another one without any trails or markers. But it did have these words:

YOU'RE LOST.

IT'S OK. EVERYONE GETS LOST SOMETIMES.

HANG IN THERE. YOU'LL FIGURE THIS OUT.

PS: YOU'RE AN AWESOME PARENT.

At first glance, this map might not seem much better than the first one. It doesn't tell you which trail to follow or how to get back to your car, but it does point you in the direction of self-compassion. And my guess is that you'll feel way less stressed and overwhelmed after reading it. You might even feel comfortable asking the happy hiker family for directions. Or maybe your head will get clear enough for you to remember that you have some tissues and a plastic bag in the bottom of your backpack, so you can help your kiddo poop and at least get that taken care of. Maybe you recall a game your grandfather used to play with you every time you went on a hike with him, and that helps distract the kids while you figure out what to do.

Even though you don't have a perfect answer for what to do next, the whole situation feels a little easier and more manageable. And when you consider how frequently we parents feel lost, that's not nothing.

Unfortunately, there's no parenting paradise where we don't get lost sometimes. There's no version of raising kids where we don't make mistakes or react poorly or lose our shit or feel terrible. There's no scenario where we or our children escape the epic fails, broken friendships, brutal diagnoses, lost loved ones, and general pain of living a life.

That's the bad news.

Thankfully for all of us mortal humans, there's also good news. Really good news. No matter how hard things get, no matter how lost you feel, no matter how convinced you are that you are absolutely and completely unequipped to deal with any of this, you always have that second map with you. You can pull it out any time you find yourself out in the middle of the woods with cranky kids and a grumpy partner and no freaking clue which way to turn. You can pull it out anytime you feel like the shittiest parent in the history of the universe. Compassion may not tell you where to go or how to solve all your problems, but it will help you stay calm, think clearly and creatively, and give you the confidence to take the next step for yourself and your family.

And even better—it's free and available to every single parent, every single person on the planet, regardless of your culture, community, religious beliefs, family structure, socioeconomic status, or any other factor in your life. It's a simple yet powerful strategy, especially for those of us who are stuck in a habit of shame and blame. Learning to respond to yourself with understanding, forgiveness, and acceptance requires practice, but it's 100 percent worth it.

Look, I've been on a lot of shitty hikes in my life, and I know I'll be on a lot more. Learning to put down my crap map and pick up the maps of compassion has changed my life and my parenting.

Self-Compassion Isn't Just a Nice Idea—It's an Active Choice

Most folks who aren't social work nerds tend to clump words like "compassion" and "sympathy" and "empathy" and "unicorns farting glitter rainbows" together. It's all hippie-dippie drum-circle kumbaya nonsense that sounds nice enough but has nothing to do with the reality of your lives, with the overdue bills and cranky in-laws and that weird-ass rash on your kid's arm that you were kind of hoping would go away if you just ignored it but it's still there and the only pediatric dermatologist in network is an hour away.

Don't get me wrong; I love sympathy and empathy and unicorns farting glitter rainbows as much as the next gal, but compassion isn't just how you think or feel about whatever's going on. It's a completely different animal (so to speak). Compassion is more like a unicorn who shows up every time you're really struggling and reminds you that you're not alone, gets curious about what's going on, listens to what you need, and responds with kindness. The unicorn doesn't offer any parenting advice, because, well, unicorns don't know shit about human kids, but somehow their mere presence makes you feel so much better that you forgive them for all the glitter they left behind.

The point here is that self-compassion isn't just about *noticing* when you are suffering (although the noticing is such a big deal that we're going to spend an entire chapter on it), it's also about *taking action* in response to our suffering, both in the ways we choose to think about whatever is going on and how we treat ourselves. In fact, the action part is so crucial that I briefly considered combining compassion + action into a new word. Compaction. But then I remembered some fairly painful prune juice–related moments when my daughters were in diapers, so I'm gonna steer clear of that the whole compaction thing.

Hopefully you still get the point.

How This Book Works

We'll start by exploring why we treat ourselves so poorly, why that's so problematic for our parenting, and how, exactly, self-compassion makes everything so much easier and more manageable. From there, we'll dive into four very specific and surprisingly powerful practices of self-compassion—noticing, connection, curiosity, and kindness—that will counteract the

Shitty Parent Syndrome tendencies of isolation, judgment, and contempt and help you respond to even the roughest parenting moments in the most effective and empathic ways possible. We'll talk about how to integrate each of these into your life and parenting, and how they'll benefit your children, both directly and indirectly.

First up, *connection*. One of the most insidious aspects of Shitty Parent Syndrome is the belief that we're the only parents who didn't sign their kids up for flute lessons or aren't sure how to handle a meltdown in aisle three or don't know when to be worried that our first grader isn't reading yet. We think we're the only ones who have rage fits and escape fantasies. All those isolating thoughts aren't just complete and total bullshit, but they're also self-perpetuating because the more alone we think we are, the less likely we are to reach out for support when we need it the most. Learning to recognize those thoughts and choosing to respond by connecting—to the present moment, common humanity, and trusted adults—can go a long way toward helping us get a new perspective on our parenting.

From there, we can get *curious* about our experience, about what's really happening in our lives, our families, our bodies and minds, and how we're thinking, feeling, and behaving in response. So often we jump straight to judgment, which leads to irritability, confusion, and obsessive fixing behaviors. Rarely do we slow down and notice what's going on, how much of it we actually have control over, and what we really need in order to deal with everything as well as possible. As we'll explore more, curiosity is an inherently compassionate response, and it's often an incredibly useful source of important information.

No matter what's going on, we can always respond to ourselves with *kindness*. Kindness may seem straightforward, but it often gets confused and tangled up with all sorts of issues around discipline, limit setting, and personal responsibility. Kindness isn't necessarily about being nice, and it's not always about making yourself or others feel better (although that can be a pleasant side effect!). Kindness is not blaming ourselves for your child's dyslexia diagnosis. Kindness is letting go of that internal voice that keeps berating you for working when you should be parenting or parenting when you should be working. Kindness is noticing when you're completely depleted and choosing to say no to the latest volunteer request rather than judging ourselves for not being more on top of our shit. When you can get clear on what it means to be kind, what it doesn't, and what kindness actually looks like in your daily lives, you develop an entirely new and surprisingly effective strategy, one that makes parenting easier and way more fun.

Those of you who read my previous book, *How to Stop Losing Your Sh*t with Your Kids*, may notice a few similarities between these two books. First, good on you for remembering something you read! Secondly, you're right, and that's because self-compassion is a powerful strategy for not losing your shit. It's also a super effective and empathic way to respond to the challenges of parenting and life in general.

But wait! There's more! Your compassion practice will benefit your children in a variety of different ways, whether or not you ever tell them what you're doing. Each time you respond to painful, challenging, or confusing moments with connection, curiosity, and kindness, you'll not only decrease the stress and tension in the house, but you'll be modeling a more skillful way to deal with the tough stuff of life. In addition, you can explicitly teach these strategies to your children, and we'll talk more about that in Chapter 8. But you don't need to worry about that now. Your compassion practice starts with you, so let's dig in.

Crap Happens and Then We Make It Worse

Let's go back to that ill-fated hike from the previous chapter. Thanks to that helpful second map, you managed to make your way back to the car with relatively little drama. You're feeling good about your recovery, and you want to find as many opportunities as possible to get your family outside and off their screens. So you plan another hike. You plan a failproof hike.

You drag a grumbling, cranky family out the door and proudly show them the sign at the trailhead, which reads:

THIS IS AN EXTREMELY SAFE AND EASY TRAIL. NO ONE HAS EVER GOTTEN INJURED, LOST, OR EVEN THE LEAST BIT CONFUSED OR UNHAPPY ON THIS HIKE SINCE THIS TRAIL WAS FIRST CREATED. ENJOY YOUR DAY!

The sun is out, the sky is blue, and it's not long before everyone is in a good mood. Shoot, you're so happy that you don't even get annoyed at your daughter's endless story about the latest third-grade playground drama.

And that's when the arrows start flying.

Literal, actual arrows.

They come out of nowhere and before you can even figure out what the hell is going on, you take one in the side. OUCH. That shit stings.

And then you freak out. Of course you do, because who wouldn't lose their freaking shit if they got struck by a freaking arrow while they were on what was supposed to be the safest freaking hike in the history of hikes? It's not like you took your family for a walk through an archery range, for Pete's sake. And so you panic and your heart starts racing and you can't breathe and it's not just because you've got an arrow in your side. This wasn't supposed to happen. What did you do wrong? And how the hell are you the only parent on the planet who can't take your kids on even one successful hike?

So there you are, on the side of the trail, writhing in pain and self-doubt while your partner gets going about how nobody in the history of the universe has ever been struck by an arrow on a mini-golf course and your son starts blathering on about these amazing arrows he made in Minecraft once and your daughter starts wondering if this is an intruder drill like the ones she practiced at school, which of course triggers the shit out of you, but you still have a damn arrow in your side and it really freaking hurts and you're starting to wonder if you should try to pull it out or if this is one of those situations you only see on TV where you're supposed to leave it in so you don't start spurting blood everywhere and you're not sure if this is something you actually want to google or not.

You're just about to pull out your phone when a paramedic comes hiking up the trail. HURRAH! You're saved! He immediately removes the arrow, but instead of bandaging you up, he reaches into his bag, pulls out another arrow, and jams it straight into the open wound.

What. The. Actual. Fuck.

This Ridiculous Story Is a Metaphor for Parenting

This ridiculous story is obviously a metaphor. (Although if for some reason it actually resonates with your hiking experience, then may I humbly suggest you stick to mini-golf?) So let's get into it.

First, that sign at the start of the hike declaring that nothing bad will ever happen. There's a reason you never see signs guaranteeing a perfect experience anywhere. They're not true. They're never true. Even worse, they set unrealistic, unachievable expectations that leave us feeling like shit when we inevitably fail to meet them. And yet from the very moment folks start even thinking about getting pregnant, we're inundated with both subtle and smack-you-across-the-face messages about how parenting should be joyful, intuitive, meaningful, and amazing. Happy isn't just the goal, we're led to believe, it's the norm. It's how everyone else's life is, and how our lives can and should be. And if for some reason they're not, it's because there's something wrong with us or our kids and it's on us to work harder or parent better or find the right specialist or whatever.

Then, of course, there's the arrow. The first arrow, the one that came flying out of nowhere. I wish I could take credit for the arrow idea, but it actually comes from the Buddha (who may have had a young son, which makes his story of running away just so he could hang out alone under a tree for seven weeks fairly relatable). Anyway, the Buddha talked about arrows because, well, guns and reality TV shows and electronic drum sets for kids and all the other things that cause us pain and wreak havoc on our lives hadn't been invented yet. The details don't matter; the point is that that first arrow, the one that seems to come out of nowhere, represents the inevitable chaos, the chronic confusion, disorder, and unpredictability that crashes into our lives, often when we least expect it. These are the fractured arms, ailing parents, cancelled plans, busted refrigerators, empty gas tanks, kids who spike fevers on the days we absolutely have to be at work, problematic texts we probably shouldn't have sent in the first place, unexpected bills we can't cover, school bullies, and global freaking pandemics.

And just like an actual arrow, chaos hurts. Whether it grazes your skin or lodges itself right in your hip, that shit stings. And then we react to that pain because who wouldn't? Unless you're Bruce Willis in *Die Hard*, you're going to freak out in some way when you're in physical or emotional pain; that's just what humans do. And it's not just that these injuries hurt; they also demand our attention, sap our energy and resources, and leave us with terrible scars. Whether we play a role in causing our own chaos or it comes flying in out of nowhere, it complicates our lives and leaves us feeling sad and angry and confused and anxious. To top it all off, it feels extra bad because we've been raised to believe that our lives and our parenting should be calm, cool, and collected, even when we have a freaking arrow hanging out of our hip.

cough bullshit *cough*

Look, I don't care how well you research your hikes or how many (probably fake) guarantees you get or how careful and planful and thoughtful you are, first arrows will fly. That's just what first arrows do. I mean, it sucks, and in some circumstances we might be able to slow them down or soften them a little bit, but make no mistake about it; there's no getting around the first arrows of life.

But that truth doesn't stop us from trying—not because we're hopeless idiots, but because much of the self-help and parenting advice out there is focused on avoiding the first arrows of life—the colicky baby, the job loss, the Celiac diagnosis, the tween who is being bullied at school. And some of that advice works, sometimes, like that clever trick you read online for getting a preschooler to drink that nasty antibiotic. Or the new teen room at the library that actually got your kid to emerge from their bedroom. And even though those first-arrow fixes are like the shittiest game of whack-a-mole ever, we keep at it, because that's what parents do.

One of the most compassionate things we can do for ourselves is not getting sucked into the Big Lie. You know the one I'm talking about—that parenting should be enjoyable and easy, our kids should always be healthy and happy, and we should be in control at all times. But between all that advice and the highly curated and filtered images and situations on social media and reality TV, it's hard not to believe the big lie—that parenting should be enjoyable and easy, our kids should be healthy and happy, and we should be in control.

And so we're left chasing rainbows, with no freaking clue about what to do when the sky opens up and we're left standing in the pouring rain and shouting at the storm. This isn't because there's anything wrong with us; it's just because most of us weren't taught how to deal with the arrows of life. We're told, again and again, that we have to prevent them, but we're given very little insight or information about what to do when the shit hits the fan anyway, as it always will, no matter how hard we hustle. And that's how we become the target for a different arrow, the second arrow of suffering.

The Second Arrow of Suffering

Remember that second arrow? The one that jerk of a paramedic jammed in your side when he should have been bandaging you up? The Buddha referred to that as the second arrow of suffering, and it represents the shame, blame, and contempt we hurl at ourselves every time chaos strikes or we freak out or make a mistake or don't meet our own expectations, or just don't manage everything as perfectly as we've been led to believe we should. Instead of responding to our suffering and pain with kindness, forgiveness, and understanding, we tend to disconnect from our friends and communities, judge ourselves harshly, and treat ourselves with a shitload of contempt.

That second arrow doesn't just hurt, but it also prevents us from healing. Instead of forgiving or bandaging ourselves or getting the support we need or trying to understand what happened in the first place, we end up writhing from the actual pain of the first arrow and the shame and guilt and confusion and anxiety of the second arrow all while trying to reschedule a dentist appointment and figure out why our sister-in-law got pissy on the phone and pick up a barfing kid from school and finish answering a bajillion work emails.

Yeah. Guess whose wound never actually gets taken care of? Guess who's just left wallowing in a bunch of shame and shitty thoughts and feelings?

It's not that we're actively or intentionally ignoring our own needs. It's just that we get hyper-focused on our role in whatever happened, all the ways we think we screwed up or should have responded differently, and all the things that could happen if we don't fix it right away. No matter how painful that first arrow may be, the second one hurts even more because it hits us straight in our soft spot. Our wounded place. In other words, the second arrow takes a universal, totally normal experience and makes it deeply personal. It makes it our fault, our failing.

Ouch.

As the pithy old saying by people who like pithy old sayings goes, "Pain is inevitable, suffering is optional." Even though there's no way to stop those first arrows of life, we can stop blaming and shaming ourselves each time things go poorly or we miss the mark.

But here's the thing: Most of us don't even realize we're shooting ourselves again and again, much less how or why it keeps happening. But we need to get clear on those second arrows if we're going to have a snowball's chance in hell of avoiding them in the future. Here are just a few examples of the second arrows that most of us shoot ourselves with on a daily basis:

We Tell Ourselves We Suck. I'm not talking about accepting responsibility when you make a mistake. That's often a very skillful choice. I'm talking about when our thinking devolves from "Whelp, that was a major snafu" to "I'm a terrible parent and I'm totally screwing up my kids." When we do that, we're judging ourselves and comparing ourselves to others and thinking about all the ways we're getting it wrong and all the ways a better parent would be doing things differently.

Folks suffering from Shitty Parent Syndrome don't even need to pull out our crap maps anymore—we have them memorized. We suck and we know it and everyone knows it and there's nothing we can do about it. We're so skilled at navigating those rocky trails of self-contempt that we can get to the end of the hike, defeated, exhausted, and cranky as hell without a damn clue as to how we got there. And even if we do realize what's happening, we keep following our crap map anyway because a) it's the path of least resistance and we parents are just too damn tired and overwhelmed to blaze a new trail, and b) we don't have any other maps to choose from (at least not yet!).

SNAFU is one of my favorite acronyms; it stands for Situation Normal, All Fucked Up. It originated in the military, but it's made its way into popular lingo. When most folks refer to snafus, they're thinking about the "all fucked up" part, but I prefer to focus on "situation normal" part. Normal, as in typical, usual, or expected. Snafus happen to everyone, and they're no indication that there's anything wrong with us or our parenting.

We Tell Other People We Suck. Everyone loves a good parenting-gone-awry story, and lots of us love telling them. But more often than not, the stories aren't just about the chaos, they're actually about how we caused the chaos and maybe even made it worse and ha ha ha ha guess we won't be winning Parent of the Year anytime soon.

I'm not saying we shouldn't tell these stories of parental mayhem; in fact, just the opposite. As we'll explore more in Chapter 6, connecting authentically with others is a powerful form of self-compassion. The goal is just to make sure we're not throwing ourselves under the bus—no matter how funny it might seem at the time.

We Hang Out with People Who Leave Us Thinking We Suck. Whether we're scrolling through their social media posts or chatting near the swings, the more time we spend with people who don't show up for us in authentic ways and see and accept us for who we are, the harder it is for us to trust and believe in ourselves. When we hang out (either virtually or in real life) with people who present themselves as perfect and their parenting experience as clean and easy and/or judge us for our mega mess, it becomes far too easy to believe that everyone else is nailing this parenting gig and we're the only ones being flattened by it.

We Treat Ourselves Like We Suck. This might be the sneakiest and most insidious of all the second arrows. Every time we put ourselves at the end of the list or minimize our emotional, psychological, and physical needs, we strengthen our underlying beliefs that we're not worthy of care. When we don't reach out for or accept help when we need it, we reinforce the idea that we're alone in how damn hard this all is. When we bend—or straight-up ignore—our boundaries and say yes when we want or need to say no, we end up so tired, hungry, tapped-out, and stressed-out that we lose our keys or our mind or our temper with our kids.

And then we blame ourselves for that too.

Just to be very clear, putting ourselves first isn't always possible, and that's OK. That's part of the deal when you're a parent, and it doesn't necessarily mean you're shitting on yourself. Life happens and we do our best with what we have. But when we consistently ignore our own needs because a) we believe our children's needs always take precedence over our own, b) we don't feel like we deserve any better, c) we think we have something to atone for, and/or d) we've completely blurred the line between

Super important point: First arrows aren't second arrows (and vice versa). Remembering the difference between first and second arrows is crucial to your self-compassion practice. Here's the short version: First arrows are the shit that happens to you and second arrows are how you think about—and respond to—that shit.

Crappy childhood? First arrow. Blaming yourself for struggling with parenting because you have zero role models? Second arrow.

Diagnosis of clinical depression? First arrow. Feeling like a shitty parent because you don't have the energy or desire to parent the way you want to? Second arrow all the way.

self-care and self-improvement and we truly believe that if we could just be better and do better, life would be less chaotic, well, that's just a bunch of second-arrow BS right there.

The Third Arrow of Denial and Distraction

And then, of course, there's a third arrow.

Because of course there freaking is.

We pull out our quiver of third arrows, the arrows of denial and distraction, when the pain of the first and second arrows gets too overwhelming. We do whatever it takes, often reactively and instinctively and generally without even realizing it, to just not think about whatever's going on. And there's absolutely nothing wrong with checking out from reality from time to time; in fact, it can be a highly effective coping mechanism. We all need a little time to sip our coffee, stare at the wall, or binge a few episodes of our favorite show.

Until, that is, our nightly glass of wine becomes three, or we're eating an entire tray of our feelings instead of just one cookie. Our compulsive eating, shopping, gambling, endless scrolling, porn watching, exercising, and busyness not only don't solve the problem, but they also reinforce the belief that we can't handle our darkest impulses or emotions. (Which, for the record, we totally can.) While those third arrows may offer a temporary respite from the first and second arrows, they make for a pretty shitty Band-Aid. Over time, third-arrow behaviors can put our jobs, relationships, health, and daily functioning at risk. Even as they're distracting us from the chaos, pain, and shame of our lives, they're opening us up to a whole new round of first and second arrows. And the cycle just keeps going.

The sharper our second arrows are, the more likely we'll be to bust out the third one because screw that stupid hike and stupid mini-golfing and that stupid ranger and our stupid kids who can't hold their stupid poop and that stupid-ass happy hiker family and their stupid-ass songs and screw it all. We can't control the chaos and we're just so tired of trying so hard and having it all fall apart anyway and we just don't want to think about any of it, so we space out on the couch, turn on a show while we thumb through our phone, throw back a beer or four, stay up way too late, and pretend like none of it ever happened. Fortunately, the fewer second arrows we sling at ourselves, the less likely we'll be to resort to third-arrow behaviors, which makes life and parenting so much easier.

Thwack thwack thwack.

This book is going to focus on noticing and changing our second-arrow habits, which will not only lessen the pain of the first arrow, but also make it less likely that we'll fall into third arrow behaviors. However, if you're struggling with any kind of addiction—if you're pinned down by a third arrow—please know that a) you're not alone and b) help is possible. Getting help isn't always easy, especially for busy parents who may often have limited time, energy, and money, but it's worth it. Thanks to online counseling options, therapy is more available than ever; see Chapter 5 for more information on how to connect with a licensed mental health practitioner.

How All These Arrows of Self-Contempt Make Parenting Harder and Less Fun

It's so tempting to believe that we can harass ourselves into being better parents. I mean, wouldn't it be great if that thing we're already doing so naturally actually worked? It would be super handy if that second arrow somehow magically healed our injuries and injected caffeine, patience, and the solution to that sixth-grade algebra problem directly into our bloodstream. Sadly, it just doesn't work that way. Regardless of what your evil aunt, jerk of a high school soccer coach, or sadistic boss might have you believe, bullying never leads to better behavior. Sure, we can terrify ourselves into temporary submission, but the results never last, and we end up back at Square 1, but it's more like Square −1, because now we're left with a bunch of open wounds.

Not only does treating ourselves like crap rarely lead to our desired outcome, but spending all day, every day, believing that we're failing at the most important work of our lives impacts our mental, emotional, and physical well-being in a variety of shitty ways.

We feel more confused and less confident about our parenting decisions and abilities when we're constantly doubting ourselves. After all, why would you trust the judgment of some idiot who keeps screwing up? And then we feel all stuck and confused and our parenting gets all tight and rigid. We can't stay calm or think clearly or creatively, and we end up resorting to arbitrary rules, inflexible reactions, and unwinnable power struggles. Basically, our self-contempt makes it far more likely that we'll default to our most unhelpful parenting reactions.

All of this causes tension in our family, and the more stressed and overwhelmed we are, the more likely we are to react impulsively and irritably and generally behave in the very ways we feel so ashamed of. This makes it hard to sleep at night, which makes us more prone to depression and anxiety. Or maybe we've been dealing with mental health issues since forever, and now they're just worse. Either way, it's hard not to feel depressed and anxious when we know we're going to berate, belittle, and shame ourselves for every choice we make and every unexpected, unpleasant, or downright awful outcome.

And it's not just our thoughts and feelings that are impacted; our self-contempt isn't good for our bodies either. Self-defeating thoughts and self-deprecating behaviors can lead to a whole variety of health problems, including crappy sleep, higher blood pressure, headaches, muscle tension, gastrointestinal problems, weight gain, trouble with memory and focus, and all that weird shit that happens to your body when it's all stressed-out.

It sucks.

The ability to remind yourself that you're not a monster or a freak or a failure, that we're all in this together, is one of the most powerful ways to treat yourself with kindness and ease the shame. You're just a human being trying to raise another human being in a crazy, complicated, and super chaotic world, and none of us really know what we're doing. Some of us are just better at faking it.

Nature, Nurture, and Now: Why We Think We Suck

Given that shooting ourselves with second and third arrows only makes things worse, one has to wonder how and when we humans started berating ourselves for the totally normal (albeit epically sucky) chaos of life. And why the heck do we keep at it?

The short answer is this: Who the hell knows?

I'm not just being flip here; the truth is that there is often no clear explanation for much of our behavior, including why we're so damn harsh on ourselves. And that's OK, because we don't necessarily need to understand the *why* in order to change the *what*.

Having said that, much of our shitty self-talk and self-deprecating behavior can be attributed to some combination of nature, nurture, and our lives now. As you read through the following list of factors that contribute to our self-contempt, please note that "You're a horrible person and you really do suck more than everyone else" is nowhere to be found. I will hammer this point home until the end of days (or at least until the end of this book), but whether you think your shitty parent stories are true, they're not kind and they're not useful. Seeing as how kind and useful are totally the jam of this book, let's focus on them, shall we?

Nature: We're Wired for Connection, Comparison, and Catastrophizing

As crazy as it sounds, there's an evolutionary advantage to all those shitty second arrows. Human beings are wired to stay connected to their communities, and so much of our seemingly senseless behavior (including treating ourselves like crap) stems from that primal need. The reality is that our ancestors who were either a) self-righteous dicks or b) super weird or different were likely to find themselves wandering the savannah alone and at the mercy of the first hungry saber-toothed tiger to cross their path.

So it came to pass that those cave parents who were consistently self-deprecating and doing their best to fit in were far less likely to get kicked to the prehistoric curb and far more likely to stay alive long enough to raise self-deprecating babies. And now, whether we realize it or not, every time we talk shit about ourselves, we're securing our place in the tribe.

Putting ourselves down in front of our fellow parents is just one way to stay connected to our community. Making sure we fit in is another one, and that requires us to keep an eye on what everyone else is up to—how they're feeding their children, putting them to bed at night, teaching them to tie their shoes, and making sure they pass social studies. While we may get some helpful information and insights from our fellow parents, comparisons are inevitable, and comparisons usually suck—at least for the comparer. Although approaching every interaction with a mental yardstick rarely feels good, we keep doing it because it's the easiest way to determine, maintain, and possibly even improve our social status.

There's no question that all the shitty self-talk and constant comparisons are totally not awesome. Even if we don't buy into everything we're saying about ourselves—even if we don't actually think we're shitty parents—the more frequently we repeat something, the more likely we are to believe it.

However, staying connected to our community is crucial, but only when said community consists of actual people who share their experiences honestly and authentically, and from whom you can reap the benefits of being part of a tribe, whether it's a ride to the recital or a reality check. It's not so helpful when your "community"—those folks you can't help but compare yourself to—includes parenting experts and social media mavens who may live in completely different worlds, have access to completely different resources, and share only highly filtered and carefully curated versions of their lives, which generally have nothing to do with yours.

Their advice might be helpful and relevant, or it may just be another crap map. Either way, we shouldn't be comparing ourselves to them anymore than we should compare ourselves to pandas or potatoes. But man is it hard to remember that when we're staring at a video of a smiling parent, happily feeding their cooperative children brussels sprouts as they share their story of overcoming clutter in just one afternoon and finishing their first marathon in under five hours.

Look, self-contempt and comparison wouldn't be so bad if we could find a way to let it all go, to notice those thoughts without actually taking their bait (which I'll teach you to do over the course of this book). But that leaves us with our tendency toward catastrophizing, or assuming the worst will happen. It's not that we're gluttons for punishment; rather, our brains are wired to look for, notice, and remember the threats and failures in life, both real and perceived. As much as this sucks, it actually kind of makes sense; those cave folk whose brains led them to assume that squiggly thing on the ground was a snake instead of a stick and jumped out of the way were far more likely to survive than those who leaned down to pick it up. And of those anxiety-prone cave folk, the ones who obsessively remembered and replayed the stick/snake situation over and over again were far more likely to react quickly and decisively the next time they saw something similar on the ground. In addition, their children were far more likely to survive, which, evolutionarily speaking, is the whole point of our existence.

Basically, the cave moms and dads who were extra hypervigilant and reactive, doing whatever it took to keep their kids alive, were the ones whose DNA stuck around long enough to pass on their anxious, obsessive, keep-their-kids-alive-at-all-costs parenting style to their children, and their children's children, and every generation, right up to today, to you and me and every other parent with a twitchy eye, blossoming anxiety disorder, and tendency to focus on the worst, including in ourselves.

Another powerful factor at play is confirmation bias. The deeply human tendency to hold ourselves responsible for that which is beyond our control is both a cause and effect of the shitty parent stories we tell ourselves. Once we've decided, for whatever reason, that we suck, our brains continue to seek out, interpret, and remember evidence in ways that confirm that belief. This doesn't mean it's true, and it doesn't mean there's anything wrong with us. It's just how our brains work.

Nurture: We Grew Up in an Imperfect World

Even those of us who had relatively "normal" childhoods were still criticized, bullied, or harassed at some point in our lives. Maybe you were too skinny or too chubby, or you had a name that was hard to pronounce, or you were the only LGBTQ kid or child of color in your class. And even though Adult You can look back at Kid You and see that that your experiences weren't your fault, they were just the predictable (if shitty) outcome of living in a deeply imperfect and intolerant world, Kid You didn't know that at the time. Kid You only knew that you were the one who didn't fit in, so clearly it was your fault. And now some part of Adult You still thinks it's (whatever it is) your fault, even though it's totally not and never was.

On the off chance you weren't different at all (or, more likely, just lucky enough to have a hidable difference), that didn't mean you were off the hook. Whether it came from a parent, a sibling, or that punk in seventh grade who kept snapping your bra or shoving you in a locker, someone treated you like crap and made you feel incapable, incompetent, or worthless. That's not to say that your parent, sibling, or seventh-grade bully hated you or was inherently evil; like you, they were also raised in a culture, family, or community that taught or modeled that harassment and contempt are acceptable responses to life's challenges and chaos. Whatever the reason, whatever they said or did likely had nothing to do with you and maybe didn't make any damn sense at all, but taking other people's opinions far more seriously than we should is a side effect of the human condition and an especially strong one when it comes to kids.

And that's just the story for those folks who didn't have traumatic childhoods. For those of us who weren't so fortunate, a history of trauma, neglect, and abuse can lead to entrenched feelings of inadequacy and shame. Children tend to blame themselves for the worst that happens to them, even though it's never their fault. As painful as it may be for kids to think that they're the reason for their parent's rage or rejection, it's safer than believing that their parent, the one person on the planet who is supposed to love and protect them, might hurt them or can't take care of them. And those old stories can be damn hard to shake, no matter how many years go by.

The bottom line is that we all have a childhood story, and most of us have lots of them. Whether it was one especially brutal experience that rewired your thinking or the constant repetition that wore you down and left you filled with self-doubt and shame, any underlying beliefs you may have developed about your own competence and worthiness may still be sticking around, making those second and third arrows sharper than ever. Even when we know that it's bullshit and fundamentally the other person's problem, on some level, it's still damn hard to tune out those voices.

Our Lives Now: Parenting Is Chaos

We're all painfully aware that raising kids is full of first arrows. These can range from the basic challenges (how and when to feed them, put them to sleep, treat minor illnesses and infections, etc.); the what-we-thought-were-basics-but-apparently-aren't (how to talk to our kids, get them to help around the house, and schedule their after-school activities, for example), and the purely mind-blowing (when to give them a smartphone, how to prevent eating disorders, and what, exactly, are we supposed to do about school shootings? That's not a rhetorical question. I would really like to know.) And it's not just that we're supposed to worry about things we hadn't even previously realized were things at all, but that the advice keeps changing. If we're still doing what we did yesterday, we're probably doing it wrong.

Good parents, we've been led to believe, don't live chaotic lives. They have their shit together and their heads screwed on straight and a truly fantastic color-coded calendaring system. But don't be fooled. Just getting through the day is often a challenge for even the most organized, energized, rested, and clear-thinking among us. And most of us parents aren't functioning at our best. We're exhausted from trying to be so damn perfect, parenting through a freaking pandemic, balancing our work and home lives, and not having the information, support, and resources we need. And, for all the reasons we just discussed, one of the most popular, if super unhelpful, conclusions that our brains jump to when we're tired and stressed is that if we're not perfect, we suck.

How the Second and Third Arrows Impact Our Kids

No matter how hard we might work to hide our second- and third-arrow habits from our kids, we can't. Our children absolutely know when we're freaking out, stressing out, or shutting down. And here's the thing about kids: They're incredibly self-centered. They default to assuming that they have a central role in whatever's going on, and they struggle to keep other people's perspectives and needs in mind. That doesn't mean there's anything wrong with your kids or they're budding psychopaths. It's a developmental stage, and they'll grow out of it. What it does mean is that as they watch us (and not to sound incredibly creepy or anything, but they're always freaking watching us) and try to make sense of our tense, rigid, second-arrow reactions, they're prone to blaming themselves or assuming they're at fault for whatever's going on.

Thwack. Thwack.

Our kids can nail themselves with second arrows before they even know what the first arrow is.

But it's not just all in our kids' heads. Our behavior impacts them directly. As the noted author Wayne Dyer once said, "When you squeeze an orange, you get orange juice." When we get squeezed, whatever's on the inside is what's going to come out. And if we're filled with shame and blame and then our kids squeeze us—by crying through the night or biting their little sister or refusing to get into the damn car or flipping their plate and storming off in the middle of dinner or who the hell knows—we ooze our contempt all over them. The levels of tension and conflict in our families shoot up, which weakens our relationship with our kids and makes it even harder to deal effectively with the actual issue. And none of this is because we're shitty parents. It's because we can't give our children what we don't have, and most of us don't have anything better. At least not yet.

And that's just the second arrow. When our kids see us react to difficult moments by stressing out, checking out, or shutting down, they may develop the same habits over time. Each time we space out in front of a screen or eat or drink too much, for example, in response to life's snafus, not only are they learning how to do the same thing, but they're not learning any other more effective and empathic coping skills either.

So even if you're still suspicious of all this self-compassion stuff or you're not yet ready to forgive yourself, hang in there. Fake it till ya make it. Your whole family will benefit.

Life's a Beach and Then We Freak Out

Thanks to our wiring, our upbringing, and the insanity of modern parenthood, many of us are suffering from Shitty Parent Syndrome. That means we take responsibility for situations beyond our control, blame ourselves for the snafus, and hold ourselves to impossible standards regardless of what kind of shitstorm we're facing. And once we get in the habit of pulling out the crap map or shooting ourselves with second arrows, even everyday decisions and dilemmas (such as what to put in your daughter's lunchbox, how to get your son to remember to bring his cleats to soccer practice, or whether or not to let your teen go to that party they've been nagging you about) can feel like a referendum on what kind of parent we are. Of course, the minute the situations get even slightly more complex, as they always do, we get completely lost. The chaos starts to feel like a crisis, and we freak out.

I think of these as Beach Day Moments. They happen all the time, and they seem like they should be relatively straightforward and easy to handle. Most of us don't even realize how stressful and insidious they can be. But when we can recognize the Beach Day chaos for what it is, we'll be far less likely to blame ourselves for what happens and how we react.

Let's say it's the day of the annual sandcastle-building contest on the coast, an outing that you and your family have been looking forward to ever since you had an amazing time last year. But the weather is calling for an unusually hot and muggy day, with poor air quality because of raging wildfires on the other side of the country. Normally you might not be too concerned, but your daughter's asthma has been acting up, and you're worried about her breathing in the hot, smoggy air. You're trying to figure out what to do.

It should be a simple decision—to go to the beach or not. But as you and your family try to figure out what to do, it starts falling apart faster than you can put anything together. Maybe your mother calls or texts; she's concerned about the smoke and her granddaughter's health. Perhaps she even reminds you about the last time you took your daughter out on a hot day, sending your guilt and shame through the roof. And so you respond as any reasonable grown child would; you lose your shit and hang up on her.

Or maybe instead of a call from your mother, that dinging on your phone is a message from a colleague. They're super apologetic about bothering you on a weekend morning, but they have a quick question about a slide they're working on for your big presentation next week. Even though you know this is an issue that can wait until Monday, you decide to call them quickly while your partner figures out what to do, which, of course, pisses off your partner.

The possibilities for how this day could go are endless; maybe you try to put off the decision as long as possible in hopes that the weather forecast will change, but you can't do that forever because if you wait too long the parking lot at the beach will fill up. Or maybe your daughter won't stop nagging you about going, and it's stressing you out so you explode at your spouse for leaving their dishes in the sink. Perhaps you promise your daughter you'll finally buy her that video game she's been wanting in hopes of distracting her from the meltdown you just can't handle today, even though you swore you weren't going to bribe her like that anymore. Or maybe you pull out your phone, desperately searching for a detailed, localized weather forecast for the shore or data about the impact of smoky air on asthma, which, of course, yields little useful information or perhaps too much contradictory information. Either way, you're left feeling as confused and powerless as ever.

Damnit. Your Shitty Parent Syndrome has flared up.

You're lost, so you reach for a map, perhaps the only map at your disposal. Your crap map. You begin to tell yourself that you're not managing the situation well. A good parent would be able to either get their family to the beach or somehow create something equally magical at home, like that woman on Instagram who filled her sunporch with real sand, inflatable palm trees, and a kiddie pool. Except you don't have a freaking sunporch, and the thought of bringing sand into your house makes you break out in hives.

You can't help but believe that you should be able to resolve all of this calmly and easily, without snapping at your partner, hanging up on your mother, or bribing your kid. A good parent would fix the problem, not freak out about it. But you're not doing any of that, and you end up feeling like shit. And so another chapter is added to our ever-expanding story about all the ways in which you're failing your kids, your family, and yourself.

But what if there was a different way to understand these Beach Day Moments? What if instead of seeing them as relatively simple situations that we should be able to instinctively or easily resolve in a way that keeps everyone happy, we were able to step back and see the variety of complex dynamics at play? What if we could get some clarity on the chaos rather than blaming ourselves for it? In order to do this, we need to dig a little deeper into what really happened.

Maybe the cat vomited in your bedroom in the middle of the night, and it took you two hours to get back to sleep, so you're exhausted and a bit overwhelmed by the prospect of packing for a big outing. You've heard about possible layoffs at work and as much as you try not to think about your job over the weekend, you can't stop stressing about it. If you were to stay home, you might be able to sneak in a little work while your daughter is distracted. But she's been struggling in school and you think a Beach Day could go a long way toward cheering her up. Besides, this wouldn't be the first time her asthma has kept her from a fun activity, and you want her to grow up believing that she can do anything she sets her mind to.

Despite your fatigue and stress, you really want to make this Beach Day happen. You're determined to step up your parenting and spend some quality time with your spouse. You haven't been making many of those family memories lately, and you've been feeling guilty as hell about it. And as much as you love your kiddo, you just don't have the energy to deal with another epic explosion followed by a day of sulking and whining, which is inevitably what will happen if you cancel the trip.

And so, as worried as you are about your daughter's health, you try to talk yourself into it. You could make the outing a little shorter than you had previously planned; just enough to keep her happy without really screwing up her lungs. Maybe your daughter's asthma won't get triggered; you did just start her on a new inhaler a few weeks ago. But then you're just not sure. Is it worth the risk? Once her asthma gets going, your little girl can end up coughing for weeks and when things get really bad, she has to take steroids, the side effects of which are epically sucky. Not only do you worry about your daughter's long-term health each time her asthma flares up, but she'll inevitably have to miss school and you and your partner will end up negotiating over who gets to go to work and who has to stay home.

The chaos is becoming a crisis.

As stressful as it sounds, this fake beach day is actually a relatively straightforward scenario, one that assumes you have only one child's needs to consider, a parenting partner to help you, a job that provides income and health insurance, and access to life-saving health care. Many parents deal with far more complicated balancing acts on a regular basis.

There are as many versions of this story as there are families. Maybe yours isn't about a beach day and asthma. Maybe it's about a trip to a museum or a family holiday, or just even trying to get your kid to school in the morning. And maybe your child doesn't have asthma, but they struggle with other developmental or health issues such as anxiety, angry outbursts, or challenges related to neurodivergence. Regardless of the details, these situations have one thing in common: They leave us feeling powerless, defensive, anxious, and confused as we blame ourselves for the chaos.

These beach day decisions call on us to weigh competing values, benefits, and risks and make the best possible choice from a range of crappy ones while holding ourselves to ridiculously high standards. And they happen nearly constantly, in both small and significant ways. Sometimes our families really are in crisis, and sometimes it's just super unpleasant "everyday" chaos that's taken on far more meaning than it warrants. Questions about when to sleep train or potty train aren't just about how to get through the next developmental milestone; they carry the weight of your child's mental and emotional growth and health. The choice of whether to take a forgotten lunch or band instrument isn't just about the logistics of the day, but about whether we're helping or hindering our children's development and sense of self-sufficiency. And even if we have the financial flexibility to decide if we want to stay home with the kids or go back to work, it's never about the money or our own sanity; the wrong choice could screw up our kids forever. And screen time? That's the ultimate Pandora's box. (And in case you're not familiar with that particular Greek myth, allow me to remind you that by opening said box, Pandora unleashed a torrent of physical and emotional curses upon humanity, so yeah, that screen time metaphor actually makes a terrifying amount of sense.)

What started out as a question about how to spend a few weekend hours has quickly become entangled with concerns about your daughter's mental health and success at school, your relationship with her and with your partner, your sense of yourself as a competent and connected parent, and your child's very ability to breathe. And you haven't even finished your first cup of coffee.

Exhaustion. Work stress. Family stress. Your daughter's health and well-being. Your sense of yourself as a caring, capable parent. So many triggers. So many stressors. So many freaking first arrows. Only one way to get this right—a successful, healthy day at the beach—and so many ways to get it wrong. At some point it just becomes too much. Your nervous system gets overloaded. You are no longer struggling with a parenting decision. You're facing a threat to yourself and your child as well.

All those Beach Day arrows have triggered your fight or flight response.

How We Freak Out: Fight, Flight, Freeze, Flip Out, Fix, and Fawn

As the world has gotten more complex, so has our repertoire of reactions. Our survival instincts are no longer limited to fight or flight; they've expanded to include freeze, flip out, fix, and fawn. These responses show up in a variety of ways in our lives, and there's nothing inherently wrong with any of them. Sometimes they're helpful, such as when your child won't stop wheezing and you need to rush her to the hospital or when you grab your toddler just as they're about to dash into traffic. But when our freak-outs are triggered by our second-arrow thinking, by our belief that we could and should be in control of an inherently chaotic situation, parenting gets harder, more stressful, and less manageable than it might have been otherwise.

In those moments, our reactions often feel out of control and disproportionate to the situation. We assume we should be able to get and stay calm and patient regardless of what's happening, and we feel like crap when we can't. But when we can see chaos for what it is—just another freaking situation normal, all fucked up—we'll be far less likely to freak out about it. And learning to recognize our reactive patterns—our fight, flight, freeze, flip out, fix, and fawn reactions—and remembering that these are instinctual and not indicative of our parenting abilities, will help ease some of the shame.

As you read through the list and descriptions that follow, try to notice which tendencies seem familiar to you. Are you more of a fighter or a fawner? Do you tend to take off (physically, mentally, or emotionally) in difficult times? Keep in mind that you may resort to different reactions—even over the course of a single day—depending on what the trigger is, who or what triggered you, and how energetic or exhausted you are. And please try to remember: This isn't about right or wrong; it's just about getting to know your own habit patterns so you're less likely to be surprised and sidelined by them.

Fight. This isn't about actually punching a bear or an obnoxious soccer parent in the face (except, of course, when it is). In most cases, our fights take the form of instigating or intensifying conflict with the people in our lives, including friends, family, the schmuck who stole the parking spot you had clearly been waiting for, and some bozo online who absolutely needs to be reminded to stay in his lane. Now, I'm not saying every conflict is an instinctive or unhelpful reaction; there are certainly times when disputes or disagreements are warranted. I'm just saying that the next time you go all claws out, fangs bared at some asshat on Twitter or at your kiddo for leaving their dirty socks in the middle of the kitchen floor, it might be a red flag warning that you're in the middle of a freak-out.

Flight. It's not often that we physically run away from our children (although it can be tempting at times). More often, this looks like staying late at work, opening a bottle of wine as soon as the kids are in bed, locking ourselves in the bathroom with a bag of chips, or disappearing into our phones. We can run away from the painful experiences and emotions of our lives in so many different ways, including losing ourselves in exercise, shopping, drinking, using drugs, or online gaming and gambling. We lose ourselves in perfectionism, in our job, our hobbies, or volunteer activities, or our extended family obligations—anything that keeps us from having to face the chaos or feel the confusion, overwhelm, fear, shame, and blame that show up far too frequently. Again, not necessarily a bad thing—until it is.

Freeze. Most of us think of freezing as the wide-eyed, unable to move, deer-in-the-headlights moment when the gears grind to a screeching halt and we literally can't get out of the way. While this can happen when there's an actual physical threat to ourselves or our children, the freeze reaction can also show up as procrastination, boredom, zoning out, feeling emotionally or psychologically numb or stuck, unsure what to do next, or feeling unable to make even the most basic decisions. Finally, in some situations (especially for trauma survivors) freezing can also manifest as disassociating or disconnecting from reality.

Flip out. Emotional instability, outbursts, snapping, losing your shit—whatever you call it, this is exactly what it sounds like. We all have our own version of flipping out, including shouting, screaming, and swearing, either in person, online, or over texts or emails. (YES, IT IS POSSIBLE TO SHOUT TYPE.) Other folks burst into tears, slam doors, or throw remote controls. Our feelings just get too big, too overwhelming, and we explode. The explosions are often followed by self-doubt, self-judgment, irritability, and snappiness.

Fix. Fixing is one of my go-to moves, and it's taken me a long time to realize it can be quite unhelpful. Fixing reactions can include seeking advice, consulting experts, obsessively reading parenting books (or, in my case, writing them), researching online articles, giving advice, planning, making lists, shopping for just the right thing, micro-managing your child's life, or trying to take responsibility for that which is beyond your control. Fixing is a tricky one, because many of these behaviors can be super helpful, depending on your motivation, state of mind, or context. We'll talk more about this in the coming chapters, but it's important to get clear on whether you're trying to fix something that's actually broken and fixable (like a fractured ankle) or you're trying to fix something that is neither broken nor fixable (such as the challenge of accepting your child as a person whose life choices don't align with the dreams you have for them), as so many of the challenges in life are.

Fawn. This one may surprise you but bear with me. Fawning shows up as people pleasing, currying favor, and bending over backward to give friends, family, colleagues, and community members whatever they want or need to keep them happy. It makes sense when you think about it; if you can't fight off the bear, you might as well do whatever you can to keep it content, right? And when the bear is actually your crazy toddler or cranky teenager, it's not hard to see why so many parents end up giving in to their children's demands or requests in a desperate attempt to make them happy, or at the very least, end the tantrum. Regardless of the details, fawning generally involves weakening or disrespecting our own boundaries, which can be just another form of self-condemnation.

Let's get back to the Beach Day. Now that you're aware of all the first arrows flying at you and how your nervous system might be interpreting them as threats, the situation looks pretty different. Your reactions aren't evidence of your failings; they're just what happens when your little meat computer of a brain freaks out, perhaps by hanging up on your mom (fight), bailing on the situation to help a colleague (flight), procrastinating on making a decision (freeze), snapping at your spouse (flip out), obsessively checking the forecast (fix), or bribing your child (fawn). What each of these have in common is that they're driven by an underlying sense, conscious or otherwise, that shit is falling apart (whether or not it actually is) and that it's all our responsibility

Bodhipaksa, the noted meditation teacher, refers to our brains as meat computers. Yes, the metaphor is a little gross, but it's also a useful reminder that as incredible as our minds can be, at the end of the day, they're just water, fat, protein, and carbs. They're just little brain burgers doing the best they can with what they have, which may not always be enough.

to fix it (which we often can't), and our fault if we can't (which it rarely is).

Maybe you'll figure out a way to get to the beach, maybe you won't. Maybe you'll look back on the situation and decide you made the right call, or maybe you won't. Who knows? Maybe your daughter will have an epic meltdown or maybe she'll manage to keep it together. Regardless of how it all shakes out, parenting becomes much easier and less stressful when you can step back from the chaos and judgment and remember that you don't have to solve every problem and that you don't have to be a perfect parent in order to be a good one. The ability to put away your crap map and dodge the second arrow will give you the head- and heart-space to show up for the challenges of parenting feeling calm, clear, creative, and confident.

Self-Compassion Is Your Secret Sauce

Parenting is, by definition, chaotic. It's loud and messy and inconsistent and stressful as shit. And maybe it wouldn't be such a problem, except for one thing: We naturally assume that chaos is what happens when things go wrong.

Except it's not. Because if you look up *chaos* in the dictionary, you'll see it isn't just about disorder and confusion. It also refers to the inherent unpredictability in the behavior of a natural system. Our families are those natural systems, and the chaos is *inherent*, as in a permanent quality or feature.

Chaos isn't things going wrong; it's just life doing its thing.

This description of raising children makes so much sense; the more people you add to a family, the more chaos you're going to introduce, especially when some of those people tend to pee in the potted plants and fling their fish sticks across the kitchen. The point here is that chaos is normal. Unpredictability, confusion, disorder, and disorganization are part of the parenting deal. They always have been, and they always will be. Self-compassion is the key to accepting the chaos of parenting with wisdom and humor rather than berating ourselves for our imperfections.

Compassion as an intentional practice can seem super weird at first, to be sure. The first time I was introduced to self-compassion, I nearly burst out laughing when the instructor in the mindfulness class I was taking suggested sending ourselves happy wishes. I mean, who comes up with this crap? I couldn't help but picture a stream of puffy cartoon hearts and sparkly rainbows flying right at me. I didn't need happy wishes; I needed to learn how to get my shit together instead of losing it. But I had signed up for a mindfulness-based stress reduction (MBSR) course in hopes of learning how to be calmer and more patient, and I didn't think my fellow participants—all of whom appeared to be 100 percent on board with this lovey-dovey baloney—would appreciate such a blatant display of disrespect, so I somehow managed to keep my mouth shut. Even so, the petulant child in me (who's actually just a petulant adult) could barely keep my eyeballs from rolling right out of my head and steadfastly refused to put my hand over my heart. There was no way I was doing any of it.

I know I'm not the only one to have such misconceptions about what self-compassion is and how and why it's worth our precious time and energy. Most folks assume it's some combination of syrupy-sweet affirmations, self-centered navel-gazing, and myopic self-love. Sure, it may offer some temporary and thin veneer of ease or happiness in the moment, but if we really want to make lasting change in our lives, we need to step up, buckle down, stop screwing around, and get our shit together.

Or so we tell ourselves.

Except here's the question I had to ask myself and that you might also want to consider: How's that working for you? Seriously. Have you actually been able to bully yourself into better behavior? Second arrow yourself into submission? Harass yourself into becoming the kind of parent you think you should be? None of that worked for me—and not for lack of effort, I assure you. If you're anything like every human I've ever met, it's not going to work for you either. Letting go of any biases and erroneous beliefs you might hold about self-compassion is a crucial step toward putting away the crap map, avoiding the second arrows, and turning toward connection, curiosity, and kindness.

What Self-Compassion Is Not

There's a crazy long list of what self-compassion isn't. It's not about bolstering ourselves with forced affirmations, pretending like we never screwed up when we clearly did, or telling ourselves to just suck it up, buttercup. It's critically important that we learn to recognize the range of imposter emotions and experiences, because while they can help you feel better in the moment, they're quite different—and not nearly as effective—as self-compassion.

It's Not Just a Hippie-Dippie Fantasy. Self-compassion isn't just a nice idea that some happy person with their head in the clouds came up with while sipping kombucha and tuning their wind chimes. It's an active choice to respond to our most painful moments with connection, curiosity, and kindness, and there's a significant and growing body of high-quality research to support it. If you're interested in understanding more about the science of self-compassion, check out the resources in Chapter 9.

It's Not Self-Pity. Let's go back to that ill-fated hike and what a pity party might look like: you, plopping down on a log and starting to blubber because you just can't handle the whole situation. "I'm the worst," you cry to your family, "I can't do anything right. Why do I even try? You all were right. I should have never planned this horrible hike in the first place. I'm a terrible partner and an even worse parent. Go on. Take the kids mini-golfing. Just leave me here. I deserve to be lost in these godforsaken woods."

It's easy to see how self-pity can get confused with self-compassion. Both involve acknowledging our own suffering, to be sure. But unlike self-compassion, which is about trying to ease our own pain, self-pity is about wallowing in it. It's when we get all wound up and worked up about how miserable and pathetic we are and how terrible our lives are and how we deserve every single shitty arrow the universe keeps sending our way. We become completely absorbed in our own struggles and suffering, unable to consider any other perspectives or possibilities. While it can feel good in the moment to melt into our misery, eventually the pity party will end, as every party does. And all we've done is annoy everyone around us and reinforce our underlying beliefs that we do, in fact, suck.

It's Not Self-Indulgence. This is a variation of the pity-party in which we decide that we're the worst and we'll never be anything but the worst so screw it, why not just have another beer or pint of ice cream or finally buy that overpriced wolf-howling-at-the-moon shirt we've been eyeing? We zoom right past the self-contempt so quickly we don't even notice it. Instead, we head straight to the kitchen or the keyboard or wherever we think we'll find something—anything—to keep us from thinking and feeling all the shitty, unpleasant thoughts and feelings we know are lurking around that one particular corner of our existence we're doing our damnedest not to visit.

Just like self-pity, the third arrow of giving in to our every want and whim can be a super effective distraction, at least in the moment. But the relief is temporary, and the faster, further, and more frequently we run from our darkest corners, the more we're reinforcing—whether we realize it or not—the false belief that whatever we may find there is so offensive and deeply problematic that there's no way we'll be able to handle it.

Self-compassion, on the other hand, calls on us to face whatever is in the dark corners, but instead of judging it, we meet it with understanding, acceptance, and forgiveness.

It's Not Letting Yourself Off the Hook. Most of us are stuck in the habit of hurling second arrows right after the first ones. If we've made a mistake or a bad judgment call, we think the most effective response is to come down hard on ourselves—perhaps with harsh criticism, angry outbursts, and ongoing reminders of just how screwed up we'll forever be if we don't make some serious changes and fast.

Not only is this total bullshit, but it also promotes the pervasive and super problematic belief that treating ourselves with any kind of compassion is just letting ourselves off the hook. Shouldn't we pay for our mistakes? If there is no discipline, no punishment, and no recourse, then how will we ever learn our lesson? And what will stop us from screwing everything up all over again?

The reality is that self-compassion has nothing to with burying our heads in the sand or sweeping everything under the rug.

In fact, it's just the opposite. When we trust that we'll respond to ourselves with understanding and acceptance—regardless of how hard and fast the shit may be hitting the fan—we can be honest and realistic about whatever's going on. From that place of insight and calm clarity, we can figure out what's actually going on and move forward in the most intentional way possible.

This question of whether to discipline our children or not comes up frequently as parents struggle to help their children to slow down, make better choices, behave appropriately, and cooperate with our requests. Should we lay the smack down, take away their screens, and put their tiny hineys in time-out so they can think about what they've done? Or respond with compassion and understanding? The answer is actually both. We can connect to our children, get curious about their experiences, and treat them with kindness—even as we set limits, hold expectations, and discipline them appropriately, if necessary. More on this in Chapter 8.

It's Not Self-Esteem. Self-esteem is just a trendy term for the opinion we hold of ourselves; self-evaluation would probably be more accurate. When our self-esteem is high, we feel good, we believe in ourselves, and we know we're doing our best. There's nothing wrong with any of this, except, of course, for the one big thing that's wrong with it. At the end of the day, these evaluations of our own worthiness are almost entirely dependent on external circumstances and success, which we may have limited or no control over. We can make all the right choices and work our asses off and things can still fall apart. We can be minding our own damn business and bad news might still land in our laps and blow up our lives—and our self-esteem.

The extra tricky thing about parental self-esteem is that it can get completely tangled up with our kids' good behavior and success, or lack thereof. We feel good about ourselves when our kids take their first steps or bring home a strong report card or let their sibling sit in the front seat without a fight. We feel good when they feel good. And that would be all fine and dandy if we were raising perfect children who never missed developmental milestones or drew on their bedroom walls or threw chairs in the middle of math class. But perfect doesn't exist, and when our sense of ourselves is dependent on how our kids are feeling and doing, things can go south real quick, and not because there's anything wrong with them or us. It's because judging ourselves based on outcomes rarely ends well.

Fortunately, self-compassion doesn't care about outcomes or achievements or how the kids are doing. Self-compassion is just about responding to our suffering with kindness and acceptance, no matter how shitty things get.

It's Not Self-Improvement. When we truly believe that all of life's challenges and chaos are our own damn fault, it's easy to understand why so many of us seek solace in self-improvement. If we could only get in better shape or learn to meditate or find the right parenting class or therapist, maybe we could finally pull ourselves together and become a better parent.

Now, this can get awfully confusing because exercise and parenting classes and meditation and therapy can all be incredibly helpful. These practices and habits are an important part of my life, and I frequently recommend them to others. But when our actions are driven by an unshakable sense, a core belief that we're fundamentally flawed and in need of improvement, self-improvement quickly becomes a second or even third arrow and even the best CrossFit class or self-help book can't take the sting out of that.

But when we approach these same behaviors from a place of care and compassion, and a desire to take care of—rather than fix—ourselves, well, it's a completely different experience. We're not shooting ourselves all over again; we're tending to our wounds and doing our best to avoid future first arrows whenever possible, all the while knowing that it will never be entirely possible, and *that's OK*. It's the difference between a friend telling us we look like shit and need to pull our lives together and that same friend taking the time to listen and inviting us to take a hike or join them in a meditation class. As the famous psychologist Carl Rogers once said, "The curious paradox is that when I accept myself just as I am, then I can change."

What Self-Compassion Is

Imagine if instead of a punk-ass gremlin constantly judging you, you had a friend. A friend who knows your whole history—every pissy, rageful, regretful thought you've ever had about parenting, every escape fantasy that's gotten you through the day, every time you wished your kids would just shut the hell up and leave you alone, every lie or rude comment, every time you fell off the wagon and broke your diet or your vows, all of it. And get this: They still love you. They still want to come chill at your kitchen table while you snap at your kids and stress about work and burn dinner beyond all recognition.

What if you could go to that friend every time you needed a reality check or a pep talk or a reminder that you're not the only one who gets lost in the weeds sometimes? Imagine all the ways in which having that friend with you could alleviate your shame, ease your doubt, and generally make your life easier.

As I'm sure you've realized by now, that friend is actually you. You can let go of the constant comparisons and self-judgment, reach out for support, get curious about your own experience, and be as kind to yourself as you would be to a good friend who was having a hard time.

Self-compassion is about recognizing the chaos of parenting for what it is—the inherent unpredictability of life with kids—and not blaming ourselves for any of it. It's about noticing when we're down and choosing not to kick ourselves yet again. Compassion helps us shift out of fight or flight mode and into tend and befriend. Tend and befriend isn't just some handy rhyme; it's an alternate evolutionary response to threats. While the fighters and warriors did their fighty and warry stuff, the folks back in the cave focused on keeping the babies safe (tend) and supporting one another (befriend).

Although tend and befriend evolved out of a fundamental need to keep the babies and baby-makers alive, it also happens to be a surprisingly useful way to deal with the roughest moments of modern parenting, even when survival isn't on the line. When we know our babies are healthy and safe, we can relax. And when we know we're not alone in keeping them safe or even just getting through an unstructured afternoon, parenting feels—and is—so much easier.

It may be tempting to assume that fight or flight is for dads and tend and befriend is mom territory. And this may have been true in the past, when gender identities and roles were more rigidly defined and men were out hunting while women farmed and swept the cave and tended the babies. But make no mistake about it, fathers have always cared for their children and mothers have always been willing to fight for them. And now, as increasing numbers of mothers are working outside the home and more and more fathers are taking a more active role in raising their children, life is crazy and chaotic for all of us. We're all fighting and fleeing and we can all shift into tend and befriend at any time.

It's possible that at this moment you're thinking to yourself, Hang on there, lady. I tend and befriend all the freaking time. I tend the crap out of my kids. I feed them and bathe them and drive their tiny hineys all over town and wipe their tears and drag them to dentist appointments and nag them about their homework and their screen time and all the freaking things. And when it comes to befriending, I'm doing the best I can. I call my mom twice a week and I chat up the other parents at pick-up and I go to poker night and I do all the things, so if tend and befriend is so damn useful, then why do I still feel like crap?

You (by which I mean, *I*) raise excellent points. You're working so hard and doing so much—for your kids and family and community and everyone else. And there's nothing wrong with that, except when you forget to tend to *yourself.* So now it's time to refocus some of that tend and befriend energy inward, and not by working harder or doing more—that is literally the exact opposite of what we're going for here—but by recognizing when you're stressed and struggling and choosing to take care of yourself. And each time you do that, you'll experience a ton of benefits.

Benefits of Self-Compassion

If someone tried to sell me self-compassion in a pill, I would read the list of benefits and assume it was a load of malarkey. Decreased anxiety and depression. Increased happiness and resilience. Stronger relationships and connections. Healthier behaviors and habits. More presence and patience with your children. Your car will be instantly paid off. OK, maybe not that last one, but the rest of them are real and backed by a strong and growing body of research.

It's like instead of pulling out a crap map, you've just pulled out one that feels pretty damn magical. Except it's not magic. It's just what happens when you've always got someone by your side, someone who's gotten completely lost with you before and they're always up for another hike, someone who's seen you flat out on the floor and still wants to stay for coffee. Given that relatively few of us have ever had someone like this in our lives, it might be pretty hard to imagine what it would feel like and how it would impact our sense of ourselves and how we move through the world. I get that. That's why self-compassion is a practice, a way of treating ourselves that we need to come back to over and over again, until eventually you don't have to imagine anything because you'll be living it.

The easiest way to understand the benefits of self-compassion is to go back to the chaos and confusion of Beach Day Moments. The stress, anxiety, tough choices, and competing needs trigger our freak-outs, which flood our bodies with stress hormones such as cortisol and adrenaline. Our muscles tighten up, our breathing gets shallow, and our prefrontal cortex—the part of our brains that helps us manage our emotions and impulses, plan ahead, and think clearly and flexibly—goes offline, right when we need it most. Instead, our amygdala—the distracted, reactive toddler in the back of our brain—starts running the show and all it cares about is avoiding threats and danger. And so our minds start obsessively scrolling through the past for any memories that might help us figure out what to do and projecting into the future trying to anticipate everything that could go wrong.

Despite our meat computer's best attempt to be helpful, our thinking goes off the rails. Before we even realize what's happening, a day at the beach has become a chance to rectify (or not) our previous parenting errors and a chance to prevent (or not) future problems and complications. The underlying message of that sort of thinking is that something is wrong and you have to fix it, and if you don't (which you almost certainly won't, because parenting is chaos), it's because you're a failure as a parent.

And you thought the worst thing about the beach was getting sand everywhere.

Fortunately, we always have another option. We can slow down and bring our prefrontal cortexes online just long enough to notice what's happening. Each time we do that, we give ourselves an opportunity to hop off the freak-out express, remember that chaos is normal, and do what it takes to get back on solid ground. Compassion deactivates our threat system and activates our attachment system, which decreases the stress hormones and increases our oxytocin (the hormone of trust and safety). Not surprisingly, the calmer and safer we feel, the easier it is to manage even the most screwed up moments.

No matter what's going on, chaos is just part of the deal when it comes to life with kids, so stop freaking blaming yourself for it. Whenever it feels like your life and your family and your job are out of control and you feel like you're the one screwing it all up, just remember that CHAOS stands for Compassion Helps Alleviate Our Suffering.

In a nutshell, compassion helps us clear out the mental crap, the blame, shame, anxiety, and pre-worry, so we can put away the crap map and pull out a better one, one that will help us calm down, think clearly and creatively, and move forward with confidence.

Dang. That's a pretty big nutshell.

Life just feels easier and more manageable when we know that no matter how scary or stressful things get, we'll always have at least one person on our side, reminding us that we're not alone, that life with kids is hard for everyone, and that we have the skills and strategies to manage the chaos and recover from our missteps. There are four specific parenting benefits you and your children will experience once you start tending and befriending yourself—and helpfully, they all start with C.

The Four C's: Calm, Clarity, Creativity, and Confidence

Calm

As anyone who has ever worked for a shouty boss or lived with an abusive parent or paid attention to the constant barrage of judgment and criticism happening in their own minds knows, that shit is stressful. It's incredibly distracting (because who can focus when you're constantly being reminded of how terrible everything is and/or all the ways you've made it all worse??) and the minute our fight or flight reaction is triggered, we're at high risk of becoming that shouty, abusive, critical person we so don't want to be. But when we can remember that chaos isn't a bad thing (regardless of how it feels) and that we're not actually in the running for The Shittiest Parent Ever award, we come down off high alert and shift into tend and befriend pretty quickly. When we remember we have the skills and strategies of connection, curiosity, and kindness (which you might not actually have yet, but you will by the end of this book), we calm down quickly.

Clarity

Once you calm down and let go of the contempt and criticism, you'll be able to see your situation a lot more clearly. Your vision will no longer be blurred by your regret about the past, anxiety about the future, and confusion about, well, everything. Take the Beach Day dilemma, for example. When you're able to calm down and get clear on what's actually going on, you might realize that:

A) The decision about whether or not to go to the beach in the hot, hazy weather is in fact a legitimately hard situation—and not just for you, but for everyone—and,

B) There may not be a perfect or even great solution. Again, that's not because you haven't tried hard enough or worked hard enough to find or create one, but because the perfect outcome literally doesn't exist, and,

C) The choice you make today will not, in fact, determine the fate of your relationship with your child or their future, and/or

D) You have no freaking clue what to do and you need help, or

E) You may, in fact, have another option for the day that you hadn't yet considered, which brings us to the next benefit of self-compassion.

Creativity

I don't know anyone who can think creatively or originally when it feels like everything is going to hell or they're certain they're going to make a complete mess of the whole thing. But when you're dealing with an already complicated situation and then you throw in all the quirks and preferences and particularities of each member of your family, there are no cookie-cutter solutions. You have to think creatively. Like the mom who put up cardboard dividers between her toddlers' car seats to keep them from fighting in the backseat. Or the dad who ran weekend getting-ready-for-school drills with his kids to help them practice packing their backpacks and putting on their shoes. Or the parent who got her kids to eat their veggies by turning dinner into a Crunch Contest, and the one who helped her daughter deal with nightmares by creating a Dream Jar filled with strips of paper with sweet dream ideas. These instances of parental creativity are so unique to each family and each moment that they can't be taught. But the calmer we get and the more clearly we can see the situation, the more likely it is that we'll be able to come up with a creative solution.

Confidence

One of the most insidious effects of our pervasive self-contempt is self-doubt. Regardless of what triggered it, once we end up in a spiral of shame and guilt, it becomes nearly impossible to trust ourselves. Figuring out whether or not to go to the damn beach or how to react when our kid lies to us or when to have them tested for a disability is hard enough even when we're not trying to navigate it all with a map that says, "Are you sure? I mean, you totally boffed everything last time, so what makes you think you're not going to blow it again?"

The more often we're able to respond to the snafus of life with compassion the more confident we'll feel in our own parenting abilities. To be clear, this is in no way a guarantee that you'll never make another mistake or things will never go wrong again. Of course not. Those first arrows are inevitable. But when you know that there won't be any more sharp-ass second arrows flying your way, you'll feel way more certain of yourself and your ability to take on the next challenge.

How Our Self-Compassion Helps Our Kids

Our self-compassion practice will benefit our children in a variety of ways. When we're not all tense and twisted up in all the shit that's going on and how badly we're handling it, we have a much better shot at staying present and patient with our kids, regardless of how many first arrows parenting hurls at us. When we can stay calm and respond creatively and confidently to the inevitable snafus and power struggles, we decrease the levels of conflict and tension in the family. Parenting feels easier and smoother, and we'll all be far less likely to end up in a freak-out and the subsequent shame and blame.

So that's awesome.

But wait! There's more! Imagine that contempt and compassion were languages instead of practices. Most of us adults didn't grow up speaking the language of compassion, primarily because we were raised by folks who also never learned it themselves. Self-compassion may always feel like a second language to most of us. We'll always speak it with a bit of an accent, and when we're tired or stressed we might struggle to find the right words. But it doesn't have to be that way for our kids. Rather than raising them to speak self-contempt every time the first arrows start flying, we can teach them to connect, get curious, and treat themselves with kindness.

Compassion can become our children's native language, their default response. Each time they struggle or suffer or are struck with the first arrows of life, they can learn how to stay calm, think clearly, and move forward confidently. But just like learning an actual language, this won't happen overnight. There will be plenty of freak-outs and flying shoes along the way. And when that happens, all we can do is continue to have compassion for ourselves and how damn hard parenting can be. And our kids will see that; they'll see how we treat ourselves with kindness, and over time, they'll start doing the same for themselves.

The Most Important Thing to Remember: Self-compassion isn't about letting yourself off the hook. It's an incredibly empowering practice that will help you calm down, think clearly, and approach parenting with more creativity and confidence.

It All Starts with Noticing

"My life is a freaking circus."

We parents love a good circus metaphor, and it's easy to see why. Circuses are sticky and stinky and filled with animals you're pretty sure you didn't agree to. Sadly, we rarely get to relax and watch the plates spin without having to worry about who's going to clean up the mess when it all comes crashing down. Nope. We're too busy keeping track of the trapeze artists and tightrope walkers, making sure the safety nets and sparkly costumes don't have any holes, and getting all the clowns in the car when it's time to go.

I actually don't love the circus/ringmaster metaphor for two reasons: 1) It reinforces the idea that parenting is performative (which wouldn't be so bad if we could actually sell tickets and make a little money off the deal, but apparently that's frowned upon), and 2) it implies that we need to be in control of the chaos at every moment.

And you know how I feel about trying to control all that first-arrow bedlam.

Even so, most of us get so caught up in trying to control the chaos in our lives that we don't even notice the circus in our brains. I'm talking about the monkeys in our minds that start flinging second-arrow crap the minute the show goes off the rails. A good ringmaster, a good parent, they tell us, would be running a better show.

But here's the thing: Contrary to popular belief, ringmasters aren't there to make sure that every act goes perfectly smoothly. If that were true, they would spend the entire performance running around, tightening the ropes, reminding the juggling unicyclist to stay focused, and spotting the flying acrobats. The audience would be so busy watching the ringmaster scurry from place to place that not only would the entire thing seem like a shitshow (regardless of whether it actually was), but many of the best performances might go completely unnoticed.

That's why it's not the ringmaster's job to worry about every last detail. Rather, they're there for two entirely different reasons. First, to excite the crowd and build drama. Our brains are already damn good—often too good—at that.

So we're going to focus on the ringmaster's *other* job, which is to direct the audience's attention to various parts of the arena. The ringmaster is there to keep guests focused on each performance and not get distracted by the transitions between acts, the equipment moving in and out, and any falls, fails, or mistakes that will inevitably happen.

Circus performers know that failure is always a possibility; that's why they have safety nets. Despite all their practice, experience, and expertise, sometimes performers still end up in the net. They don't expect to be perfect, and neither should we. We all need a good safety net, and yes, I am absolutely talking about self-compassion.

In order to do all of that, the ringmaster has to keep an eye on each act and the overall progress of the performance, but not get sucked in by any of it. They need to be aware of what's happening all around them, but they also need to maintain enough distance and perspective on the whole situation to stay calm and make an intentional decision about what to do next.

That is *exactly* the relationship I want you to have with your own thoughts. The ability to notice when your mind-monkeys start flinging second-arrow crap—without getting caught up in it—is a first and crucial step toward practicing self-compassion. You're never going to completely get rid of your mental tendencies toward isolation, judgment, and contempt. That's the equivalent of running a perfect circus, and it's just not gonna happen. It's just not how our brains work, and that's OK! Rather, the goal is to put on your ringmaster hat as often as possible and *notice* the drama in your mind, rather than getting sucked into it.

Noticing may seem like a subtle shift in your perspective, but it's incredibly powerful and empowering in the following ways:

- Getting some distance from the chaos helps us remember that we're not responsible for everything that happens in our lives and our children's lives. Yes, we need to support, educate, and encourage the clowns we're raising, but that's not the same as controlling their every decision and behavior. Assuming we should be able to control the uncontrollable puts us at high risk of Shitty Parent Syndrome.

- When we're swept up in the mess and mayhem, we miss the beautiful, astounding, delightful moments, the ones that remind us that maybe we're not totally screwing up this whole parenting gig after all.

- Finally, if we're so distracted by the loud noises and flashing lights in our own minds, we won't have enough headspace to even realize that we're suffering or struggling. When that happens, we can't make a choice to walk away from those shit-slinging monkeys and treat ourselves with compassion instead.

Noticing is a crucial step in the practice of compassion, so we're going to dig deep into it in this chapter. We're going to get clear on exactly what noticing is, why it can be so hard to know how and what to notice, and how to practice noticing.

Why It Can Be So Damn Hard to Notice

The crazy thing about our brains is that although they notice all the time, they're not very good at noticing in intentional, consistent, or helpful ways. We might pause in the middle of a bedtime power struggle long enough to realize that everyone is far too exhausted to think clearly and the only reasonable option is to put the kid to bed and pray they've forgotten whatever it is they're upset about by morning, or we might not. We might suddenly notice that our big toe is throbbing and that pain might be the reason we've been so damn cranky, or we might not. We might realize we forgot to reschedule a meeting or text a friend and we take care of whatever it is just in time, or we might not.

That kind of noticing is great when it happens; it helps us take care of ourselves and our kids and stay on top of our shit. The problem is that it can be so random and unpredictable; we never know when we're going to keep sleepwalking through our day and when we're going to wake up at a crucial moment. Sometimes we notice that our coffee is sitting on top of the car before we drive away and sometimes we end up with coffee all over the windshield.

Our brains aren't great at noticing for a few reasons. First, they didn't evolve to slow down, step back, and take a pause from their endless ramblings. Rather, they evolved to quickly scan our surroundings, latch on to the shiny thing in the corner, anticipate what might happen next, remember the past, and react as quickly and instinctively as possible to whatever pops up—regardless of whether or not that reaction is helpful. Once our brains get going, they don't give two hoots about second arrows or crap maps or any of it.

It's not just evolution at play; we're also dealing with the challenges of modern society. We've always been prone to doing more than one thing at a time, but as screens, smartwatches, and social media have hijacked our poor little meat-computer brains, we've become masters of multitasking. And the harsh reality is that the more balls we've got in the air, the harder it is to take our eyes off them, notice how chaotic things are, and get a little perspective on the big picture. We can't be the acrobat and the ringmaster at the same time. It's just not possible.

But we keep trying to juggle everything, without noticing how distracted we are. We don't even realize that our awareness is being yanked between screaming kids, nagging notifications, irrelevant memories, relentless worries, and random thoughts about tasks we need to finish or books we want to read or that mean girl from junior high (what the hell happened to her anyway?). And then we wonder why we're so tense and exhausted at the end of the day.

Or maybe it's just that those damned first arrows keep coming at us so hard and fast that we're in a near constant state of fight or flight, which hits the gas on our survival-focused limbic system and puts the brakes on our prefrontal cortexes. The very part of our brain responsible for noticing is no longer available to us when we need it most.

Speaking of all those first arrows: Sometimes the problem is just that everything sucks, and who wants to notice that shit? Whether it's a screaming child, another horrifying headline, or our own tortured thoughts, we just don't want a front row seat to that particular circus. So we pull out our third arrows and do our best to avoid and distract ourselves from painful or intolerable thoughts and feelings. And when those thoughts and feelings manage to worm their way into our awareness, as they inevitably will, we react or run away as fast as we can (flight) without ever registering how any of it is impacting our mood, stress levels, energy, sleep, and general ability to function in the world without feeling like we're losing our minds. Basically, we keep getting caught up in all the lights and music and drama of our own brains because it never occurred to us that we have an inner ringmaster we can call on to help us figure out what to focus on, what to let go of, and what to do next.

And that's where the power of self-compassion comes into play. Self-compassion isn't about resorting to random platitudes that can feel thin and useless in the face of the very real, very sharp arrows of our lives. Rather, it's about noticing when we've been struck and choosing to take care of ourselves. Knowing that we have specific skills and strategies to respond to our own pain—no matter how bad it gets—makes everything seem a whole lot less scary.

And it all starts with noticing.

How, Exactly, to Notice

Noticing is about becoming aware of what you're doing or thinking or feeling as you're doing or thinking or feeling it. The goal is to step off the spinning carousel in your head so you can get a little perspective on what's actually happening. It's about remembering that all those thoughts, memories, and worries aren't any more reality than a circus performance is, and we can choose how much time and energy we want to invest in any of them.

Noticing happens in that instant when we shift into ringmaster mode, aware of the chaos but not consumed by it, able to choose what we want and need to focus on. The minute you start worrying about or arguing with your own thoughts or memories and anticipations, you're no longer noticing. You've just gotten caught up in yet another act, and chances are it's not a helpful one. Do your best not to judge yourself, and if you do pull out your crap map yet again, don't stress about it. Just notice it. You can't put it away if you don't even realize you're holding on to it.

There's a handy dandy acronym that mindfulness folks love that can help you notice: STOP.

External reminders—anything that reminds you that you can always step off the stage and watch the drama go by without getting caught up in it—can be incredibly useful. While I'm disinclined to suggest anything that draws you back into your phone, many meditation apps do include random or programmable timers that can trigger noticing. Other options include beaded bracelets, smooth stones you can keep in your pocket, or quotes, prayers, or photographs in notebooks, planners, or wallets—anything that can get you out of your brain and trigger you to notice.

1. Stop whatever you're doing. Just take a moment and put a pin in it. Whatever you're thinking or doing or stressing about, you can come back to it later—if you need and want to—but for now, just set it down.

2. Take a breath. Take a slow breath or a deep breath or just take a few moments to count your breaths. Even just a minute—one tiny, little, short minute—will calm you down enough so you can get a little perspective.

3. Observe. This is the noticing and curiosity part. What are you thinking? Feeling? Doing? What do you have on your plate? What are your kids doing? What do you all need? As you ask yourself these questions, try not to pull out your crap map or judge your answers. Just notice what you come up with and try to take your answers seriously.

4. Proceed. Hopefully by now you'll be calm enough to move forward with a little more clarity and intention. Remember, you just need to take the next step. That's all.

What to Notice

Every time the ringmaster steps into the middle of the big tent, they have to decide a) what to notice and b) how to respond to what they notice. Compassion is a super powerful response, and we'll get to it. But for now, we're going to focus on *what* to notice. My guess is that most ringmasters don't spend a whole lot of time worried about the pile of horse dung in the corner or the vendor selling cotton candy. They're focused on the main acts, the performers, and the staff that are going to give them useful information about what to say or do next in order to keep the show running as smoothly as possible.

Ultimately, the goal is to notice not just the first arrows, but our reactions to them, including any second arrows of contempt and third arrows of denial and distraction. If you want to dive in and start noticing those right away, you certainly can, but it can also be helpful to start practicing noticing on less stressful, more concrete experiences. I recommend starting with the present moment—your thoughts, bodily sensations, and feelings. And, of course, the more often you direct your awareness to each of these, the more likely it will be that you'll notice when shit is going down and you're blaming yourself.

Notice the Present Moment

Anything happening in the here and now is a great place to start. It will get you some much-needed space from painful memories, anxious thoughts about the future, or brutal self-contempt. Your five senses are always available to you. Wherever you are, whatever you're doing, you can take a moment to take a breath and just tune in to whatever's going on around you. Each time you intentionally direct your attention toward anything you can see, hear, touch, taste, or smell, you're practicing noticing. It's entirely possible that whatever you notice will be entirely uninteresting, boring, or, if you happen to be changing your child's diaper or driving around a bunch of ripe soccer players after a rough game, downright unpleasant, and that's OK. This isn't about entertainment or feeling good, folks. It's just about noticing.

Notice Your Thoughts

Shitty self-talk is one of the most common ways in which we abuse, harass, and undermine ourselves. It's that damn ticker tape in our minds, the one with the constant commentary, the unfavorable comparisons, and the relentless criticism. Sometimes our self-deprecating thoughts are super obvious; they're some version of "I'm such a shitty parent." But other times our self-contempt can be sneakier and more insidious; it's the deep self-doubt that we might not even be aware of but can nonetheless leave us feeling confused, incapable, and out of control.

Most folks assume that our relentless inner monologues are reasonable, logical stories and assessments of whatever is going on. Sometimes they are, and sometimes they're not. Sometimes in a moment of blessed insight we realize that our kid's current meltdown is because they're anxious about their first sleepover and not because we've raised an antisocial jerk. But other times our thoughts are more like those obnoxious pop-up boxes that blast into the middle of our computer screen, warning us of dangers that aren't real and selling us solutions we don't need. Warning! Your child is freaking out over a sleepover and therefore will never have a best friend and will wander through life lost and alone for all eternity. Your kiddo's very happiness depends on your ability to make this sleepover a complete success, so FIX IT NOW.

The bottom line is that not all thoughts are created equal. The more stressed, exhausted, overwhelmed, or emotional we are, the less helpful our thoughts are likely to be. And that's OK. I mean, it can be obnoxious and super unhelpful, but whatever. We're parents. We deal with obnoxious and unhelpful every single minute of the day. We got this.

I've said this before and I'm going to say it again: Your thoughts aren't necessarily reality, they aren't necessarily true, and while you can influence them, you definitely can't control them. And so you move through your day at the mercy of all the crap your mind-monkeys continue to fling. Or at least, you did.

But now you know that you have another option. You can choose to notice when you've gotten all wrapped up in the monkey drama—in the BS song-and-dance about how your kid is the only one who spends every afternoon playing video games instead of building robots or winning volleyball tournaments. And you can decide to remind yourself that parenting is hard, that not every child is a robot and volleyball superstar, and that your kid came home with an A on their science test. You'll likely need to notice and redirect your attention over and over again (those monkeys can be relentless!), but that's OK. It doesn't mean you're doing anything wrong, it's just another opportunity to practice noticing.

Notice Your Feelings

We all know what feelings are: joy, sadness, fear, surprise, rage, guilt, etc. Sometimes we know what triggers our feelings; we feel happy, confident, and proud when we get a promotion at work, or our kid finally learns how to read after months of tutoring. Or maybe we feel heartbroken and pissed because our marriage is falling apart, or we got another call from the school about something inappropriate our kid did in the middle of class. And sometimes we have no freaking clue why we feel the way we do; everything can seem completely fine and suddenly we feel like crap. It happens to all of us.

Folks have wildly different experiences of, and relationships to, their feelings. Some of us feel them quite intensely and easily, and some of us barely register them at all. Some of us know when we're having a feeling and are pretty good at identifying what that feeling is, and others could use a little (or a lot of) help in this particular arena. Wherever you fall on the spectrum of knowing how to feel your feelings, there are a few things to keep in mind:

Feelings aren't wrong. Seriously. Your feelings are never wrong for what you're thinking. They might be incredibly unpleasant or annoying or confusing, but they're not wrong, and you don't have to apologize for how you feel. This can be a tough pill to swallow, especially after a lifetime of being told or treated otherwise, but it's true. (Of note: This is also true for your kids, and it can be useful to remember the difference between feelings and behaviors. It is absolutely acceptable for your son to be pissed at your daughter, and it's totally, totally fine for you to be just as mad at your son. But it's not OK for any of you to start throwing your shoes at each other.)

Every feeling has a beginning, a middle, and an end. We often don't even realize we're having a feeling until we're caught up in the worst of it and it feels like it will never end. We

The best metaphor I've ever come across for making sense of our feelings is the weather. Lots of folks assume that their big, unpleasant feelings are like catastrophic storms that will destroy their lives, so they do whatever it takes to avoid, avoid, avoid. Fortunately, that's not how feelings work; they're more like typical weather. Sometimes we wake up to a sunny day, sometimes it's just a bit overcast, and sometimes the storm is raging. Sometimes we can predict when the storm will roll in, and sometimes the temperature drops and crap starts falling out of the sky for no clear reason. No matter what we're feeling or what the weather is, what matters is that a) it's not our fault, b) we can't control it, and c) it will pass. It might rain for a week, but eventually it will pass.

can be drowning in emotional overwhelm, but each time we can get enough space to realize that we're having a feeling, it's as though we got our heads above water just long enough to take a breath. We might get pulled back under, and that's OK. The goal is to just keep noticing and breathing until we make it back to solid ground.

We can't control our feelings, but we can influence them. Sad songs, scary movies, and upsetting news headlines can, and do, mess with our moods. Alternately, getting enough sleep, exercising regularly, drinking the perfect amount of coffee, spending time with loved ones, listening to our favorite song, watching a hilarious video, and learning how to not take our kid's shenanigans personally can all help us feel better in tough moments. And sometimes we do everything right and we still feel like shit. What can I say? It happens. Either way, we can't make a choice to take care of our feelings if we don't even realize we're having them in the first place.

Notice Your Bodily Sensations

We parents tend to live in our heads. We're constantly worrying and planning and reacting and fixing and solving problems that may or may not have actually happened yet, so we don't even notice what's going on with our bodies until the baby yanks our hair or our kiddo accidentally headbutts us in the chin. But whether we're in physical pain or emotional pain, our bodies are important sources of information about our feelings and functioning.

Sometimes our bodily sensations are clear and straightforward; our neck and shoulders are rock hard because we've just spent six hours hunched over a computer and that might explain why we're so damn irritable. Sometimes our discomfort or pain is a symptom of something bigger—an undiagnosed allergy or chronically overwhelming stress—that we just don't have the time or energy to deal with.

And sometimes our bodily sensations are trying to tell us that we're having a feeling. Thoughts hang out in our heads, but feelings take up residence in our stiff shoulders, twisted up bellies, and aching temples. Love can leave us feeling warm all over, while sadness feels heavy in our chest. Our breathing gets shallow and fast when we're anxious, and our muscles tense up when we're angry. And sometimes the best thing we can do when we're neck-deep in shitty feelings is tune into, and take care of, our bodies. This is absolutely a form of self-compassion. Every time we ignore or dismiss the tension, tightness, butterflies, or bruising in our bodies, we might as well be stumbling around in the dark. When we realize we're hungry, exhausted, confused, or in pain, we can flip on the light, stop beating ourselves up, and choose to take care of ourselves instead.

Notice Your Freak-outs: Fight, Flight, Freeze, Freak Out, Fix, and Fawn

These are some of the hardest behaviors to notice, because by the time we're flipping out, our prefrontal cortexes (the noticing parts of our brains) are offline, and our limbic systems (the unpredictable, reactive toddlers) are running the show. Yikes.

Having said that, it is absolutely possible to notice our freak-outs. We can notice the tension rising in our bodies, our angry, confused, anxious, or sad feelings brewing, and our thoughts exploding. And yes, we can absolutely notice when we're screaming at our kids, attempting to bribe them into better behavior or scrambling to fix their shitty feelings. And when—not if, but when—everything feels out of control and you have no idea which arrows are first arrows and which arrows are second and third arrows and what's a thought and what's a feeling, go back to basics. Notice your breathing. Put your hands flat on the counter and notice the sensations of the cool surface under your fingers. That will calm you down enough to figure out what to notice next.

How to Practice Noticing

The good news is that noticing is a skill, something we can get better at with practice. The more we practice, the more we'll find ourselves not only noticing the first arrows in consistent, intentional, and super helpful ways, but we'll also be more likely to notice the beautiful and sweet moments. Ignoring or overlooking the joys and successes of our lives is another sign of our self-contempt, while tuning into the positive moments can make our lives feel easier and less stressful. Whether it's a child's first somersault, their first A in chemistry, or just a kid spontaneously saying thank you, all of those wins and sweet moments make life feel just a little better and a little easier. And even a little easier is a big deal in a world that feels like it's just one challenge after another.

So, as you start your noticing practice, there are a few ideas to keep in mind:

First, **it's easier to practice when it's easy**. As John F. Kennedy so aptly noted, "The time to repair the roof is when the sun is shining." If you're not sure what to notice or how to notice it, don't jump right into the most brutal or painful aspects of your experience. Just try to notice the pleasant stuff, the benign moments, or the only slightly shitty situations; all of that will help you build up the skills and strategies you'll need in the roughest moments. You can also choose one or two things you do every day—drinking your coffee, walking back from the bus stop, snuggling your kiddo in bed at night—and do your best to notice when your thoughts wander and try to just keep noticing what you're doing.

Whatever you do, **don't go making this into something bigger than it is.** You don't need to turn yourself into a yogi or start meditating for an hour every day (although either of those would be totally awesome if you can swing it). This is just about a slight shift in your awareness. That's all.

Next, **remember that you're always practicing something**, whether or not it's something you actually want to get better at. So many of you have spent years studying your crap map, ruminating on all the ways you think you're screwing up, failing your kids, or not meeting your own expectations, that you've gotten really damn good at it. So now it's time to start practicing *noticing* when you've pulled out the crap map so you can toss it and pick a new one.

Noticing something doesn't mean that you're OK with it, whatever "it" is. It doesn't mean that you're not going to challenge or change it. It just means that it's there, you're aware it's there—and, not to make your head spin any faster than it already is, you're aware of your awareness. In addition, your noticing isn't going to increase or intensify whatever is going on. In fact, it's just the opposite. When you shift from "I'm so freaking sick of dealing with my freaking kids" to "I'm having the thought that I'm so freaking sick of my freaking kids," that thought loses some of its power and intensity. You realize it's not your reality and it doesn't define you as a parent; it's just another thought passing across your consciousness, and you can decide whether you want to keep dancing with it or if you want to step off the dance floor. This is especially important to keep in mind if what you're noticing is particularly unpleasant, scary, or painful. You can absolutely become aware of something without being defined by it.

Singletasking, or doing just one thing at a time, is important for any practice, and it's crucial for noticing. Any time we're trying to pay attention to multiple tasks, thoughts, or transitions at once, we're far more likely to screw up at least one of them. As much as we'd like to believe otherwise, our meat-computer minds just aren't great at multitasking. Multitasking stresses us out, slows us down, and makes it far more likely that we'll screw something up. The more we can focus on doing just one thing at a time, the more we can get our brains and bodies on the same page, the calmer we'll feel, and the more effective and efficient our practicing will be.

Just like anything else you practice, **your noticing practice is dose-dependent**. The more often you become aware of your own thoughts, feelings, and experiences, the more you reap the benefits of that awareness. It might be a particularly bumpy road at first, because most of you have no idea how incredibly rough you're being on yourselves. In fact, it can be a bit overwhelming to realize how often you're sending those shitty parent texts, both in our own mind and to your friends. It really does gets better with practice.

How Our Noticing Benefits Our Children

Every single one of the practices in this book will benefit your children both directly and indirectly. And even though our noticing practice is a deeply internal experience and often just a small shift in perspective, it can be incredibly powerful and beneficial for our kiddos nonetheless.

On a super concrete level, we'll be more likely to notice when our kids' basic needs are going unmet. It's hard to miss a kid doing a pee-pee dance or screaming for a cookie, but sometimes our children aren't great at expressing their needs quite so clearly (*cough* understatement of the year *cough*). When we get better at not getting sucked into the drama of their truly terrible one-man show, we'll be more likely to realize that the reason our kids are being so obnoxious, argumentative, or uncooperative is not because they hate us and want to make our lives miserable, but because they're hungry, exhausted, or in pain. And when we realize that, we can feed, soothe, or put them to bed. That doesn't always solve the problem, but it can sidestep a major power struggle more often than not.

On a more indirect level, the more consistently we can become aware of all the first arrows flying right at us, the more consistently we'll treat ourselves compassionately. And when we're not being hit with second and third arrows all the time, we'll be less distracted, wounded, and overwhelmed by the pain of self-contempt. As parenting feels easier and less stressful, we'll be more flexible and less rigid and reactive, which is definitely a huge benefit for our children.

Advanced Noticing Practice

Almost every parent I know has either a) started a meditation practice, b) thought about starting a meditation practice, or c) refused to even consider a meditation practice because who has time for that navel-gazing baloney when the dishwasher needs to be unloaded? But basic mindfulness meditation has nothing to do with navel gazing or clearing our minds or aligning our chakras or whatever. It's just a noticing practice. You pick something to focus your attention on—often your breathing—and every time your mind wanders (which it will, usually before you even get to your second inhale), you just notice that it wandered and come back to your breathing.

Mindfulness meditation doesn't just strengthen the noticing neurons in our minds; it's also a great way to get to know our own style of self-contempt and our preferred freak-outs. When we push pause on the distractions and task lists and dirty laundry of our lives, all we have left to notice are our thoughts, feelings, and bodily sensations. And for all the reasons we explored in Chapter 1, those thoughts and feelings are rarely focused on what awesome parents we are, how we're totally on top of our shit, and how nice it is to just chill and breathe for a few minutes. Rather, we end up in a spiral of everything we've screwed up, everything we need to fix, and shit, we forgot to email the school counselor. But each time we notice those thoughts and choose not to leap into action but rather to stay focused on our breathing, we're practicing something really important. And the next time we're in the middle of chaos, we'll be more likely to notice when we're itching for a fight, freezing up, or flipping out. And once we've noticed that, we're no longer at the mercy of our own instincts. We can choose what to focus on next.

The Most Important Thing to Remember: Noticing is often just a tiny shift in perspective, but it will completely change your relationship to, and ability to manage, whatever is going on.

You're Not the Only One: The Power of Connection

Let's go back to the Beach Day scenario of Chapter 2. Imagine that right in the middle of the morning chaos, just as your partner was skulking in the kitchen, your daughter was slamming her bedroom door, and you were hiding in the bathroom, the doorbell rang. It's a good friend from down the street, and she's here to give you some blueberry muffins from a batch she just whipped up.

She must see the tension on your face because she asks how you're doing. You pause for a moment and consider the situation. Not only does your friend have her shit together enough to bake something yummy, but she was thoughtful (and organized) enough to bring some to you and your family. As if that wasn't enough, it looks like she's already showered and she's definitely brushed her hair.

Gah.

If you didn't like her so much, you'd probably despise her.

Meanwhile, you and your family can't even decide whether or not to even leave the house (much less actually do it) without a massive meltdown. And so you stand there in the doorway like a complete idiot, staring at the muffins and trying to figure out how to answer her seemingly innocent question about how you are. What the hell are you supposed to say?

Why It Can Be So Damn Hard to Connect and Feel Connected

If that had been me answering the door to Happy Muffin Mom in my early years of parenting, I would have smiled and nodded and told her we were getting ready to head out for a day at the beach. This was totally not true, of course, but back then there was no way in hell I was going to 'fess up to our mess. I was absolutely certain that if I told the truth, her response would inevitably confirm what I already knew: that Beach Days just weren't a problem for her and her family.

I spent the first several years of motherhood really and truly believing that I was the only parent who dreaded picking my girls up from daycare and preschool because I had no idea if I was going to get my sweet little snugglebuns or some crazy-ass hell-beasts whose heads might spin around at any moment. I was pretty damn sure I was the only mother who was actively teaching my twenty-month-old how to watch TV because I could not, for the life of me, figure out any other way to handle bedtime with a newborn and a toddler on my own. And I was certain that somehow every other parent had figured out how to balance parenting and work and I was the only one who felt completely confused about my career, and if I still even had one or wanted one and oh shit the girls just spilled an entire container of fuse beads on the kitchen floor so excuse me while I go cry in the corner.

I mean, I guess I sorta kinda knew on some intellectual level that parenting was rough for everyone and there was no such thing as a perfect parent, but only in the same way I knew Greenland existed. I've never been to Greenland and I don't know anyone who's ever been there and, if I'm being super honest, I have no reason to believe that Greenland is anything more than a blur on the map on the wall in our kitchen. And I was pretty damn certain that if I ever did make it to Greenland, it would be full of more Happy Muffin Moms.

Of course it would.

This belief that we are somehow different from and worse than other parents is such a painfully sharp arrow. The sense that we're failing our children is a nearly constant companion for some of us. And some of us have plenty of good days, or even months, before our child makes some developmental leap or starts middle school or our anxiety spikes and all of a sudden we're in over our heads again. Either way, each time our Shitty Parent Syndrome flares up, and shame clouds our thinking, making it hard to get clear on what's actually happening and feel confident about what to do next.

In addition, each time we isolate—physically, emotionally, and/or psychologically—in times of crisis, or even just the normal chaos, we're disconnecting ourselves not only from our support system—from the people we need the most when arrows start flying—but also from the reality checks that are such a crucial part of our compassion practice. This deeply human tendency to hide the truth and only share the best of ourselves not only makes life and parenting harder, but it also reinforces our deep-seated and deeply untrue thoughts, beliefs, and perceptions that we suck way worse than other parents. And the more we believe we suck more than everyone else, the less likely we are to reach out in times of need. The less often we reach out when we need help, the more likely we are to believe that no one else struggles like we do. It's a super shitty self-reinforcing cycle of disconnection.

So why the hell do we do this to ourselves?

The short story is that we don't. Not really.

This may seem super weird seeing as how you are, in fact, the one who's either choosing to connect or reach out or not. But there are actually a ton of social structures and societal norms that leave us isolated, confused, and far more likely to compare our internal experiences to everyone else's external presentation. Let's explore just a few of them.

The Air-conditioning Effect. Before air-conditioning was invented, we all kept our windows open, which meant we could hear everything that was going in the neighborhood, including when the parents next door were losing their shit with their kids or their spouses or their dogs or whatever. And while I'm fairly certain that none of us miss long summer days of sweating profusely, all those closed windows mean we no longer know what's going on behind our neighbor's closed doors. The only meltdowns we hear are our own, which further perpetuates our belief that we're the only ones who aren't always patient, calm, and kind at every moment.

Fewer Free-Range Kids. Back in the good old days when everyone was sweating and yelling loud enough for the whole neighborhood to hear, it was far more likely that one parent was working and the other one (almost always the mom) was home with the kids. Moms at home had more time to connect with other mothers, to share their stories and struggles. And when the kids came home from school and bounced from house to house in search of cookies and Kool-Aid, the at-home parents heard their stories, and I know I don't need to tell you that kids don't hide the truth.

As more and more parents are working, more moms and dads are racing from drop-off to work to pick-up and then home for the end-of-the-day grind. We move through our days in a silo of stress, with few, if any, opportunities to connect with other parents, share our stories, and hear theirs. Now, I'm not suggesting that we go back to the days of rigid gender norms and women who had no real choice but to stay at home, but it's useful to be aware of the side effects of this cultural shift.

Mouthy Parenting Experts. Don't get me wrong; I love good parenting advice as much as the next guy. And my family and I have benefited from that advice, so much so that I felt compelled to dole out a bit of my own. But if that advice isn't served up with a healthy dose of reality, honesty, and compassion, it can leave us feeling as though there's actually a right way to raise kids, but no matter how hard we try, we keep getting it wrong.

The Happiness Movement. Over the past few decades, the self-help world has become hyper-focused on happiness. It's the topic of bestselling books, popular podcasts, and in-demand college courses. Now, I have no problem with educating folks about the factors that might maybe help them be happier or even just less anxious and stressed, but at the end of the day, happiness is a feeling and we can't control how we feel any more than we can control the weather. Even so, we're left assuming that if everyone else is happy and we're not, it's not because struggling and suffering and being unhappy is an inherent part of the human experience—it's because we've done something wrong.

Stupid Social Media. And then there are all those obnoxiously perfect parents pretending like they're not even trying when they're actually spending a shitload of time setting up their seemingly spur of the moment image, which we then can't help but compare our chaotic mess of a life to. Gah.

It's like we're out there standing in the rain without an umbrella, and each time we look up, our lives and social media feeds are filled with happy, smiley parents just chomping at the bit to explain to us how they stay dry even in the midst of the craziest storm. Instead of acknowledging that it's raining and looking for an umbrella or raincoat, we're so busy wondering what the hell is wrong with us and why we're the only ones getting wet and how that's going to screw up our kids for the rest of their lives that we don't even notice that we're freezing cold and soaked to the bone. And man, it's super hard to parent well when you're wet and cold.

Connection Is the Antidote to Isolation

So now is when we get to the good stuff.

Connection.

Connection is the antidote to all the shame and self-imposed isolation that is so common in Shitty Parent Syndrome. The knowledge—the deeply held, unshakable belief—that parenting is inconvenient and confusing and unpredictable for *every single one of us* is a game changer. Don't get me wrong; this sense of connection won't get your jerk of a boss to shut up or your kids to shower without a massive meltdown, but this sense of common humanity, as compassion researcher Kristen Neff calls it, will help you feel less overwhelmed and better able to deal with whatever's going on.

The ability to remind ourselves of our common humanity is the goal, but it's not always easy, especially if we've spent years and even decades believing just the opposite. Fortunately, there are a bunch of ways to make it easier, including connecting to common humanity, trusted adults, and the present moment, and disconnecting from the people and experiences that don't serve us well. There's no one right way to do all of this, so pick the strategies that work for you. It's all good, as long as you feel less alone and more connected.

Connecting to Our Common Humanity

Common humanity is the knowledge and awareness that our chaos is what connects us to other parents, rather than separates us from them. The goal here is to shift your thinking from "I caused this shitshow; I have to fix it" or "I have one chance at this parenting gig, and I'm blowing it" to some version of:

"Yup, this seems about right for five p.m. on a school day."

"Just another snafu—we all deal with them."

"Man, tired two-year-olds are *tough*. Parenting is tough."

That's all. It's just knowing that chaos is normal and you're not alone. Super simple, extremely powerful, but not always so easy, especially when we've been telling ourselves just the opposite for years. The trick is to remind ourselves of the fundamental truth of common humanity often enough that we eventually believe it. Fortunately, there are lots of ways to get ourselves out of our crap thinking and help us remember that whatever we're dealing is part of the deal with raising humans in the twenty-first century.

The first step is to notice your second-arrow thoughts, especially the ones that leave you feeling all alone. Any time you start comparing yourself to other parents, or thinking that no other parent has been through what you're going through, or you're the only who [insert your failure, either real or perceived here], just try to notice those thoughts and not get sucked into them. This noticing will calm you down enough to bring your prefrontal cortex back online, which should help you think a little more clearly and move on to step 2.

Step 2 is to remember that your thoughts are just thoughts. They could be the cure to your current crisis or the biggest bunch of bullshit this side of the Mississippi, and the trick is to get enough distance from those thoughts to discern the difference.

This is a great time for a quick review of the difference between *judgment* and *discernment*. Judgment is about deciding one thing is better than another, that one is right and one is wrong. And that sort of judgment will trigger your Shitty Parent Syndrome in less time than it took you to read this sentence. Discernment, however, is just about noticing a difference, and making a distinction between skillful thoughts and unskillful ones. Skillful thoughts bring you closer to your goal—which in this case is your belief in common humanity—while unskillful thoughts send you deeper into isolation.

So keep on noticing and doing whatever you can to remind yourself that parenting is hard for everyone, and that scorched dinners and cranky kids and misplaced permission slips are not a YOU problem but an ALL OF US problem.

Here are some strategies for how to make this easier:

- Remember, again and again, that just as you don't have to believe every thought that crosses your mind, you can choose to think thoughts even if you're not sure that you believe them yet. You can absolutely keep reminding yourself of your connection to common humanity, even if you think it's total crap. That's totally fine. Keep repeating it and you'll get there.

- If that feels too hard, try replacing "I" with "we." The "we" is a stand-in for all of us who are collectively parenting children at this moment on Earth. Each time you find yourself thinking, "I'm a terrible parent" or "I'm screwing up my kids," just switch it to "We're terrible parents" or "We're screwing up our kids." I promise, shit doesn't seem nearly so hard when you're part of a "we."

- If changing your thoughts, even by one word, just isn't working for you, try singing your thoughts or say them in a ridiculous accent. It's really hard to take yourself so damn seriously when you sound like Kermit the Frog. Remember, the whole goal is to not take the bait of your unhelpful thoughts. Then go back and repeat the first two steps as often as possible.
- When none of the above is working at all, it's time to call in a lifeline, aka a trusted adult.

Connecting to Trusted Adults

We social workers love to talk about "trusted adults," but for some reason we tend to reserve that phrase for children. Just like light-up sneakers and kids' menus, the phrase "trusted adults" shouldn't be just for the under-thirteen set. Grown-ups need them too. I'm talking about the friends, family members, professionals, and other people who support us, both online and in real life. This connection isn't always about asking for help and advice (although it can be), and it's not about finding our Yes Friends who will always take our side and tell us we're right and that the other person is an unmitigated dick (although sometimes that's nice to hear). In this case, I'm talking about reaching out to those folks in our lives who we know will listen to what we're going through and not judge us but will show up with curiosity, compassion, and maybe even their own hilariously horrifying stories about the time their kids also barfed over the side of the boat in the It's a Small World ride at Disney World.

So, who are these people and how do we find them? Trusted adults aren't necessarily friends (although they can be), but they can also be therapists, counselors, physicians, and members of the clergy, for example. In addition, not every friend is a trusted adult. There are lots of people that I like very much, and who I can share a good laugh with on the playground, but I know—either from experience or from that gurgle in my gut—that they're not the folks I'm going to turn to when I need reassurance or a reality check. This doesn't mean they're bad people; they might be so wounded by their own second and third arrows that they can't even imagine that they might be able to connect with anyone else around those pain points. Or maybe they're a great trusted adult for someone else, but not for you. And that's OK. Not everyone is for everyone.

Trusting someone with something doesn't mean we have to trust them with everything. We get to choose who we reach out to or open up to, what we share with them, and when we share it. It's OK to put your toe in the water, see how it feels, notice how you feel, and decide whether you want to visit that particular pond again.

Let's go back to Happy Muffin Mom and her question about how you're doing. You have a few different options for how to respond, which will result in various levels of connection or isolation:

Option A: You plaster a fake-ass smile on your face and talk about how excited you are to go to the sandcastle contest because you had such an amazing time last year and the beach is such a magical place and blah blah blah. Your friend would almost certainly smile back and nod and talk about how she and her family had such a blast at the beach last weekend and it's one of their favorite places and blah blah blah.

Despite the fact that you're not telling the truth, you totally assume she is. For all you know, she might be cringing inwardly at the memory of her last beach trip, the fights over sunscreen, the bickering over beach toys, the meltdowns over failed sandcastles or popsicles dropped in the sand. But she thinks you and your crew have picture-perfect Beach Days, which makes her feel even more ashamed of her own shitshow, so she keeps her mouth shut. And you both walk away from the interaction feeling even more isolated, even more certain that you're the only parent who can't even pull off a simple trip to the shore.

So that sucks.

Fortunately, you also have an option B, which involves some version of you telling the truth in response to the "how are you" question. This could go in a few different directions, such as:

- "I'm . . . meh. We're trying to get to the beach, and well, let's just say it's been a morning."
- "We're hoping to get to the sandcastle contest, but at this point we'll be lucky if we can get the kid out of her bedroom."
- "We'd planned to go to the beach today, but the air quality sucks and I'm worried about my daughter's asthma but she really wants to go and I have no freaking clue what to do."

- “We’re trying to get to the beach but everything sucks and I’m completely overwhelmed and I was hiding in the bathroom when you rang the bell and I’m seriously considering taking these muffins and heading back in there after you leave.”

How much you share likely depends on your style and how well you know and trust this friend, but even if you aren’t particularly close, any version of “life isn’t perfect” is going to open the door to a more authentic exchange. When we share a little bit of our reality, we’re creating space for our friends to a) share some of theirs, and/or b) respond to us with kindness and compassion.

And yes, there is a point to all of this and it’s not just that sharing is caring. And you’re not just fishing for sympathy. Rather,

Never be scared alone. Early in my social work career, I worked on a locked inpatient psychiatric unit. I loved that job—almost all the time. But sometimes it got scary, generally when my patients or their visitors were behaving in unpredictable, threatening, or violent ways. After a particularly harrowing moment, the attending physician on my team took me aside and gave me one of the most useful pieces of advice I've ever received: "Never be scared alone." Those four words have gotten me through some of the most terrifying, confusing, and overwhelming moments of my life and parenting.

you are intentionally and authentically creating the space for the connection of compassion. This isn't about realizing you both hate the beach and love blueberry muffins (although that's cool too), it's about giving your friends (and, as we'll discuss later, yourself) the opportunity to notice, acknowledge, and respond to your suffering with curiosity and kindness. More often than not, this sort of connection will help you remember that you didn't create this current snafu, and it's OK if you can't fix it.

Connecting to the Present Moment

Sometimes, no matter how well intentioned we are, no matter how hard we're trying, the arrows are flying so hard and fast and we're so overwhelmed that we can't even remember that connection is an option. When that happens, we're at high risk of falling back into old unhelpful patterns of second-arrow thoughts of self-flagellation and shame and third-arrow behaviors.

Those moments are precisely when we need a simple, easy strategy that requires very little of our muddled meat computers. That's when we need the present moment. Letting go of our thoughts and focusing our attention on the here and now is the fastest, most effective way to calm down our freaking out toddler brain, bring our prefrontal cortex back online, and help shut down the shit talk you're flinging at yourself.

Step 1: Notice that you're in a rough spot. Maybe you're about to explode at your kids, but it could be that your dark thoughts are gathering or your anxiety is amping way up. It could just be that you're so damn tired you can barely string two words together, much less make another damn dinner. Don't judge, just notice. And if you do judge, just notice that too. Briefly curse that crazy lady who keeps nagging you about noticing, and then notice that too.

Step 2: Find something to focus on. It can be anything that actually exists in the present moment that you can experience with any of your five senses. At this stage in the process, I don't recommend focusing on your thoughts until you're calm enough to not get sucked in by them. Your breath is a great choice because it's always with you (and if it's not, you've got bigger problems than I can cover in this book). However, anything you can see, hear, touch, smell, or taste is fair game. You can count the tiles on your bathroom floor, tune in to the birds chirping or the refrigerator humming, spread your hands out flat on the counter, breathe in the aroma of your coffee or tea, or slow down and notice the flavor of the popcorn you're mindlessly shoving in your mouth.

There's no right or wrong way to do this, but some folks prefer a little more structure. If that's the case, try the 5-4-3-2-1 method, which involves noticing:

- Five things you can see
- Four things you can touch
- Three things you can hear
- Two things you can smell
- One thing you can taste

Having said that, I've been a parent long enough to know that the aromas and flavors of life with kids aren't always so pleasant, so if stinky diapers or sweaty hockey socks or day-old macaroni and cheese isn't working for you, then just stick with whatever you can see, touch, and hear.

Breathing is the fastest and most effective way to come back to the present moment. It helps focus your unruly thoughts and sends a direct message to your nervous system that you can calm down. But if focusing on your breath stresses you out for any reason, that's OK too. You have lots of other options.

Unless you're running a side gig as a Zen master, chances are that you won't even make it through noticing one breath or seeing one thing before your thinking machine gets going again and before you know it, you're flooded by worry, regret, confusion, and stress all over again. And that's OK. That's just what happens. Except for those rare moments when the present moment happens to be super exciting or engaging, your brain isn't going to be inclined to hang out there. It doesn't mean there's anything wrong with you or your thinking; it just means that after decades of shooting yourself with second arrows it can be damn hard to put down your bow. Nothing to beat yourself up about, just keep noticing and breathing and practicing. It will get easier.

Once you've calmed down and gotten a little clarity, you can go back to your other connection practices, and/or you can disconnect from the bullshit.

Disconnecting from the Bullshit

Have you ever tried tidying your house while your kids are still awake and spinning like Tasmanian devils? It's kind of like brushing your teeth while you're eating Oreos. And that's precisely what we're doing to ourselves when we keep hanging out with folks or putting ourselves in situations—both virtual and in real life—that leave us feeling disconnected, isolated, doubtful, and confused.

This could be that woman who always shows up to the newborn parent support group in a strapless sundress with a perfect blow-out (yes, I've seen it), the one whose biggest problem seems to be that her son's Advanced Latin for Tots class overlaps with her own volunteer work saving baby seals. It could be the baseball parents who blow you off at every game, the family members who constantly criticize your parenting, your book club or trivia buddies who give you just a little too much shit a little too often, or the therapist or doctor who floods you with judgment masquerading as well-intentioned advice.

You know who I'm talking about. The Perfectly Put Together Parent, The Parent Who Refuses to Acknowledge You No Matter How Many Times You've Met Them, The Overly Critical Grandparent, and the Judgmental Pediatrician.

And it's not just actual people we actually know. (Although they are often the worst, because they're just so freaking real.) Each swipe through social media images of perfect parents looking perfectly happy and perfectly pulled together seems to only magnify our own flaws and failings. And the fake news is *everywhere.* I mean, you guys, I recently watched an entire season (or three, ahem) of a reality show about a family with eighteen kids, including multiple sets of multiples and not once—NOT ONE FREAKING TIME—did either parent snap, yell, or scream. I'm sorry, WHAT? Oh, right. *It's not reality.* But no matter how often we may try to remind ourselves that all this phoney baloney has been highly edited or filtered or whatever, some part of our overworked little meat computer of a brain still falls for it.

Look, it's not about what they say or do or how they say or do it. It has nothing to do with whether or not they know what they're talking about or are completely full of shit. The only thing that matters as you scroll through social media is what you think and how you feel about yourself and your place in the world of parents each time you're in those situations.

Hopefully by now you know where we're headed: You gotta *notice* when you're triggered. The trick here, of course, is to not just notice whatever you're feeling or thinking, but to respect whatever it is you're noticing. Try not to ignore it or minimize your experience or justify or defend whoever or whatever is triggering you. Once you've gotten some space, it's time to figure out what to do next, and you have a couple of options:

Whenever possible, stop hanging out with those folks. Set your boundaries and respect them (your boundaries, that is, not the jerks giving you side-eye). Be relentless. Sit at the other end of the bleachers, find a new bowling league, request a new pediatrician, turn off the damn reality show and turn on *The Simpsons* or *Schitt's Creek*, and please please please in the name of all things holy, stop following all those social media accounts full of parenting advice and suggestions for how to organize the perfect playroom. Unfollow with wild abandon. Fill your feed with cat memes and basketball clips or whatever makes you happy.

Just say no, unless you really really seriously want to say yes. People will make all sorts of requests of you, from volunteer opportunities to coaching and committees. These can be great opportunities to connect, but they're not necessary. Before you say yes, take the time to consider who else is on the committee, what the work is, and whether you actually have the time and energy to do it. If you think it's unlikely that you'll make a connection there, or you're not excited about the work, or it's going to leave you even more overwhelmed, exhausted, or drained, then say no. You can absolutely be kind and friendly and appropriate and all those good adulty things even as you're standing firm in your boundaries. If you're having a hard time setting limits, think of the situation as an opportunity to model what you want your kids to learn. Do you want them to feel compelled to say yes to every request that crosses their path, even if it's likely to make them feel worse or make their lives harder?

Just think no. Learning to hold your boundaries is especially important because there will always be colleagues, family members, neighbors, or teachers that you have no choice but to see from time to time. And that's just when you need to set your boundaries on the inside. You can be civil and polite and watch the big game together and collaborate on a work project, but that doesn't mean you have to open up or give these folks or their opinions any more space in your brain than they already have. This is when it's totally acceptable to answer the potentially personal questions with vague responses that aren't rude, but don't necessarily invite more conversation, such as:

"I'm fine, thanks for asking."

"It's complicated."

"That sounds like a tricky situation."

"Who knows? Anything could happen."

"Yup, all good."

"Rent-free." I learned this phrase from my sixteen-year-old nephew, and I can't stop thinking about it. Basically, no one has the right to live rent-free in your mind unless you let them. Your brain is some seriously precious real estate, so the minute you notice those squatters messing with your thoughts, feel free to kick them out. You might have to kick them out again and again, but setting those boundaries and holding them is a seriously skillful and compassionate move.

Finally, consider the advice of my favorite social worker, Brené Brown. She carries a small piece of paper in her wallet. It has the names of the folks whose opinions of her matter. As Brown puts it, "To be on that list, you have to love me for my strengths and struggles. You have to know that I'm trying to be Wholehearted, but I still cuss too much, flip people off under the steering wheel, and have both Lawrence Welk and Metallica on my iPod." Make your list and review it as often as you need to.

Trickier Situations

Remembering our common humanity is hard enough for those of us who match the dominant family narrative in our neighborhood, community, and culture. In the United States, that means white, cis, heterosexual, Christian, two-parent families with children who don't have significant or noticeable developmental delays or physical, emotional, mental health, or learning disabilities and enough money to sign those super healthy kids up for pee-wee hockey, dance lessons, and SAT tutoring. If that happens to describe your family, then you're far more likely to see yourself and your children represented in movies, books, TV shows, TikTok videos, and the covers of parenting books. That doesn't guarantee that you'll never feel alone, but it might make it easier to feel connected to common humanity when you're struggling.

However, things can get a whole lot trickier if you, your family, or your children fall outside those specific boxes. If any or all of you don't fit into what we are constantly told is the norm, if you or your family members are people of color, neurodivergent, don't speak English as your first language, are LGBTQ, or are living with any kind of disability, it may be harder to remember that you belong, and that your experience—your awesome kick-ass moments and your roughest days—are all part of life on this planet. Maybe you celebrate Hannukah or Ramadan. Maybe all of your money goes toward shelter and food. Or maybe you're a single parent who can't join the parents' social night. In these cases, it can be so much harder to connect to common humanity and so much easier to blame yourself.

But self-blame was so four chapters ago, so let's consider the other possibilities:

Be super vigilant about your boundaries. Ditch the haters. No excuses or explanations needed.

Remember that the hard stuff isn't your fault. If your experience feels super hard, it's probably because it is—and not because of anything you did. That's just what happens when you live in a world that privileges certain families' experiences over others, and you don't happen to be one of those certain families. Do whatever you can to hold on to that broader perspective. Remember that the society and culture we live in has a huge impact on our lives and how we make sense of them. It can be tough to hang on to the big picture because the details of our lives feel so damn personal, which is why connecting with other folks who share your experience and pull you out of your own chaos is so important.

Find your community. Reminding yourself that you're not alone is a great start, but it's not enough—especially when you don't often see yourself and your family reflected in pop culture or the media. A community of like-minded folks who can relate to your experience will be a powerful source of connection for you. This could be a monthly meet-up with other parents of children with cerebral palsy, an online forum for single mothers by choice, a support group for grieving parents, or a religious community that's explicitly welcoming to LGBTQ families. Whenever possible, try to find opportunities to get together in person; while virtual connections are better than nothing, they're not the same as live interactions. This might take some work, and you might have to ask around or try out a few different communities (assuming they're available) before you find the one that's the right match for you, but hang in there. It's worth it.

Find a different community. If you live in a rural area or you or your partner are constantly moving (perhaps because you're in the military or your job demands it), well, good luck with everything I just said. This isn't a diss on small towns; it's just that statistically speaking, fewer people overall means fewer people like you and your family. If that's the case, you have two other options. One, focus on your virtual options; one of the silver linings of the COVID pandemic is that so many more organizations and communities are meeting online. But, if like so many of us, you're all screened out by the end of the day or just don't dig Zoom, then see if you can find a community around some other activity or identity. Whether it's poker, ukulele, bowling, volunteering, or competitive crocheting, finding a crew that you can connect with on any level at all will make a difference.

Do *not not not* blame yourself. First arrows fly harder and faster when you're part of a minority or marginalized community. It's not always easy to remember that when you're neck deep in parenting chaos, which puts you at super high risk for second arrows. Support and connection are not optional, not indulgent. There's just no way to parent well without them.

How Connection Helps Our Kids

Here's the thing about kids: They're always watching us. Always. One the one hand, it sucks if you actually prefer to pee alone or if you're ever, you know, less than perfect. But on the other hand, all that watching means that they might actually maybe someday learn something from us about the power of connecting in moments of chaos and crisis.

Each time we respond to our toughest moments by remembering (ideally out loud) that sometimes life is really hard and every single one of us makes mistakes, our kids will learn how to develop that same perspective and not blame themselves for whatever went down. That's not to say they won't ever struggle with self-contempt—after all, they are only human—but at least they'll have a compassionate voice in their head when they do.

In addition, when our kids grow up in a community of trusted adults and we reach out to said trusted adults when things get rough, they benefit directly from the help and support of all those folks. Whether it's a friend who comes to jumpstart your car in the library parking lot or the one who picks up your kids from school when you're stuck in a meeting, showing our kids that they don't have to solve every problem on their own will make their entire lives easier and more manageable. In addition, they learn that connecting during times of stress and struggle isn't a sign of weakness; it's just what you do.

Finally, each time we come back to the present moment, our stress and anxiety will go down and we can be more patient and engaged with our children. And as our children are just beginning to develop their prefrontal cortexes (which is a nice way of saying that they literally don't have the brain cells to not freak out when they have to use the blue plate instead of the red one or their favorite pair of jeans isn't clean even though you asked them twelve times the day before if they had any dirty laundry to throw in the wash), they rely on our ability to stay calm and help them get calm when they can't.

Advanced Connection Practice: Talking to a Therapist

Lots of folks think talking to a therapist is like the worst version of going to the doctor. You wait until you can't tolerate your IBS or itchy rash or whatever mortifying thing is happening to your body and then you go into an uncomfortable room and put on a freaking paper dress and wait for a stranger to look you over with a critical eye before telling you exactly what's wrong with you. Then they write a prescription for the ridiculously expensive pill or ointment or procedure you'll need and tell you about all the ways it will screw up your sleep or make you gain fifteen pounds or obliterate the last remaining shred of your sex drive, all without even looking up from their clipboard or keyboard.

Thankfully, that's not even close to how therapy works, and if at any point in the process you feel like the therapist is just there to judge or diagnose you, then that's not the therapist for you. Therapy is about you and your therapist *working together* to help you improve your mental health, develop more skillful habits and coping skills, manage stressful situations, address relationship problems, and understand yourself better. Therapy is about finding a person you feel safe and comfortable with, someone you can talk to even when talking to someone feels like the last thing you want to do.

Now, you may be wondering if you even need to talk to a therapist. Maybe you've even googled something like "reasons to start therapy" and you came across lists of reasons ranging from insomnia and intrusive thoughts to problems with your relationships, eating habits, or emotions. Perhaps your depression, anxiety, panic, grief, or trauma history are making it hard to get through the day. Or maybe you're so overwhelmed that you're not even sure what the problem is or what would make it better, but you know something's not right. Whatever the reason, or even if you don't have a reason, you could probably benefit from therapy. I mean, who couldn't benefit from a safe space to talk about whatever's on your mind with a compassionate person?

Look, in a perfect world there would be a therapist on every block who charged nothing and also offered free coffee, and there would be childcare and time off work to go to therapy for every single one of us. But it's not a perfect world, and even if you can find a therapist with openings who takes your insurance, you may not have the money, support, and time to make it happen. Having said that, if you're having a hard time functioning in parenting, your relationships, your work, or just getting through your day, then therapy is almost certainly worth the hoops you might have to jump through in order to make it happen.

Choosing a Therapist

The process of finding a therapist can seem overwhelming, so let's break it down.

First, what can you afford? The rough reality is that if you can pay out of pocket without using insurance, you'll have a lot more options. But therapy sessions can cost eighty to two hundred dollars per hour, so most folks need to rely on their insurance. And if that's the case, your first step is to call your insurance company and figure out what your plan will cover.

Finding a therapist can be near impossible for many folks, especially if you don't have insurance (and honestly, even if you do). This is fucked up and unfair and well, it just sucks. There's not a lot to be done about it other than a) remember that it's a systemic problem, not an individual one, and b) dig deep into the resources that are available to you, such as books (I've included some recommendations in the back of this book), apps, clergy, and the friends and family you trust.

Once you get clear on what you can afford and how you'll afford it, then the next step is to decide whether to meet in person or online. As both a therapist and therapee (not actually a word, but you know what I mean), I recommend in-person therapy whenever possible. Body language and other nonverbal communication provide important cues for therapists that can't always be communicated via screens, and I gotta tell you, there's nothing like leaving your house, going somewhere else, and leaving all your angst, anger, and anxiety in someone else's office before heading back to the chaos awaiting you at home.

If ideal isn't possible, then good is great. And virtual therapy is a very good alternative, especially if a) you can't find a therapist in your area, b) you don't have the time or childcare to get to an appointment across town each week, or c) you're stuck at home with a napping toddler. In addition, virtual therapy can also be more affordable than in-person options.

From there, there are a few other issues to consider:

- Would you prefer a male, female, or nonbinary therapist?
- Do you want someone who shares a specific trait or belongs to the same community as you? That's great if you can find it. But just to be clear, while it can helpful to work with someone who also identifies as queer or is Muslim or whatever it may be, a skilled therapist should be able to work effectively across communities and identities. And sometimes it can feel particularly freeing to work with someone who isn't a member of your tribe, as they might not bring any preconceived notions or judgment.
- Do you need someone who specializes in treating specific diagnoses or disorders? Most therapists can be quite helpful with depression, anxiety, and stress management, but if you're dealing with something more specific such as an eating disorder, alcohol or substance use, phobias, or bipolar disorder (for example), then you may benefit from finding a treater who has relevant experience and training.

- Do you have an opinion about the kind of work you want to do? Some therapists may focus on your childhood, relationship with your parents, and life history. However, if that doesn't sound like your cup of tea, other therapists will be skill-based, meaning they'll be more likely to focus on concrete strategies and practices to help address whatever you're struggling with. There are a lot of different ways for therapists to be helpful, and the truth is that many therapists use a mix of different approaches to help their clients. There isn't one style that's better than the others; what matters is that you find the right match for you.

In fact, finding someone who is a good match for you is the most important factor in determining the success of your therapy. This makes sense, right? It doesn't really matter how smart or experienced your therapist is or how many letters they have after their name if their tendency to uptalk sounds like fingernails on a chalkboard or the hour is filled with awkward silences or they never laugh at your jokes or they just don't seem to get you. What you want is someone who you feel safe and comfortable with and you feel like you can be honest and authentic with. It is completely and totally OK to speak with a few different therapists until you find the right match, and yes, this can take time, but it's absolutely worth it.

The Most Important Thing to Remember: Connection is the antidote to isolation, and it's the thing to do when you don't know what else to do.

Curiosity: The Life-Changing Magic of Exploring Your Experience

"I'm freaking out."

A good friend of mine said that to me during a recent walk. Her ten-year-old son, who we'll call Jack, was a hard-core bookworm and he had been begging for an eReader for several months. My friend hadn't wanted to get it for him for a bunch of different reasons. She and Jack both love paper books, and she didn't feel great about giving that up so he could spend even more time in front of a screen, even if it was to read a book. In addition, she was nervous about what he might end up reading; as she so accurately pointed out, there's just so much crap out there that he would have access to. But Jack was relentless so after a fair amount of research, she bought him a kid-friendly eReader for his birthday.

A week later, she was freaking out even more. "I set up the parental controls, we talked about the books he would be reading, and I thought I was on top of everything but then I got a notification that he downloaded a bunch of BDSM manga last night!"

I had no idea what BDSM manga was, but she explained that manga is a style of Japanese graphic novels and comic books, most of which are quite benign and appropriate for kids. BDSM, however, is a completely different story; it stands for bondage, discipline, sadism, and masochism. No judgment here, folks, but just not something my friend wanted her ten-year-old reading.

"I knew something like this would happen! I knew I shouldn't let Jack have an eReader, but it was the only thing he wanted and he just wouldn't let it go. The damn thing is marketed to kids, and I really thought I set it up right, but he managed to download that crap anyway. Is this what he's into? Is he already thinking about sex? The images in those books are creepy and violent and I am in wayyy over my head here. How did I screw this up? I am NOT equipped to handle this and I am freaking the fuck out."

I won't lie. My friend's experience totally triggered me and before I could even figure out what to say, my thoughts exploded. Now it was my turn to freak out about my daughters and sexual predators and unsafe sex and how the hell was I supposed to keep my girls safe in such a crazy world?? But I was working on this book and I was thinking about compassion, so I tried to calm myself down and think through my friend's situation and what I knew about her son. She was a thoughtful, careful mother and Jack was a reasonable kid. There had to be an explanation.

My friend had already decided to take away the eReader and was neck deep into wondering whether she should send Jack to therapy when I stopped her. "So, what does Jack have to say about this?"

Pause. Pause. "I haven't talked to him about it. But I am going to give him an earful."

I totally understood her impulse to lay the smack down, and I'd done it myself in the past. But I took a deep breath and suggested she start by just asking Jack what happened. I knew that my friend needed to get clear on what was actually going on with her son if she wanted to respond to him in the best way possible.

Curiosity Is the Antidote to Judgment

Judging the crap out of others, and ourselves, is one of the hallmark behaviors of Shitty Parent Syndrome. Hell, it's a hallmark behavior of being a human trying to make sense of chaos. Our brains don't like uncertainty and unpredictability, especially when the situation feels unsafe. When you don't know if that long squiggly thing on the ground is a stick or a snake poised to strike, jumping to conclusions might save your life. Judgment is an instinctive reaction, and it's also one that we have continued to practice so often and so frequently that we don't even realize we're doing it.

Here's a perfect example: Just this morning I went to make my beloved first cup of coffee, and when I went to push the button to start the brewing process, nothing happened. The blue light didn't come on. There was no magical *gurgle gurgle drip drip* sound.

I pushed it again.

Nothing.

Just silence and darkness. (And if this all sounds a bit dramatic to you, then clearly you don't have the same relationship to coffee as I do. It's OK. I forgive you.) I flipped out, and my thoughts exploded. My beloved coffee maker was broken. And I'm pretty sure my husband said something about this model—the perfect model—being discontinued. Not only would I not have my perfect cup of coffee this morning, I WOULD NEVER HAVE IT AGAIN.

I went into panic mode. My breathing got all shallow and my stomach twisted up and I lunged for my phone so I could look up how early my local Dunkin' Donuts opens and in the process I tripped over the cat, who made a horrible *marowr* sound before shooting me an awfully judgmental look and sprinting off. Fortunately, my husband came downstairs just at that moment and saw me frozen in the middle of the kitchen, clearly freaking out. I explained the situation—how our coffee maker was dead and we needed to get on eBay IMMEDIATELY and begin hoarding coffee makers. My husband ignored me as he calmly walked over to the machine, turned it around, looked at the back, and plugged it in.

And that right there is the difference between judgment and curiosity. I immediately jumped to the Worst Possible Outcome while my husband was able to get curious about what was going on with our coffee maker. (Although, for the record, I still think we should be buying backup coffee makers off eBay.)

On the off chance any of you read my coffee maker story as yet another example of a Hysterical Woman being saved by a Reasonable Curious Man, please don't. There are plenty of times in our marriage in which I, Reasonable Curious Wife, step in to assist my Freaking Out Husband. The only gender difference here is the one that age-old misogynistic BS stories have created out of thin air. Men judge the shit out of themselves and others just as often as women slow down and get curious. Judgment and curiosity are equal opportunity experiences.

The vast majority of us react to our own snafus by skipping straight past the trial and jury deliberation and heading straight to pulling out our gavels. BANG. Conversation over, decision made, conclusion reached. You screwed that up, and you are sentenced to a lifetime of believing you are a shitty parent. Each time we find ourselves guilty, we shut down any possibility for further exploration, clarity, or understanding, which is *exactly* what we need in that moment. How can we do things any differently in the future if we don't even understand what actually happened in the first place?

Each time we nail ourselves with a super judgy second arrow, we get so distracted by all the ways we suck that we don't have any brain space left to get curious about what actually happened, why it happened, how we feel about it, and what we might want to do next. And when we get all worked up and freaked out about whatever's going on, we're far more likely to default to a fight, flight, freeze, flip out, fix, or fawn response. And if we haven't taken the time to get clear on what's actually going on, our gut reaction isn't likely to be terribly effective.

We're told that curiosity is this beautiful and powerful perspective that we should nourish in our children, and it absolutely is. But curiosity can also be freaking terrifying, especially when we're pretty damn sure we don't want to know the answer to whatever it is we're supposed to be curious about. I'm not going to lie to you or pretend that curiosity will always feel good, because there will absolutely be times when exploring your own experience or the reason why your ten-year-old downloaded BDSM manga will uncover some fairly shitty first-arrow realities. But when you know that you won't have to face any second arrows, and you can trust that you'll treat yourself with compassion instead of contempt, curiosity doesn't seem nearly so scary.

The bottom line is that curiosity is the antidote to judgment, and it's awesome in a bunch of different ways:

- Curiosity brings us back to the present moment, which is the only place where we can get accurate information and insight (aka clarity) about what's actually going on.
- Curiosity has been linked to increased happiness and intelligence, stronger relationships, and a greater sense of meaning in life.
- Curiosity is a powerful and effective way to get out of our reactive reptile brains and bring our prefrontal cortexes online, which helps us calm down and think more clearly and creatively.
- Curiosity is an inherently kind response to whatever is going on. It's a way of communicating to ourselves and our children that we're not scared of or horrified by whatever we've done or are doing or aren't doing. No matter what, no matter how bad things may seem, we're worthy of time, attention, curiosity, and care.

Curiosity takes us a step beyond noticing. It's not just the ability to step back and realize what's happening; it's also about taking the time to get interested in our own experience, to wonder about it, and—wait for it—take our own responses seriously.

How Curiosity Helps

Curiosity doesn't just make us feel better, it actually makes our parenting lives easier and more manageable. Let's go back to little Jack and the BDSM manga. Once my friend was able to stop freaking out long enough to have a conversation with her son, she learned that he downloaded those books accidentally when he was looking for graphic novels. He had no idea what they were, he didn't like the pictures at all, and he wanted help getting them off his eReader.

Whew.

Crisis averted.

Of course, that conversation could have gone down a completely different road, and my friend could have found herself in the middle of an extremely awkward conversation about bondage with a ten-year-old boy. That would have sucked, for sure, and I wouldn't have blamed my friend for choosing to run from that faster than my daughter runs from a plate of spinach. But as much as we want to avoid the hard stuff in parenting, we all know that the sooner we can face the music, the sooner we can figure out exactly just how awful the current song is and exactly what it's going to take to turn down the volume or change the station altogether.

And then there's the Beach Day scenario—the one from Chapter 2 with the crappy air quality and asthmatic kid. At any point, from your first check of your weather app to the moment you lock yourself in the bathroom, you can notice what's happening and get curious about it. You can take a moment to notice that you've been wearing your shoulders like earrings all day, and wonder what's got you so tense. That might give you some insight into how anxious you are, which might help you realize that you've invested this one outing with a level of importance and power it probably doesn't merit. Even if you could go, it almost certainly wouldn't fix all of your doubts and worries about your daughter's functioning and your parenting. Or maybe if you were having a hard time getting curious yourself, you could call a friend who might ask you a few questions about what was going on and what you were worried about before thinking through solutions with you.

Even though all of this curiosity isn't going to fix the forecast or cure your daughter's asthma, it will shift your thinking from "This sucks and I'm a shitty parent" to "This sucks and sometimes parenting is rough, so where can I go from here?" It's possible you'll come up with a better plan than you might have otherwise, or you might end up with the same far-from-ideal outcome as you would have without your curiosity, but I guarantee, you'll feel way, way calmer and more confident at the end of the day.

And that's not nothing.

How to Be Curious

Most folks think of curiosity as asking questions. Who? What? When? Where? Why? What the hell were you thinking? And while questions can be an important part of a curiosity practice, let me be very clear: We're not going for an interrogation. This isn't about you shoving yourself into a crappy metal chair on the wrong side of a one-way mirror and blasting a spotlight in your face until you ’fess up to all your crimes. If any of your attempts at curiosity leave you feeling that way, that’s a great time to turn to connection or kindness. (That’s one of the cool things about self-compassion: There are a whole bunch of ways to practice it, and you get to choose what works for you in the moment.)

Curiosity also doesn’t have to be a huge investigation into every feeling or experience you’ve ever had and all the ways in which your childhood screwed you up and led to this moment. I mean, I guess it could, if that’s actually helpful, but it’s not always necessary. And sometimes (as in the case of the not-so-broken coffee maker), all we need is a quick shift in perspective and a moment to look around.

Usually what we need is somewhere between a deep dive and a subtle shift in our thinking. In those moments, the goal is for curiosity to feel like that time when your beloved grandmother or favorite uncle sat down next to you on the couch, wrapped you in your favorite blanket, handed you a mug of hot cocoa, and asked, “So, what’s going on?” And then they just listened. They didn’t interrupt or raise an eyebrow or *tsk tsk* you even once. They just listened and occasionally asked a clarifying question and when you were done talking—like really done, not just pausing between sentences to take a breath—they asked a few more questions and considered your answers. And maybe they offered a few suggestions or ideas, but they were helpful suggestions or ideas that came from a place of deep understanding rather than snap judgments or freak-outs. Or maybe they didn’t have any advice for you, but the fact that they weren’t offended or horrified by anything you told them helped you feel less offended and horrified by your own experience. And just talking things through helped you get clear about what was actually going on and what you might do next.

If I had my way, we'd all have a kind uncle or fairy godmother waiting with a blanket and mug of something warm and yummy whenever we feel stressed or confused. But when that's not possible, we can create the same context for curiosity, which is an inherently kind approach to ourselves, our relationships, and our children.

One last note before you get started: It can be tempting to focus our curiosity on our kids or partners or whatever's happening around us, because honestly what the hell were they thinking and how exactly are we supposed to deal with the mess they left behind? But that's not curiosity; that's just our freak-out reaction looking for a place to land. Rather, our curiosity needs to start with ourselves and our own experience, and remember, we're going for loving grandma energy, not bad cop vibes.

Over the next several pages, you'll read a number of questions that may help you get curious. Remember: There aren't any right or wrong or good or bad answers, and you don't have to fix or solve anything. That's not what this is about. It's just about noticing, realizing, accepting, and understanding. This may not be so easy, especially if you're used to judging yourself, but you'll get there.

I'm going to offer a few steps for getting curious, but *please please please* remember that it's just about getting interested in what's going on for you and around you, and however you want to do that is totally cool.

Step 1: Notice. Noticing will help you get out of your reactive freak-out mode long enough so you can make an active, conscious choice about what to do next. The more freaked out you are, the more concrete and simple your noticing should be. Just notice anything in the present moment, anything from the color of your kitchen counter to the feeling of the fabric of your pants. If your mind keeps jumping back into fight, flight, freeze, flip out, fix, or fawn mode, then just keep noticing. Eventually you'll get calm and focused. (And if you're not freaking out, then head straight to Step 2.)

Step 2: Take your noticing even deeper. Here are a few questions that might help:

> **What are you doing?** This might be seem like a really obvious question, but when we're in the midst of losing our minds, we often don't even realize that we're mindlessly scrolling through the same social media posts over and over again or biting our nails or snapping at our kids for merely glancing in our general direction.
>
> **What are you feeling?** It might be immediately obvious that you're angry or anxious or confused or scared or exhausted. But identifying your emotions isn't always easy, so don't stress if you have no freaking idea what you're feeling. Your thoughts and bodily sensations might give you some important clues.
>
> **What are you thinking?** Again, this isn't an angry-voice "What the hell were you thinking?" kind of question. This is

more of a calm inquiry, a kind of "Hey there, buddy. What's going on in that noggin of yours?" It's just about directing your attention to the thoughts, ideas, memories, fantasies, worries, regrets, possibilities, or whatever else is bouncing around in your brain. You'll almost certainly get all caught up in those worries and regrets, which are likely to send you back into fight or flight mode. Nothing wrong with that, but as soon as you notice you're doing it, take a break and come back to curiosity.

What do you notice in your body? Are you grinding your teeth, tensing your jaw, or holding your shoulders up by your ears? Is your stomach in knots? Are you hungry? Thirsty? Do you have to pee? When was the last time you pooped? Is your chest feeling tight? Are you holding your breath? How's your head feeling? Do you have a headache? Are you feeling any soreness, stiffness, pain? What's going on with that tickle in the back of your throat or that hacking cough you've been ignoring? How's your back doing? And on a scale of "yawning occasionally" to "barely keeping your eyes open," just how exhausted are you?

If the thought of checking in with yourself is a bit too overwhelming or you're not sure where to start, the acronyms HALT and CALM can help get you started.

HALT. Whenever we feel **Hungry, Angry, Lonely, or Tired**, we're at high risk for spinning out, flipping out, and shitting all over ourselves. HALT is a good reminder to stop whatever you're doing for just a second and try to notice if you're:

Hungry, or have otherwise been ignoring or minimizing your basic needs (food, sleep, downtime, time with partners or friends, etc.),

Angry, or otherwise struggling with big, unpleasant feelings (anger, fear, sadness, confusion, overwhelm, grief, etc.),

Lonely, or feeling disconnected and/or unsupported, or

Tired. Wiped out, weary, exhausted. There are a ton of ways to be exhausted, including physical fatigue, mental fatigue (from thinking too hard for too long), emotional fatigue (from feeling too many intense feelings for too long), social fatigue (after being in stressful social situations), and soul exhaustion, when you've just been dealing with too much for too long and you have nothing left to give to anyone and you're not even sure what will make any of it better.

Each time you can HALT, and notice a) that you're suffering or struggling, and b) what you're struggling with, you're giving yourself a chance at compassion.

CALM. Take a moment to check in with your **Chest** (including your breathing), **Arms**, **Legs**, and **Mind**. You don't have to do any special relaxation techniques (although you can if you want to); it's just about checking in and getting curious. That should get you *calm* (Get it? See what I did there?) enough and give you the information you need to move on to Step 3.

Step 3: Ask yourself what you need. *And then take yourself seriously.* This is a deeply compassionate question that far too many of us parents rarely ask ourselves. Even if we do happen to realize that we could use a hot bath, a little help, or just five minutes of not a single person on the entire planet touching us or talking to us or coming anywhere near us, most of us race past those thoughts so quickly that we don't even a) notice them, or b) remember them, much less c) take them seriously.

Here are the questions I want you to ask yourself:

- What do I need right now to get through this moment?
- What do I need in general to make it through this day, this week, this month?

If you don't have the time or energy to think through this right now, can you make a little time for it? (And if your gut reaction is *NO, lady in the book, I really can't because I have a freaking job and three freaking kids and this freaking laundry isn't going to fold itself,* then well, I get that. I really do. But remember, the point of this whole book is to help you parent a little differently and a lot more compassionately, and taking your own needs seriously is a big part of that. So don't stress about the laundry and take a little time to get in touch with what you need.)

Now, it's entirely possible that even if you find the time to give this question some serious thought, you might not be able to figure out what you need. That's super common, and it doesn't mean you don't need anything or there's nothing that will make anything better. More likely, it just means you're exhausted and overwhelmed and you've been putting everyone else's needs ahead of your own for so damn long that you can't even begin to consider where you might fit in to all of this.

That's OK. You'll get there. And in the meanwhile, there are a few different ways to figure out what you need.

Find out what's been helpful for other folks. This is a great way to start connecting or deepen a connection with a friend or fellow parent. Talk about what's going on for you and ask them what's been helpful to them. How are they coping? And even if their response is "I have no freaking clue and nothing's going to help," then at least you'll know you're not alone while you keep figuring this out.

Experiment a little bit. Even if you're not sure *exactly* what you need, try a few things. Unless what you actually need is a colonoscopy (in which case, sorry about that!), then you've got a bunch of options for taking care of yourself and treating yourself with compassion. This isn't rocket science; it's often just about getting more sleep, or setting up a couple of carpools so you don't have to spend every afternoon schlepping around town, or making a point to eat breakfast every morning, or taking yourself for a walk outside instead of answering emails during your lunch hour, or bowing out of a kindergarten soccer game so you can grab coffee with a friend instead. Try to notice how you're feeling during and after each of these activities. Did it help? Do you feel more connected and less stressed? If so, that might give you a sense that what you need is more sleep or less driving or more time with friends, and you can make a plan to build that into your life more often. And even if what you really need is far more significant than a walk at lunch, these small steps can go a long way toward helping you get the clarity you need to identify the bigger issues.

Ask for help. If you can't give yourself what you need, can anyone else? Can you reach out to a friend or family member or neighbor or therapist and ask for what you need? And if this feels really hard or just not your thing, remember that when you get the help you need, you'll be a better parent and you'll be modeling an important life skill for your kids. Oh, and you'll be giving your friends and family members permission to ask for help when they need it, which is pretty awesome too.

Step 4: Get curious about the content you're struggling with *and* the context you're living in. First, the *content*—the actual worry that's keeping you up at night. What's distracting you when you're trying to focus? What's that thorn in your side? A conflict with a family member? Burnout at work? Anxiety about your kid's recent test results? A freaking toothache that you can't seem to ignore away? Stress about an upcoming holiday? That estimate from the mechanic that you really can't afford? The horrifying news headlines that won't stop coming? The latest racist incident in your community?

We've all got something, and most of us have more than one thing most of the time. And most of the time we react to whatever's going on with whatever version of fight, flight, freeze, flip out, fix, or fawn we tend to practice the most. Sometimes those reactions work out well enough, but more often than not, all that judgment and shame a) doesn't solve the problem, and b) triggers the crap out of our Shitty Parent Syndrome.

But when we can get curious about whatever we're struggling with and why we're struggling with it, we'll get calmer and clearer about whatever's going on, which will help us think creatively and confidently about what to do next. Here's the thing, though: You're not going to want to do this, because thinking about this stuff without immediately leaping into action is going to feel bad. It's going to feel uncomfortable or scary or confusing or sad. And most of us don't like feeling any of those things, which is why we tend to reach for our phones or jump up to unload the dishwasher or grab a glass of wine or do whatever it is we do when we don't want to do the thing we have to do.

But when you can sit with your situation long enough to get curious, you might actually get some answers. Let's think about how this might play out on a Beach Day. Instead of snapping at everyone who crosses your path or blaming yourself for not being able to control the weather or comparing yourself to all those other Beachy-Ass Parents, just sit down for a second, take a few deep breaths, consider the following questions, and *please please please* if you do nothing else in this chapter, *listen to the answers and take them seriously. Do not blow yourself off, and try not to judge yourself for whatever you notice or realize.*

- What am I thinking, feeling, and/or doing? What's going on in my body?
- Who or what am I worried about / scared of / angry at / having other big feelings about?

- Who or what am I *really* worried about? (Sometimes you have to dig pretty deep to get to the bottom of this one.)
- What can I control? What can't I control?
- What can I do about the situation today?
- Do I need help? If so, who could help me? How can I reach out to them for help?
- What's the story I want to tell about this situation someday?
- What advice would my beloved grandmother or favorite uncle or best friend give me right now?
- What is the most skillful choice I could make right now?

In all likelihood, you might not like the answers you come up with. That's OK. This is a judgment-free zone. Or at least a notice-your-judgment-and-then-try-to-let-it-go-because-you're-only-human zone. You can handle it. And no matter what it is, it will pass. It might pass like a damn kidney stone, but it will pass. And again, you might arrive at the same shitty outcome, but you won't have used your crap map to get there, and you won't have been hit by a single second arrow along the way.

If getting curious about the content of what you're dealing with is too stressful or leaves you feeling too overwhelmed, or if it's triggering your Shitty Parent thoughts, then maybe it's time to consider the *context* of your situation. Remembering the bigger picture will help you have more compassion for yourself and your situation.

We parents tend to blame ourselves for child-related challenges and struggles that have very little to do with us and a whole lot to do with a lack of information, support, and resources. It doesn't matter how much you care or how hard you're working: it's nearly impossible to feel like a good parent when you have to choose between paying the rent and covering the co-pay on your child's latest ER visit. But when we're exhausted and overwhelmed, it can be damn hard to figure out what we can control and change and when we need to remember to let ourselves off the hook. If you find yourself struggling with this issue, check in with the wise folks in your community—friends, doctors, therapists, elders, or anyone else whose advice you trust. They might have a clearer perspective on the situation than you do.

Here are a few questions you might want to consider:

- What else is going on in my life right now?
- What other stressors am I dealing with in my personal or professional life?
- What else am I worried about / scared of / angry at / having other big feelings about?
- Am I dealing with any big changes, transitions, or crises right now? What about my close friends, kids, and family?
- What time of year is it? Am I starting or in the middle of a particularly challenging month or season?

- Are there any significant holidays coming up? Any major anniversaries, including anniversaries of painful losses or divorces? (And bear in mind that even positive, joyful holidays and anniversaries can be a source of stress.)
- Have I been eating, drinking, sleeping, shopping, gambling, [insert your favorite coping mechanism / vice here], more than usual lately? (The answer to this question may give you useful clues as to how you're *actually* doing.)
- How's my health and the health of the people and/or animals I care about?
- How exhausted am I? How have I been sleeping at night?

Remember, the goal of asking all of these questions—and listening to your answers—is to get a little perspective on everything you're dealing with and cut yourself a whole lotta slack. If you start to feel overwhelmed by what you realize, that's probably because you're in an overwhelming situation. Once again, nothing to judge or blame yourself for, just another opportunity for you to practice. And just to be abundantly clear, practice does not make perfect, but it does make it a whole lot easier (but nobody ever says that because "practice makes easier" isn't nearly as catchy or alliterative).

Before we get to Step 5, I want you to know that Steps 2, 3, and 4 on this list (deeper noticing and getting curious about your needs, content, and context) can really happen in any order, depending on what comes naturally to you and makes the most sense for whatever you're dealing with and how you tend to think about your situation. The first time you try this whole curiosity thing, it's going to feel all weird and awkward and cheesy and you're gonna want to blow it off and hop on over to Instagram instead because you just discovered a new account devoted entirely to honey badgers and you're pretty damn sure you've found your daughter's kindred spirit. Please don't do that. Stick with your curiosity, and, whenever possible, take the time you need for yourself before you move on to your kids.

Step 5: Get curious about your kids. OK, I know what you're thinking. You're thinking that this is what you really need to be curious about because if you can just figure out what's wrong with your kid and how to solve their problems or make them happy, then that's all you need to do because that's what good parents do and then you'll be a good parent, which is all you freaking wanted in the first place. And that's all fine and dandy, except for the part where sometimes we can't figure out what's wrong with our kid and their problems aren't freaking solvable and even if they are, you're not going to make them happy, at least not in any ongoing way, because that's just not how life works.

That's the first reason I put your kids at the bottom of this curiosity list. The second reason is because it's pretty unlikely that you'll be able to deal effectively and empathically with whatever you figure out about your kids if you're a giant ball of stress and shame. So put on your freaking oxygen mask and fill your cup or whatever metaphor works for you; the point is that the calmer and clearer you are with regard to the current situation, the less likely you'll be to react impulsively or unhelpfully.

So take a few minutes to chill out and get curious about what you're dealing with (unless you're dealing with a screaming toddler or door-slamming tween, in which case you'll do the best you can to get the situation under control and you will absolutely positively 100 percent not get all pissy or shamey at yourself for however you handled it), and then—and only then—you'll move on to your kiddo. We'll dig into this more deeply in Chapter 8, How to Compassion the Crap Out of Your Kids.

Again, you might not like the answers you find. More often than not, the hardest parenting moments, the ones that send us into a complete tizzy, aren't fixable—for us or our kids. I mean, if they were fixable, you probably would have fixed them by now, right? Or they're potentially fixable, but the fix takes a crapload of time and money and energy and appointments with specialists who are totally booked up for the next six months and only have openings in the middle of the workday and fuuuuuuuuuck. Either way, or if you happen to be in a crappy headspace or unshakably grumpy and all this curiosity stuff lands you back in JudgyTown, well, do your best to just notice that judgment without getting sucked into it. And if you can't do that, because, well, let's be honest, that's damn hard to do sometimes, that's when you go back to connection and kindness.

How Curiosity Helps Our Kids

When our daughters were still in preschool, my husband and I took them to the local street fair. They were having a great time playing on the inflatables, listening to the live bands, and begging us for five dollars so they could throw a ball at a tower of bottles and win a fifty-cent toy. Just as I was about to shell out even more cash so they could fish for plastic ducks, one of the girls started whining. Her whining soon escalated to a full-on, limp-bodied meltdown, right there in the middle of the street, in full view of all of our neighbors and friends.

What the hell? We had literally given this kid everything she asked for all day, and this was how she responds? I mean, she was little, so it's not like I was expecting a formal thank-you or anything, but she could have at least kept it together until we got home. What kind of spoiled, ungrateful kid was I raising? I got all cranky and resentful and started snapping at her, which didn't help anything.

Flash forward five minutes to me grabbing my daughter's hand and pulling her down the street. "That's it. We're going home!" My daughter was crying. I was fuming. We were halfway home when we passed a neighborhood restaurant and suddenly it hit me.

She was hungry.

My daughter had inherited some seriously strong hangry genes from me and tended to tank quickly if we missed a snack or were late to a meal. She wasn't trying to be disrespectful or ungrateful; she was just doing what four-year-olds do when they get so distracted by bouncy houses and free Frisbees that they forget to eat and their parents forget to feed them. Nine years later, she's finally old enough to notice when she's hungry and get herself a snack, but back then the job was on me.

If I had taken the time to get curious about what was going on with my kiddo instead of jumping to conclusions and judging her for being a spoiled little brat and judging myself for being the kind of parent who raises spoiled brats, I might have realized that she just needed a snack. That's all.

Our curiosity practice benefits our children directly each time it helps us get information and insight about what's actually going on with our kids so we can respond to them from a place of calm clarity rather than freaking out all over them. In that moment, I was able to get my daughter a snack, help her calm down, apologize for snapping at her, and talk to her about how to notice when she's hungry. Best of all, perhaps, I was able to let go of my simmering anxiety about raising an entitled little jerk of a kid (which, for the record, she's totally not).

And when we can notice what's going on with our children and make the connections they can't yet make, we're teaching them to do the same. If we were to react to every difficult or confusing parenting moment by freaking out, that's what our kids will learn how to do. But when we can slow down and get curious about what might be going on for ourselves and our kiddos, we're teaching them how to do that instead. We're showing our children, in the most powerful way possible, that there's another way to handle hard moments. We can put down our second arrows and turn to compassion instead.

Advanced Curiosity Practice: Journaling

Sometimes it's just too hard to think. Or we haven't quite figured out how to think about our thoughts. Or our brains are too damn addled and we can't get enough space from our thoughts to actually be curious about them. Or we can't remember what we realized long enough to let it really sink in. Or perhaps no matter how hard we try, we can't quite figure out how to be curious in a way that doesn't feel like we're interrogating ourselves.

Whatever the reason, putting pen to paper can be a super effective way to get out of your own mind and into your own experience. Even if you think you're not a writer, don't stress. Nobody gives two shits if your sentence structure sucks or you still have no idea how to spell "irritating," as in "irritating AF," because nobody's ever going to read it. Your journaling isn't about writing something good or getting to the right answers; it's just about getting a little more information and insight about what's going on without getting all twisted up in your own thoughts and judgments.

A few things that might help you get started on a journaling practice:

- You don't have to write every day. You really don't. You can write whenever you want or whenever you need to. It's true that the more you practice something, the easier it gets, but the more you focus on being perfect or not breaking the streak, the harder it's going to be to pick up your pen again when you really need to.

- Despite what I keep saying about pens, you don't have to actually use a pen. You can absolutely use your computer or tablet. You can use a random piece of paper or a fancy journal or a pencil or a crayon or a Sharpie or a fork dipped in ink. Whatever works for you is perfect.

- Some folks prefer to just start with a blank page and write whatever comes to mind, while an empty page or screen is absolutely horrifying to others. If the thought of starting from scratch makes you want to stick that pencil right in your eye, then it's OK to give yourself a little structure. Write out some of the questions from this chapter, or any other questions that work for you, and then answer those. And, if the thought of answering questions conjures up horrible memories of elementary school worksheets, then scale it back and pick a couple of words that might get you going, such as "thoughts," "feelings," or "CALM."

- If the words just aren't coming, you can always start with drawing or doodling. Either of those will help you get calm and focused enough to find your words.

- You can go back and read what you wrote, or not.

- You can keep what you wrote, or you can delete or shred it as soon as you're done.

The Most Important Thing to Remember: Curiosity is the opposite of judgment, and it's the most effective way to calm down and get some clarity when you're overwhelmed or confused.

Kindness: You're Not a Monster. Parenting Is Hard.

I recently asked a group of parents about the kindest thing anyone ever did for them. Not surprisingly, a lot of the responses were about friends who brought over meals, cleaned houses, or took care of the kids during a crisis. I can certainly relate; my twenty-month-old daughter fractured her leg the day before I was due to give birth to my second daughter. By the time we got home from a long day at the hospital, a friend had dropped off toys our toddler could play with on the couch and my sister had arranged for a local deli to deliver a week's worth of meals. Not only were the toys and food incredibly helpful, but I felt supported rather than judged.

However, of all the kindness stories I've heard recently, this one from my friend Amy really caught my attention:

> *My firstborn was horribly colicky as a baby. Unless I was moving or nursing him, he was wailing. I was dealing with postpartum depression and was really a mess. I was at a new moms' group meeting and talked a little bit about how impossible it was to get the baby to sleep. Another mom of a slightly older infant told me she had been there and knew how hard it was. She wrote her phone number on a piece of paper and told me I could call her anytime (she emphasized that . . . anytime, even in the middle of the night) if I needed support. Somehow I knew she meant it. I kept her number on*

the fridge for months. I never called her but somehow knowing I could call got me through some really rough times.

At first glance, this story doesn't make any sense at all. I mean, some random woman—who we'll call Compassionate Courtney—gives Amy her phone number, which then gathers dust on the fridge. And this becomes an act of kindness that Amy remembers for years, even though she never freaking called the number?? I mean, COME ON. Courtney didn't actually do anything other than hand over her phone number, which she almost certainly knew Amy wouldn't use.

And now she gets to be the heroine of Amy's story?

That's bonkerballs.

Except it's not really.

What Courtney did was such a powerful example of the kindness of compassion that not only did I nickname her Compassionate Courtney but we're also going to devote several paragraphs to exploring just how awesome her response was.

1. First, and perhaps most importantly, **Courtney noticed that Amy was struggling, she took it seriously, and she responded with kindness.** There are lots of different reasons to be kind, including a) doing something nice for someone because they did something kind for you and you feel compelled to return the favor, b) because your kids are watching you and you feel compelled to be a good role model, c) you just came out of church or synagogue or mosque and you're feeling the kindness vibes big time, d) you saw a bumper sticker about performing random acts of kindness and senseless beauty and you happen to be in a good

mood and the sun is shining so you give the guy at the taco stand an extra big tip, or e) you were just a huge dick to someone and your guilt is driving you to try and make things right.

Don't get me wrong, those forms of kindness—actually, any forms of kindness—are great. Huge fan over here. But they're not the same as choosing to be kind in response to suffering. Kindness may seem like a pretty obvious choice in tough times, but it's not always that easy. It's human nature to want to turn away from suffering, to ignore it, minimize it, or try to fix it or offer advice on how to deal with it. And while some of the fixing and advice-giving might be helpful at times (more on that later), it's not the same as showing up and sticking around even when things are rough or unpleasant or downright horrifying, and responding in a friendly, generous, and considerate way. Which is exactly what Courtney did.

2. **Courtney's response wasn't just kind, it was respectful.** Kindness is the opposite of contempt, which is the feeling or belief that someone or something isn't worthy of our respect or approval. Courtney also had a colicky baby, and I have to imagine that she didn't feel like she had a ton of free time or extra energy, and I'd bet my right arm that she wasn't looking for someone else to wake her up in the middle of the night—especially that lady with the wild eyes she just met at the support group. Courtney could have suggested that Amy call the local parenting hotline or talk to her pediatrician, but she didn't do that. She gave Amy her phone number, and she did it in such a way that Amy knew her offer was serious. I can't think of a clearer or more powerful way to communicate respect. That paper may have only had ten digits

on it, but what it said was "Your struggles are real, and they matter. You're not alone. You matter and you're worth my time and energy, so call me anytime."

3. **Courtney didn't try to fix anything,** which is actually one of the kindest things we can do in response to suffering. She didn't give Amy a list of books to read or suggest some super-secret strategy for fixing colic (because PS THAT DOESN'T EXIST). When we offer advice or suggestions in moments of pain or confusion, the underlying message—whether we actually mean it or not—is that the person should have done something differently. They should have done something better. If they're having a hard time, it's because they didn't work hard enough or try hard enough or they're just not good enough. And whether or not that's true, that's a pretty sharp arrow to hurl at someone when they're already down.

Nobody likes unsolicited advice. As well intentioned as it may be, unsolicited advice almost always feels like someone else is trying to fix us, and that never feels good. It can be damn hard not to offer a solution when we have one, but the reality is that unless someone explicitly asks for your advice, they probably don't want it or aren't in a headspace to hear it—*even when it might actually be helpful.*

4. **Courtney didn't offer more than she had.** She didn't invite Amy back to her house, she didn't offer to take Amy's baby for

her, she didn't hand over her address with an invitation to stop by any time. Courtney didn't throw herself under the bus in order to help Amy. She did what she could with what she had.

5. By sharing her phone number instead of advice, **Courtney tapped into the power of both connection and curiosity.** Not only did she tell Amy that she wasn't alone, and that she (Courtney) had struggled the same way, but she opened up the possibility for further connection. In addition, asking someone to call you up to talk is pretty much the definition of being curious. (Unless, of course, you launch into some crazy long monologue about your own shit or immediately start outlining all the ways in which the other person sucks or everything they should be doing differently or better. That's definitely not being curious, so please don't do that.)

6. **Courtney didn't reach out because she was trying to make herself or Amy feel better.** She did it because Amy was in pain. This is a nuanced and very specific point, but it's a crucially important one. Feeling better is a common side effect of compassion, but it isn't the goal. It can't be the goal because we can't control our feelings, and basing your success on something you have no control over is an epically bad idea. Once we get hung up on feeling better, then we assume it's not OK to feel bad. And then we start judging and blaming ourselves for that. *Thwack thwack thwackity thwack.*

So, Courtney's awesome and what she did was awesome. But please don't misunderstand me; I'm not suggesting you start handing out your phone number to every struggling person you come across. That's not gonna end well. I'm just hoping you can get clarity about what kindness is and what it isn't, so you can throw a little bit back at yourself whenever possible. Just to review, the kindness of self-compassion is about:

- Noticing your suffering and taking it seriously.
- Treating yourself with respect rather than contempt.
- Setting aside the need to fix yourself or solve the problem. I'm not saying you won't ever get to the fixing part, but when you start from a place of kindness, you'll bring a lot more clarity, creativity, and confidence to the situation.
- You don't need to go over the top with your kindness. Just do what you can with what you have.
- Connection and curiosity are inherently kind, so they're a great place to start, especially if you're not sure what else to do.
- Remember, you're not treating yourself with kindness because you need to feel better. You're doing it because you feel bad. And that's enough.

How to Treat Yourself with Kindness: The Arrows of Kind Self-Care

So, you've just been hit by a first arrow of life. Whether it's a colicky baby or a teen who needs braces and holy hell those things are expensive or a weird lump that you really should get checked out or a fellow mom who just told you that there was pot at the party both of your kids went to last weekend, the shit just hit the fan. Now, imagine if instead of getting shot by a second arrow, a fluffy arrow of kindness carrying a basket holding your dad's homemade doughnuts and a perfect cup of coffee and your favorite magazine or newspaper and maybe even a housekeeper, a babysitter, a copy of this book, and Courtney's phone number landed on your doorstep.

Sadly, that particular second arrow doesn't actually exist, but a bunch of other ones do. And no matter how painful, overwhelming, or confusing our experience is, no matter how far astray we've gone, and no matter how exhausted and stressed we are, we can always, always respond with kindness. We can always choose to pull a different arrow—an arrow of kind self-care—out of our quiver.

Now before we jump into the juicy details of kind self-care, let me remind you that **self-care is not self-improvement**. This is really freaking important, and if you're like most folks I know, it's going to take awhile for this idea to really take hold in your wary brain. In the meanwhile, engrave it on your favorite bracelet or tattoo it on your forehead (backward, of course) or whatever it takes for you to remember that the point of self-care is NOT to make yourself feel better or get in better shape or get your shit together. I'm not saying self-improvement is a bad thing; it's just a different thing, and when we confuse the two, then everything becomes about trying to improve ourselves, which means we don't get a single moment of our day when we aren't reminded of how we could be doing better. And that is FUCKING EXHAUSTING.

Over the rest of this chapter, we're going to explore ten kind self-care strategies that you can practice regularly. The first four practices—kind self-talk, kind stories, singletasking, and setting boundaries—can become regular injections of kindness that will help top off your tank and make you more resilient in the face of all the first arrows of life. The next six practices—sip, snack, stretch and soak, snuggle, song or show, and sleep—are great any time, but they're also especially powerful alternatives to those shitty second arrows.

The First Four Arrows of Kind Self-Care: Self-Talk, Stories, Singletasking, and Setting Boundaries

Kind Self-Talk

A friend recently texted me about her son, one of my daughter's fifth-grade classmates. Apparently, like my daughter, her son was shoving all his math worksheets into the bottom of his backpack rather than putting them in his math folder. She sent me a picture of the crumpled, torn pages along with a string of messages, ending with "Ugh. I'm such a shitty parent."

I think we can all agree that a fifth grader's inability to properly file his math papers has nothing to do with my friend's parenting skills. And I actually think my friend would agree with that assessment; that's not the issue here. The issue here is how quickly that final text came through. It's not like my friend thought about her son shoving his papers into his backpack and came to the carefully considered conclusion that it clearly meant she was a shitty parent. Nope. Those five words flowed off her fingertips faster than her own name.

She'd been thinking them a lot.

My guess is that she hadn't even realized how often she'd been thinking of herself as a shitty parent, but make no mistake about it: That crappy self-talk was absolutely impacting my friend's mood and her confidence in her ability to parent well. In addition, it left zero headspace for her to a) get clear on why her son kept crumpling his papers and why she cared so much, and b) think creatively about how to either fix it or get over it.

Once we start paying attention to our own thoughts—without getting sucked into them—one of the first things most of us notice is how poorly we talk to ourselves. We say things to ourselves that we wouldn't say to our worst enemy, or at least not to their faces:

- I'm a shitty parent.
- I'm screwing up my kids.
- I totally blew that one.
- Other parents are happier, fitter, calmer, more organized, more patient, more blah blah blah whatever than I am.

We're not just saying those things to our faces; we're repeating them over and over again, drilling them into our consciousness. And most of us have no idea we're even doing it.

So, that sucks.

Fortunately, kind self-talk is a super simple strategy that makes life feel so much easier to handle. Once you learn how to evict that gremlin who's taken up residence in your brain, you can make space for a cheerleader or best friend or just a cheerful little puppy who follows you around (in a not-at-all-annoying way, of course) and loves you no matter what. Fortunately, you don't actually have to get a puppy in order to change the voice in your head. Here's what to do instead:

Keep on noticing. Not to keep beating that deader-than-dead horse, but this is actually a super important (if dead) horse. If you don't notice each time you criticize, abuse, harass, demean, doubt, or undermine yourself, then you can't change it.

Don't beat yourself up or feel ashamed or guilty for whatever you notice. Try not to dig into those thoughts or fight with them or give them any more time than you already have. Just because you've been thinking things for a long time doesn't mean they're true. Seriously. You can think you're capable of teleportation every minute of every day of your life but you still gotta get in the car and drive your butt across town for your kid's recital. So regardless of how intense or frequent your shitty self-thoughts are, just keep on noticing them and letting them go. It's going to take time, but it will get better.

Try talking to yourself in a kind way—whatever that looks and sounds like for you. Remind yourself of your common humanity, get curious about your situation, and focus on understanding, acceptance, and forgiveness. This may sound incredibly cheesy, but it doesn't have to be that way. Instead of coming at yourself with vague platitudes, try using your own words, the words you might use when comforting a good friend.

Learning to speak to yourself with kindness is like learning to speak a new language. It can be incredibly hard to find the words, and they might feel strange rolling off your tongue. That's OK. It doesn't mean you're doing anything wrong. It just means you're doing something new, and it will get easier. Here are a few tricks that might help:

- One of the quickest and most effective ways to learn a new language is to spend time with native speakers. Reach out to friends who will speak the language of compassion to you. Call them, text them, do whatever it takes. And if you're not sure how to start the conversation, go back to Chapter 5 and the conversation with Happy Muffin Mom on your front porch. Consider your options for opening up about whatever you're struggling with, choose the one that seems easiest, and start there. And when your friends respond with compassion, *listen to them*. You can't learn a new language if you don't freaking listen to how it's spoken.
- If you can't find your own words, use someone else's. In the heat of the moment, a quote, mantra, prayer, or the lyrics from a favorite song can be incredibly helpful. If you have a

little more time on your hands, turn on your favorite podcast or pick up your favorite book. It doesn't have to be self-help; anything that calms you down, helps you get a break from your shitty self-talk, and leaves you feeling more connected and/or curious is a great choice.

- Keep practicing. It will get easier. Here are a bunch of examples you can use, or you can come up with your own. Write them on sticky notes and wallpaper your house and car and baby stroller in them.
    - It's a hard day. It's a hard moment. That's OK.
    - I'm a good mother / father / parent.
    - This sucks, but it will pass.
    - I love and accept myself just as I am.
    - I can take the time to take care of myself.
    - That lady in the book says I'm not a shitty parent so maybe I'll believe her.
    - Parenting is really fucking hard. That doesn't mean I'm doing it wrong.
    - I'm not alone. This is hard for all of us.
    - Just breathe. Keep breathing.
    - What am I thinking or feeling? What do I need right now?

Kind self-talk is one of your most important self-compassion strategies. If, for some weird reason that actually doesn't exist, you can focus only on one form of self-care, this is the one. You can practice it anywhere, at any time, and once you start noticing your shitty self-talk and treating yourself with kindness instead, it will be like you put down a giant weight you didn't even realize you were carrying.

Tell Yourself a Kind Story

Let's go back to my friend and her son with the eReader and BDSM manga. That's a story she's going to be telling for a long time, and there are about a million different ways she could frame it:

A) "It's the freaking eReader industrial complex out to screw innocent parents across the globe."

B) "My son is a closet sex maniac. I'm doomed."

C) "THIS—this right here—is why children shouldn't read graphic novels."

D) "I am the worst parent ever in the history of the whole entire universe."

E) "I'm just trying to remember that I'm part of the first generation of parents to ever give their kids eReaders because these things literally didn't exist until a few years ago. But kids have been reading inappropriate stuff since the printing press was created, so if it wasn't this device, it probably would have been something else. We're all just doing the best we can, and I'll get through this one."

Now, I know that I've gone on and on in this book about how there's no such thing as right and wrong or good and bad but seeing as how I'm the one writing this book, I get to completely contradict myself and tell you that in this particular case there is ABSOLUTELY A RIGHT ANSWER.

And in case it's not abundantly clear, that answer is E. (OK, and maybe a little bit A, but really E.)

Finding your way to a compassionate, connected, kind story is related to self-talk, but it's about crafting a new narrative, a new story about what's happening—both in the moment when the shit hits the fan, and in our lives overall. It's about making sense of the big picture and of who we are in the world in the kindest, most compassionate way possible.

Singletask (Or at Least, Lesstask)

Singletasking is the opposite of multitasking. It's about choosing to do just one thing at a time and doing our best to keep our attention focused on whatever it is we're doing. That's the goal whenever possible, and when it's not, the goal is lesstasking (a word I absolutely just made up, in case you were wondering), which is about setting aside as much as you can—at least for the moment.

At this point, you're probably thinking I'm completely insane because if you were to suddenly stop doing a bajillion things at once, the laundry would never get folded and dinner would never get made and your work emails would go unanswered and your kids would have to figure out their bananapants math homework on their own.

Oh, and you're probably wondering what the hell does this have to do with kindness?

Great question. I'm so glad you asked it.

Imagine that your best friend just texted you. She's a mess and needs your help. You drop off your kids at school, reschedule a meeting, and head over. When you get to your friend's house, she's sitting at the kitchen table, looking defeated, overwhelmed, and completely stressed-out. Her tears and words start flowing at the same time as she tells you about the results of her kid's psych testing and all the specialists she's supposed to call and appointments she's supposed to make and how she just doesn't have time for this right now because she's totally behind on a major work thing and she still hasn't dealt with the shitshow from last weekend's basement flood and her house is a freaking mess and she's pretty sure the cat needs to have some teeth extracted and the dishwasher is definitely on its last legs.

Let's think about how you would respond.

I'm pretty certain you wouldn't take that opportunity to point out the unfolded laundry on the dining room table or the dishes in the sink. And I know you wouldn't pull out your phone and show your friend the latest shitty headlines or social media updates or bring up her jerk of an ex and how he should be helping more. You definitely wouldn't go off about how if she thinks dealing with specialists is rough now just wait until her kid gets to middle school because that's when the shit really hits the fan.

The point is, you wouldn't. You wouldn't do any of that because a) you're not a dick, which means that, b) even if you are absolutely convinced that your own life would fall apart without multitasking, you would never shoot those same second arrows at someone you care about. Instead, you find a box of tissues, make her a cup of coffee, and maybe even grab a pen and paper and help wade through the weeds she's stuck in until she can get a little clarity. Eventually, you come up with a plan. First things first, one thing at a time, she'll get through it.

This may sound a lot like planning, and sometimes a little planning is required in order to singletask. And sometimes it's not. Whatever it takes, it's worth it because multitasking is just a bunch of second-arrow bullshit. It stresses us out, makes life feel harder, and leaves us feeling less competent and capable. When we focus on doing just one thing at a time, we're calmer, less likely to screw up, and more likely to notice whatever it is that needs noticing. Singletasking and lesstasking are inherently kind responses to whatever is going on; choosing to set down some of the flaming swords we're juggling decreases our stress and makes it far less likely that we'll drop, forget, break, or lose something (including our own minds) in the process. And it just makes everything feel soooo much easier.

In an ideal world, we'd all have a friend or fairy godmother who could drop by each time we're overwhelmed and help us get focused. Sadly, that doesn't exist, because if it did, the aforementioned fairy godmother wouldn't just help us get focused; she'd actually fix all the damn problems so we could chill on the couch with that movie we've been wanting to watch but is too inappropriate for the kids, who we currently don't have to worry about because they're with their fairy godmother. Whatever. You get the point. The other point, of course, is that we can do this for ourselves. We can extend ourselves the kindness of choosing to singletask (or lesstask) at any time. We can remind ourselves that we don't have to fix or handle or take care of or deal with everything right now in this moment. It's just about noticing when we're trying to do too many things at once and choosing to put down our phones or close our laptops or let go of the triggering memories or unhelpful worries so we can take just one minute to actually listen to our child's nagging question about why potties are actually called toilets.

If the mere thought of doing just one thing at a time is making you break out in hives, remember, we're not going for perfect. If you like to watch TV while you fold laundry or go for walks while you talk with your friends or listen to music while you cook dinner, then rock on. But when you're dealing with a complicated or stressful situation, or emotions are running high, or your kids need attention, well, those are perfect opportunities to set down as many of those flaming swords as you can and treat yourself with kindness.

Set Boundaries

Lots of folks (and to be honest, folks, mostly women) have a hard time setting and holding our boundaries. We say yes when we want to say no, we agree to carpools and committees and activities and events we have zero interest in or time and energy for, and we make promises to our children that make us cringe every time we think about them.

We do this because we think we should; it's what good parents do, right? Or maybe we think we have something to atone for. Or maybe we're worried about what other people will think or we don't want to make them feel bad. But shaming or guilting ourselves into doing something—anything—we don't want to do is pretty much the opposite of kindness. If you're having a hard time wrapping your mind around this, think about a friend or family member or fellow parent or anyone you care about. How would you advise them? We both know you would pull a Nancy Reagan and tell them to Just Say No.

And that's exactly what I want you to do for yourself. Just say no.

Or no thank you.

Or not now.

Or not ever.

Setting and holding your boundaries might not feel good in the moment, but that's OK. Remember, kindness isn't about making yourself feel better, and it's definitely not about prioritizing anyone else's feelings over your own.

The Next Six Practices: Sip, Snack, Stretch or Soak, Snuggle, Song or Show, Sleep

As you read through this list, the first thing you might notice is that this all seems like really basic self-care, and it is. But as I hope you've realized by now, giving yourself even the most basic self-care is a powerful form of compassion, and compassion makes life and parenting so much easier and better and more sparkly, which is to say that this stuff is super basic but also super awesome so you should take it seriously but not too seriously because that might stress you out, and that's not awesome.

In addition, it might occur to you that none of these strategies are going to fix anything and you really don't have time for this nonsense. The good news is that you're half right. They're unlikely to fix anything, which is totally fine because You. Don't. Need. To. Be. Fixed.

You need kindness and compassion and forgiveness and a few minutes to relax and breathe and tend to your wounds, the wounds that life inevitably afflicts on every single one of us. But you don't need to be fixed.

With regard to your second point—that you don't have time for this nonsense—first of all, this isn't nonsense and I'm offended you would even think as much. (JK, JK, totally not offended. I get it. I used to feel the same way about self-care. You'll get over it.) Anyway, back to your busy schedule. I don't doubt for one moment that you're overwhelmed by everything you need to do. I get that. I feel the same way. But the other truth is that we humans manage to make time for what's important to us, and this stuff matters. But I promise you that it's way to easier to deal with everything when we're not buried in second arrows or army-crawling through our days because we just don't have the energy to do any better. (And, bonus, the more we practice

Find your own self-care arrows, and please don't judge yourself for whatever they may be. I love untangling knots (actual knots in necklaces, balls of yarn, whatever); it calms me down like nothing else. It doesn't matter if it's scrapbooking, strumming the ukulele, staring at the sky, or hitting the highway with the music turned up loud. As long as you enjoy it, and it heals you, then go for it.

self-care, the easier and more naturally it will come to us, until it's just another language we're fluent in.)

So keep on noticing your "fix it" or "I'm not worth it" or "I don't have time for this" second-arrow thoughts, and choose one of the following arrows of kind self-care instead:

Sip. Grab yourself a cup of water, tea, coffee, or anything soothing. Try to resist the urge to throw it back on your way out the door or while you're refereeing your kids' latest fight. That may be great for basic hydration, but it's not the vibe we're going for here. If you can, make your drink, take a seat, and ignore your kids for a minute while you sip and enjoy. One important note: This is not the time for alcohol. I'm not anti-drinking, but drinking isn't self-care. Alcohol is often a third-arrow avoidant behavior. It's a central nervous system depressant, and even though it might take the edge off your second-arrow thoughts for a few minutes, it also messes with your sleep and increases depression and anxiety over time. So enjoy a drink when it works for you, but please don't confuse it for self-care.

Snack. Take a moment and tune in to your body. When was the last time you ate? Are you hungry? Feeding ourselves is one of the kindest things we can do for ourselves. But for the vast majority of human beings, it's gotten completely tangled up in body image and rigid rules and judgment and shame and regret—and not because we're too weak or broken, but because we live in a society that makes it nearly impossible to have a healthy relationship with food.

Nourishing yourself in difficult moments isn't the same as eating your feelings. The former is about noticing your feelings of hunger or desire, honoring them, and giving yourself what you want in a kind and attentive way. The latter is about using food as a way to ignore, suppress, or deny your feelings. It's the difference between taking the time to figure out what you need and allowing yourself to slow down and enjoy it and scrounging for brownies before shoving a whole tray in your mouth. Untangling this stuff is *hard hard hard* for almost everyone, so if this feels too confusing or overwhelming to tackle right now, that's OK. You don't have to deal with this right now; there are a bunch of other ways to treat yourself with kindness in difficult moments. Pick one of those.

Stretch/soak. Our bodies absorb and carry the stress, anxiety, fear, anger, confusion, and overwhelm of our history, our present lives, and our worries about the future—whether we realize it or not. Our upset stomachs and tight-ass shoulders and backs that seem to go out every December for some strange reason generally don't come out of nowhere. And when we do take the time to notice what's happening AND take it seriously AND decide to respond in some way, we almost always focus on fixing it. We start some new-fangled diet or try some new stretching routine or go back to physical therapy. And all of that is great (well, maybe except the new-fangled diet bit), but they're not the same as kindness. And one of the kindest ways to respond to difficult moments, painful conflicts, or unpleasant feelings is by being nice to our bodies. (Which, I feel compelled to say again, isn't the same thing as improving them.)

So, take a moment to notice what you're feeling in your body and see if you can figure out what would feel good. Do you want to go for a walk or sit on your stoop and feel the sunshine on your face for a few minutes or take a nice long bath or go get yourself a massage? And if you can't do that for yourself right now, can you find another way to work a little body love into your day?

Snuggle. Physical touch is a powerful act of kindness for many people, and kids climbing all over you and coughing in your face and jamming their pointy-ass little elbows into your side DOES NOT COUNT. Even if you have a spouse or partner, there's no guarantee that you're getting the kind, connected touch you need: a hug, holding hands, snuggling, or, dare I say it, sex? If you need kind, connected touch, you may need to seek it out—perhaps by asking a friend for a hug, scheduling a date night with your partner, or even booking a damn hotel room if that's what it takes.

And if you don't have someone in your life who can provide this kind of touch, can you have compassion for yourself around that issue? This is about kindness, not adding to your list of things to feel like shit about.

And for those of you who already do have people in your lives who want / expect / need a lot of physical touch, let's just acknowledge that sometimes all this touching can feel like just one more thing you have to make time for or put on your endless to-do list. And that's when it's totally OK to ask for some space. Or every night until your kids are old enough to sleep past dawn.

Song or show. Sometimes we just need to dance or laugh or lose ourselves in the fantasy of another world, especially one that's about forty-seven minutes long and wraps up with the bad guy getting caught and the adorable couple ending up together and you get that warm fuzzy feeling like you swallowed a sweater but without having to go through the actual discomfort of swallowing said sweater.

Now, it can be super tricky to discern between the kindness of giving ourselves a freaking break and falling back into old third-arrow habits (which we all have—every single one of us—so don't beat yourself up about it). The trick, of course, is in the noticing. When we can step back and notice how we're feeling, what we're doing, how long we've been doing it for, and the fact that our streaming service actually has the audacity to ask us if we're still watching, well, that should give us the insight we need to figure out if we're treating ourselves with kindness or doing our damnedest to distract the hell out of ourselves.

Sleep. Sleep is such a hugely important deal that it gets its own box. When we're exhausted, we are at super high risk of all sorts of second- and third-arrow behaviors. Tired brains think all sorts of irrational, unhelpful thoughts, and not only do we think them, but we're far more likely to believe them. Making sleep a priority—whether that means saying no to nighttime meetings, going to bed early, or seeing a sleep consultant—is a powerful act of kindness. And when you can't get sleep for any reason (which happens to all of us, and is not your fault), that's just another opportunity to treat yourself with all kinds of compassion!

One final note about self-care. Please notice what's not on this list—social media. It can definitely be a source of connection (especially if you're connecting with supportive friends or community), but as anyone who's ever logged on to quickly check their messages only to end up a decade deep in their high-school nemesis's Instagram feed knows, your social media accounts can be a dangerous place to hang out. From bad news you really didn't need to hear to the latest posts from your practically perfect friend you can't help but compare yourself to, that screen is a landmine that you really don't want to trip over.

How Kindness Helps Our Kids

Each time we respond to our hardest moments with kindness, we're not only modeling that practice for our children, but we're also teaching them a number of powerful life lessons:

- Kindness isn't just something we do for other people.
- Every single one of us is worthy of kindness, even in our lowest, hardest, shittiest moments.
- Kindness isn't transactional. It's not tit for tat. It's not something we have to be good enough to deserve, or that we need to work for, or that we have to atone for later.
- Kindness isn't a weakness. It's fiercely empowering.
- Kindness isn't the same as being nice, and it's not about making ourselves or anyone else feel better.

When we take care of ourselves in very concrete ways (with the arrows of self-care, for example), we're not only teaching our children to do the same. We're also giving them permission to take care of themselves when they're suffering and to set boundaries when they need to. Finally, each time we treat our children with kindness, we're strengthening our relationship and giving them the opportunity to experience how healing, calming, and empowering compassion can be.

Advanced Kindness Practice: Loving Kindness Meditation

Most of us think of kindness as something we either do or don't do, but mostly lecture our children about. Just like connection and curiosity, though, kindness is a practice. It's something we can learn about (hence, this delightful chapter) and practice and get better at. And the better we get at it, the easier and more natural it becomes.

As I mentioned earlier, there are lots of different ways to be kind, and several of them are easy-ish to practice, including treating others with compassion. But the kindness of *self*-compassion is trickier because we're buried in first arrows (and possibly second and third arrows, depending on the situation) and we're freaking exhausted and stressed and anxious and pissed and not thinking clearly and the kids are whining and the dog pooped on the rug and fuuuuuck.

As anyone who's ever learned a second language knows, we almost always revert to our native language in stressful, painful, and scary moments. And for most of us, our native language is contempt.

So that sucks.

Fortunately, we can practice kindness, and not in the "random acts of kindness and senseless beauty" sort of way. Rather, we can practice kind self-talk, which is absolutely a gateway behavior for all of the rest of the kind self-care practices. And best of all, this practice doesn't require schlepping ourselves to a field across town at dinnertime, and no homework required. It's just taking the time to repeat a few simple phrases to ourselves.

These phrases come from the Buddhist practice of metta, or loving-kindness meditation. And no, you don't have to be a Buddhist or believe in anything specific to practice them. You just need to be willing to speak kindly to yourself. Here's how to do it:

1. Pick three or four phrases that you'll repeat. Here's what I use: May I be happy. May I be healthy. May I be safe. May I live with ease.

There are a lot of other options, so feel free to pick the ones that work for you. Options include:

- May I be free from danger.
- May I live safely.
- May I be mentally healthy.
- May I be physically healthy.
- May I be peaceful.
- May I be well.

- May my life be easy.
- May I find deep joy.
- May I be free of pain.
- May I be free from harm.
- May I be free of suffering.

These phrases will likely sound—and feel—super cheesy when you first start. Say them anyway. Finding and using your own words and phrases will help. You can use different words depending on what you need in a day, or you can stick with the same ones each time; whatever works for you. Remember, you're learning a new language. It takes time. Stick with it.

2. Find a few minutes—even just three or four if that's all you've got—and take a couple of deep breaths, just to settle and focus yourself. Sit in your car in the school parking lot for a few minutes after drop-off or before pick-up. Spend the first five minutes of your lunch break breathing and repeating.

3. Imagine someone who's always treated you with compassion and taken care of you. Someone kind and loving, with whom you have—or had—an easy and uncomplicated relationship. It could be a family member, a best friend, or your beloved cat. Send them some loving-kindness by thinking about them and saying your version of "May you be happy. May you be healthy. May you be safe. May you live with ease."

4. After you've repeated those phrases a few times, call to mind a neutral person. This could be your letter carrier or the bagger at the grocery store or the crossing guard outside your kids' school. Send them some loving-kindness by thinking about them and saying your version of "May you be happy. May you be healthy. May you be safe. May you live with ease."

5. Now think of someone who's driving you nuts. It could be that cousin who's always been a total jerk to you or your colleague who drives you batshit crazy or even your child. Don't start with the person you hate the most in the world or the one who brings you to your knees every time you see them. This is a practice. Start out slow. Take it easy. Send them some loving-kindness by thinking about them and saying your version of "May you be happy. May you be healthy. May you be safe. May you live with ease."

6. Once you're ready, turn your attention to yourself. Take a few deep breaths if you need to. Tell yourself, "May I be happy. May I be healthy. May I be safe. May I live with ease."

7. Take a few deep breaths, and let those words settle into your body. Rinse and repeat.

There's no right or wrong way to practice loving-kindness. Whether you spend two minutes sending loving-kindness to your pet ferret because they're the only living creature you can actually muster any positive feelings for in this moment or you spend the whole time focused on yourself because damn you really need it right now, that's exactly the perfect way to practice.

The loving-kindness meditation traditionally starts with sending kind thoughts toward ourselves, and then on to beloved individuals (or pets), then neutral folks, challenging people, and finally, the whole world. As this meditation became more popular in the West, teachers realized that their students just found it too damn hard to start by sending loving-kindness to themselves. It was too awkward, too uncomfortable, too foreign. They just didn't think they were worthy. So meditation teachers modified the practice, letting folks start by focusing on people they love and building their way up to themselves.

The first time I heard that story, I nearly burst into tears. (OK, fine, I'm a crier. What can I say?) But seriously. How sad is that? How sad is it that so many of us didn't even think we were worthy of wishing ourselves the most basic human rights: happiness, health, safety, and ease? If that feels true for you, please don't feel bad about it or beat yourself up for it. Just try to have a whole lot of compassion for yourself and keep practicing.

The Most Important Thing to Remember: Kindness is the antidote to contempt. You are always, always worthy of kindness. No. Matter. What.

How to Compassion the Crap Out of Your Kids

It was a warm Sunday, not long after the start of school last fall. Our eleven-year-old daughter was eager to hang out with a new kid in her class, and he lived across the street from a big park where they could play. We were already a year into the pandemic, and we were desperate for safe social interactions. This one was a no-brainer.

She came home hours later, pink-cheeked and happy. It wasn't until after dinner that night that I got all the details, including the part where my kiddo and her friend walked over a mile to get ice cream. At first, I was pleased by their initiative and independence, but as I thought about it more, I realized that the ice cream shop they went to had no outdoor seating. Our family wasn't eating inside restaurants during the pandemic—I mean like *at all*—so I was a bit confused. Did they just stand on the sidewalk?

"So, where did you guys eat your ice cream?"

My daughter paused, and in that second, my heart sank.

"Inside," she said. "We sat in a booth." Another pause. "But it was only for like, two minutes. And we were in the corner."

Holy shit.

My whole body tensed up and my thoughts exploded. We had worked so hard to give our kids as much independence and autonomy and opportunities to hang out with their friends as we could during this freaking pandemic, and we tried hard not to burden them with rules and restrictions. But eating in restaurants was a hard no, and she knew it.

She knew it, and she did it anyway.

And I knew, from lots and lots of experience, that my own freak-out was imminent. I was about to lose my shit with her. And I could have, honestly. A parental explosion would have been completely justified in that moment. She had broken a core pandemic rule that could potentially put the whole family's health at risk. So, yeah, I could have reacted all shouty-style and laid the smack down—no more unchaperoned hangouts and no more ice cream until she goes to college. (Which, for the record, would have been a terrible idea for the whole family. Not only did my husband and I need the time away from our daughters as much as they needed it from us, but god help me if you think I can make it through the rest of my daughters' middle school and high school years without ice cream.)

Even so, I thought about it. Boy, did I think about it. I could have yelled all my tension out AND taught my kid a lesson she wouldn't ever forget AND reasserted my authority in a time when everything felt so damn out of control. It was an awfully tempting possibility, to be honest.

But I didn't do it. Maybe it's because I was working on this book and the hypocrisy of it all was too much to handle. Or maybe it was because I took one look at my daughter's pained face and saw that she already knew, like deep down in her kishkes knew, that she had screwed up big time. Or maybe it's because I know—after years of experience and experimenting—that freaking out never works out. The kid doesn't learn the skills they need to do better next time; they just learn how to get better at hiding their mistakes and poor life choices from their parents. And that's not what I want, especially as my daughters head into their teen years. I want them to keep talking to me, even and especially when they've epically screwed up.

I took a deep breath. A really, really deep breath.

"Alright, kiddo, here's the deal," I said. "We're both too tired to deal with this right now. Let's both get some sleep and we can talk about it tomorrow. Meanwhile, I love you, no matter what."

I won't lie; I felt pretty damn proud of myself for keeping my cool in that moment.

And then I did what any reasonable parent would do. I went downstairs and unloaded on my husband.

It's been over a year since any of us have eaten in a restaurant and we're working so hard to keep her grandparents safe and what the hell was she thinking and BLAH BLAH BLAH GAAAAHHHHHHH.

I did feel a teensy bit better after that.

We didn't have time to talk until dinner the next night, which was good, because I legitimately needed that entire day to get calm enough and clear enough to think through how I wanted to approach things. I decided to start with curiosity, if for no other reason than I could not even begin to fathom *why* my kiddo had eaten her ice cream inside. And so that was my first question.

Not surprisingly, as we'll discuss later in this chapter, "why" questions don't tend to be very effective, and mine was no exception. All I got was a mumbled "I don't know" in response. And here's the thing: I believed her. For some reason, in that moment, I totally believed that my daughter did not, in fact, know why she had eaten her ice cream in the restaurant.

So I tried a different tactic.

In as calm a voice as I could muster, I said, "Try to remember back to when you and your friend were getting your ice cream. What were you thinking about?"

She was quiet for a moment and then she said, "I was thinking about ice cream."

And that absolutely made sense to me. My kiddo is generally respectful and usually either a) follows the rules, or b) talks to us about why they don't make sense to her. And she's just a kid with a kid's brain, which means she can easily get caught up in the momentum of the moment and forget about anything other than whatever's right in front of her, especially when the thing right in front of her is an ice cream cone.

From that place of shared understanding, we were able to have a conversation about what made it hard to remember the family pandemic rules. My daughter cried as she talked about how challenging it had been, not being able to hang out with her friends inside and eat inside and do freaking normal-ass activities (my words on that last one, not hers) for so long, and I totally understood that. I had been feeling it too. It had been rough for all of us, and all she wanted was to enjoy a treat in a restaurant. And that's when I went in with the kindness: I took her onto my lap and held her, and I may have even cried a bit myself.

Once we were both a little calmer, we talked about how to help her remember the rules the next time. She came up with a few ideas, such as having us talk to her friends' parents and reviewing the rules with her ahead of time.

After all that, we didn't take away the hangouts or the ice cream or even her screen time. Our daughter understood what she had done wrong, she felt terrible about it, and we had a plan for how she would do things differently next time. But let me very clear: At no point did we ever tell her that what she had done wasn't a big deal, or that it was OK if she did it again, or that we would consider flexing our family rules because she wanted to eat ice cream inside. We held firm to our expectations and made it clear that if she couldn't follow them, then she would likely need a parent to join her when she hung out with friends—not as a punishment, but as an acknowledgment that she wasn't ready to make these sorts of decisions on her own yet.

That's the magic of compassion: It decreases stress and tension, which allows us to get a little clarity on the situation, so we can solve problems and plan for the future without flexing our rules and boundaries, giving in to our kids, or letting them get away with anything. And compassion does all of this while opening up communication and strengthening our relationship with our kids. Oh, and it feels better for everyone. It's a win-win-win, which, as I'm sure I don't need to tell you, doesn't happen very often in the world of parenting, so we gotta jump on it when we can.

If Compassioning the Crap Out of Our Kids Is So Awesome, Why Don't We Do It All the Time?

I'm writing this chapter a few months after the Infamous Ice Cream Incident, and as I reflect on it, compassion seems like such the obvious choice. And yet it took me years of losing my shit and laying the smack down to get there. I know I'm not alone; the default reaction for most parents is to freak out and/or focus on finding fault.

But why? If compassion is so effective at reducing stress, changing behaviors, and strengthening relationships, why aren't we all just compassioning the crap out of our kids all the time? There are a bunch of reasons, and none of them have to do with you or your inherent worth as a person, much less your parenting skills or abilities.

We didn't know any better. It's not just that we didn't grow up speaking the language of self-compassion; it's that we didn't even know the language *existed*. (And for the record, neither did our parents. Or their parents.) That's not to say no one in the history of the universe ever treated themselves with compassion. Of course not. It's just that the idea that compassion is a skill that we could intentionally practice hadn't yet made its way into the Western mindset. This stuff is new for all of us.

Most of us were raised in a culture that believes we need to discipline our children in order to maintain respect and control. We've been taught that either we lay the smack down and show our kids who's boss or all hell will break loose. We've been told, by our parents and parenting experts and social media mavens, that chaos isn't the normal, predictable outcome of life with kids. Rather it's because we're not parenting hard enough or well enough or we don't have our shit together.

Yeah, that's a load of crap.

Control is, as they say, an illusion—especially when it comes to kids. And the older our kids get, the less control we have over them. Eventually, the only thing that's going to keep them connected to us is the quality of our relationship with them, which isn't likely to be very strong if we've spent years screaming at them and taking away their screens every time they screw up.

We're too damn tired and overwhelmed and burned out to show up for our kids with compassion. This isn't a matter of willpower or inner strength or whatever. It's how our brains work when the shit hits the fan. Tired parent brain = toddler running the show. (And oh, what a terrible, terrible show it is.) Well-rested parent brain = the grown-up is back in charge and can choose to take a deep breath and respond with compassion.

Here's the thing about exhaustion: It's not just about how much sleep we get (or don't). There are so many ways to be depleted—physical fatigue, mental, emotional, social, spiritual, sensory, creative, the list goes on and on—and most parents are drained in every single one of them. Sometimes there's something we can do about some of them, and oftentimes, there's no easy or clear fix. Sometimes all we can do is muster enough energy to turn on an episode of *PAW Patrol* or *MasterChef Junior* so we can zone out on the couch. Even that can be a deeply compassionate response for the entire family.

Good enough parenting is absolutely good enough. It would be great if we could respond to our children with perfectly calibrated compassion at every moment, but that ain't gonna happen. Perfection isn't an option, and even if it were, it's not ideal for our kids. Children benefit tremendously from our mistakes and missteps, and not just because they're learning what not to do. Each time we forget to sign their permission slip or lecture when we should be listening or send them to their rooms when we should be pulling them onto our laps, we're teaching our kids some of life's best lessons:

- They will not always get what they want—or even need—and *they will be OK.*
- We all make mistakes and we can always apologize and make things right again.
- People can have strong and unpleasant emotions all over us and say the wrong things and do the wrong things and that doesn't mean that we're terrible people or they hate us or our relationship sucks. It just means that we're all human and this is what humans do—especially to people they love.
- We can notice when we've gotten off course and choose to treat ourselves and others with compassion at any moment.

What to Do Instead: How to Compassion the Crap Out of Your Kids

Our kids will struggle and suffer for the rest of their lives. That's the bad news, and nothing to blame yourself for. It's just life. The good news is that we parents now have a more skillful option for responding to them. While compassion can take some getting used to, it's way, way more effective than losing our shit or lecturing them or just zoning out and letting them suffer alone because we're too overwhelmed and have no freaking clue how to help our kids. Remembering these two acronyms can help you get started: KISS and SNACKS.

KISS: Keep It Simple, Sugar

Please please don't make this bigger than it needs to be. Try not to overthink it or get all worked up about it or hyper-focused on saying the perfect thing at just the right time. You're not their therapist and it's not your job to solve the problem or fix their feelings or make everything perfect and better. That sort of response is neither necessary nor possible, so do what you can to let those fantasies go. Just **Keep It Simple, Sugar**. It's just about showing up, sticking around, and mustering as much connection, curiosity, and kindness as we can when the chaos really ramps up. That's all our kids really need.

SNACKS: Stop, Notice, Accept, Connect, Get Curious, Kill Them with Kindness, and Start Again

Sometimes it's hard to know how to be compassionate with our children. It's so tempting to focus on fixing the problem or their feelings or whatever, but that's not what compassion is all about. Instead, try showing up with SNACKS (because honestly, what kid doesn't love a snack?).

STEP 1: STOP

We can't show up for our kids when we're doing something else. It's just not possible. But it's not always easy to put a pin in whatever we're doing, because generally speaking, whatever we're doing likely feels either a) way more urgent, or b) way more entertaining than whatever our child is struggling with. It can be legitimately hard to step away from our work or our friends or the screen or whatever else is holding our attention and focus on our kids, but that's OK. You're not stopping forever, just for a moment. And no matter how hard it feels, we can do hard things, and they will get easier with practice.

STEP 2: NOTICE

You're probably thinking that this is the dumbest piece of advice ever because of course you freaking notice when your kid is suffering and struggling. You notice the hell out of their tantrums and fighting and door slamming. You couldn't freaking miss it if you tried, and more often than not, you're consumed by it.

Yeah. That's not noticing.

Noticing is the difference between biting your toddler's head off because he's being a total pain in your ass and getting just enough headspace to realize that you forgot about lunch and he just needs a little food to get back on track.

Noticing is the difference between getting into yet another epic power struggle with your tween about her clothing choices and choosing to step out of the room, take a few deep breaths, and figure out if this is really the hill you want to die on. (PS: It's probably not.)

Noticing is the difference between screaming at your kids to stop freaking bickering already and remembering that sometimes it's OK to let kids figure things out for themselves.

Noticing is the difference between holding yourself responsible for your child's feelings and getting enough clarity to remind yourself that a) no feeling is ever wrong, b) feelings were meant to be felt, not fixed, and c) it's absolutely not your job to make your kiddo feel better. All you need to do is stick with them through the storm.

Sometimes it's hard to know what to do with what we notice, especially if what we notice is really weird or scary or confusing. Do we worry? (OK, obviously we worry, so the question is really what level of worry are we talking about here?) If you're not sure, check in with trusted friends or adults who know you and your children, which may include friends, family members, teachers, their pediatrician, or their therapist. Remember, you don't ever have to be scared alone.

STEP 3: ACCEPT

This one's a doozy, but it's well worth the time and effort. There is zero space for compassion, connection, curiosity, and kindness if we're all tangled up in wishing our kids were different or being pissed at their imperfections or refusing to acknowledge whatever they're struggling with. All of these reactions are completely natural, and we all have them, but that doesn't mean they're helpful. So give yourself a little time to feel your feelings or vent to your partner or sob with your therapist or whatever you need to do—because we all need to do that—and have a shitload of compassion for yourself because man this parenting gig is HARD AF. And then accept that this is where your kids are right now, and this is what they're struggling with. Again, that doesn't mean you like it, and it doesn't mean you aren't going to work with your kids to change it. It just means it is what it is right now. That's all.

STEP 4: CONNECT

"Connection before redirection" is a favorite saying among parenting experts, and not just because we love us a good rhyme. It's also because lecturing or explaining or setting limits or laying the smack down will get you nowhere unless you've taken the time to connect first. This is true for our children, our partners, our colleagues, or anyone else in our lives. Think back to the last time someone barged in when you were having a rough moment and started in on everything you did wrong and everything you should have done differently (or even worse, told you to just calm down), without taking even a moment to say hi, ask how you were doing, or understand what was going on for you? How did that go for you? Did you feel any calmer? Clearer? Inspired to change?

Those were rhetorical questions. Of course you didn't.

Connection makes all the difference. It's the most effective and efficient way to help everyone calm down and move forward with clarity, creativity, and confidence. But you can't bullshit it, and you can't fake it. Kids have excellent BS detectors and they'll know when you're phoning it in. They may not realize what they know, and they might not be able to verbalize what they know, but on some deep level, they'll know it and you'll know it and it will not feel awesome.

And just as you can't fake connection, you also can't force it. Snuggling a frustrated toddler who doesn't want to be touched or repeatedly nagging an exasperated tween to talk to you isn't connecting. They're just fix or feel-better reactions, designed to soothe our own anxiety and discomfort about whatever's going on with our kids. It's the grown-up (ish) version of "Please play with me will you play with me why won't you play with meeeeeee?" and it's as ineffective and annoying when you do it to your children as it is to you when they do it to you.

Here are a few connection strategies to try instead:

Play It Cool and Keep It Casual. It can be tempting to get all serious and show up in a super serious way or have a serious conversation, but that's not necessary. The whole talking face-to-face thing is overrated anyway, especially when it comes to kids (and that's coming from a woman who made her career talking to people face-to-face). Eye contact can make things unnecessarily intense and increase stress. So try something else. Some kids connect physically, through snuggling or wrestling, while others might want to be near you without touching. Some kiddos like to talk, while others find it easier to connect through a shared activity, like coloring or crafting, going for a walk, shooting hoops, or tossing a ball. Remember, this isn't about what you need, at least not in this moment. It's about noticing and accepting what your kid needs in that moment.

Name and acknowledge your child's feelings if you can. Daniel Siegel, my favorite interpersonal neurobiologist (because we all have one of those, don't we?), frequently reminds us to "name it to tame it," and by *it*, he means our feelings. There's something magical about acknowledging what we're feeling, and it can be a great way to connect with a struggling child. Having said that, resist the urge to start your sentences with "I know you're feeling . . ." That can feel bossy and judgy and put your kid on the defensive. Try something like, "I'm wondering if that made you feel sad . . ." or "It sounds like maybe you're feeling . . ." Feel free to use your own words and style, and for the love of god try not to sound all therapist-y; that's annoying.

Don't tell your child that he or she is OK. Clearly they're not OK; otherwise you wouldn't be KISSing and SNACKing them. You can tell them that they're safe, or that they will be OK, or that this feeling won't last forever.

Let them know that they're not the only ones who have been through this situation. Offer to share a story about a time when you went through something similar, if you have one. This doesn't have to be a story about how you handled everything perfectly and it all came out perfectly; it might even be better if it isn't. The point is that you got through it, and your kid will too.

Remember that it's OK to set limits on behaviors and make the distinction between behavior and feelings. Your kids can be rip-shit pissed; they can't whack their brother over the head with a whiffle ball bat or dump an entire bowl of peas on the floor.

For older kids, tweens, and teens: Ask them if they're looking for advice or just someone to listen and *respect their response*. If they don't want advice, I don't care if you have the best solution ever in the history of life solutions that will 100 percent solve their problem for all eternity (which, PS, you don't), bite your tongue and zip your trap and keep it to yourself.

STEP 5: GET CURIOUS

Curiosity is a parental superpower (when we can remember to use it). Not only is it a great way to connect with our kids and figure out what the hell is going on, but it's pretty much the only way to share information with our kids without sounding preachy. We've already talked about how folks feel about unsolicited advice, and there's no one who likes it less than a kid getting it from their parents. Just telling your kids that feelings are normal, and each feeling has a beginning, middle, or end, for example, is likely to land on deaf, uninterested ears. (Trust me, I know from experience. Lots and lots of experience.) But asking kids where they are in their feelings—the beginning, middle, or end—will have a much higher probability of sparking their interest. Each time we can ask a question or preface our thoughts with words like "I wonder what would happen if . . ." we're welcoming our children into the conversation rather than throwing it in their faces.

You really can't go wrong with curiosity, but there are a few strategies that will help make your curiosity practice as effective and engaging as possible.

Turn on your own curiosity first. Here are a few questions that might be useful to consider:

- What's going on with them? What are they struggling with? Developmental transitions? Something at school? With their siblings or friends? Their teams or extracurricular activities?
- Are they dealing with any major life changes? Starting or ending the school year? Transitioning to preschool, elementary school, or middle school? Going to camp for the first time? Any birthdays, holidays, or significant anniversaries coming up?
- What's your best guess at how they might be feeling? Do you think they're dealing with any big, overwhelming, or frightening emotions? Are they worried about or scared of something?
- Have they been dealing with any losses in the past few months? A grandparent? A pet? A divorce in the family? A best friend who moved away?

- What's going on with their bodies? Are they in the middle of a growth spurt? Could they be in pain? Starting puberty? Could they be hungry, thirsty, tired, getting sick, or constipated?
- What do they need? (Try not to confuse this with what they're saying they need; they're just kids with poorly developed prefrontal cortexes, so they might not actually know what they need. Try not to get too frustrated; as annoying as this can be, it's totally normal.)
- Can you give them what they need? And if you can, does that mean you should? And if you can't or don't want to, what can you do instead?

Try to avoid "why" questions. "Why did you do that?" is a parental favorite, which is weird, because it rarely works. Kids (and adults too!) often don't have the insight or information to answer that question accurately or honestly, so either they'll shut down with an "I don't know," or they'll make up a story that may be neither accurate nor helpful. You can often get the answer you're looking for with questions such as:

- What were you doing when that happened?
- What did you want at the time?
- How are you feeling?
- Do you remember what you were thinking about?
- What do you think that was about?

Try to notice if you're expecting a specific response from your child. That's not curiosity; that's a quiz. If you notice that you're feeling judgmental, annoyed, or irritated at whatever your kid is showing up with, then you're probably not in a headspace to be curious, and that's OK. Go back to connection or kindness or tag in your parenting partner or put the kid in front of the TV until you've had a cup of tea or a few minutes to breathe. Any of that will be more effective than judging your children for their answer.

Ditch the snarky, sarcastic questions. Unless you are 100 percent absolutely positively certain that you and your kids are calm and connected and ready for a dose of humor. Otherwise, those kinds of questions are just going to alienate your kiddo, possibly hurt their feelings, and shatter any chance you might have had at connection and compassion in that moment.

Your child might not always be interested in, or receptive to, your curiosity.

That's OK. Sometimes kids just don't feel like exploring or thinking or talking or insighting (which is different from inciting, and really should be a word), and I know you know what I'm talking about because that's how almost every parent on the planet feels after about six p.m. And that's cool, because you can still kill them with kindness.

STEP 6: KILL THEM WITH KINDNESS

Kindness is awesome. It's at the heart of connection and curiosity, and it's always an option, as long as you can get in the head- and heart-space for it. But please don't misunderstand me; we're not going for a Mother Teresa level of kindness here. (And, for the record, Mother Teresa didn't actually have kids. I'm just sayin'.) I mean, if you've got next-level kindness skills, that's awesome, but most of us don't. We're just aiming for enough kindness to not beat up ourselves or our kids for whatever normal, but brutal, human situation we're dealing with.

All you need to do is reach into your quiver of kindness arrows, pull out whichever one feels right in the moment, and do it *with* your child. There's no perfect practice here, so don't stress about that. Each one of these is inherently kind and can often set the stage for connection and curiosity as well.

Here is a not-at-all exhaustive list to get you started, in no particular order:

Snack 'n' Sip (as in an actual snack, not a clever acronym made up by that awesome parenting lady). I'm not suggesting you teach your children to eat or drink their feelings, but noticing and tending to our bodies' needs is an inherently kind thing to do—especially when you can share that snack together.

Stretch. Move your bodies. Have a kitchen dance party. Go for a walk. Sit on the floor and stretch together. Not only is this a great way to connect, but it often feels good as well. And don't forget, our feelings live in our bodies, and, man, can they get stuck there.

Stretching and moving can help loosen up those feelings, which will take away some of their power.

Snuggle. Because snuggling is awesome.

Song. Turn on some tunes, and either dance or just listen. Music is a great way to evoke and acknowledge emotions, and sometimes you gotta just get those feelings out.

Story. There are so many ways this one can go. You can share a story from your own life, make up a story together, or read a book. Books are often great choices because a) they require relatively little brain power from weary parents, and b) they can be a highly effective way to explore confusing situations and big feelings when we have no idea where to start or what to say. Don't worry about finding the perfect book; just take your kiddo to the library and let them pick whatever they want. You'll be amazed at how often they pick a story that's just right for whatever's going on.

Show. Turn on something you both like and watch *together*. Bonus points for snuggling (if that works for you and your kid).

Sleep. Our kids don't appreciate this now, but sleep is an inherently kind way to take care of our minds and bodies. Tired brains think too much, feel too big, and get all worked up when really the only problem is that they're exhausted. I'll often tell my worn-out, freaking-out daughter "We're too tired to talk about this now. Get some sleep, and if this is still on your mind in the morning, we'll handle it." Nine times out of ten, we don't end up talking about it at all. (One important note: If I think it's a thing we should talk about—like the Ice Cream Incident—we'll abso-freaking-lutely talk about it the next day.)

I want you to notice one thing that's not on this list: solo screentime. Watching a show with your kiddo is a completely different experience from sticking them in front of a screen alone. Don't get me wrong; screentime for kids can be a very kind thing for parents to do for themselves, especially if it's in the middle of, I don't know, a freaking pandemic and you haven't had a moment to yourself since March 2020. That's 100 percent legit. But if you're going for compassion toward your children, letting them zombie out in front of a screen alone ain't on the list. I'm not suggesting that you never hand them the tablet; I'm just wanting you to know the difference so you can make the most skillful decision at any given moment.

STEP 7: START AGAIN.

We can always, always start again. Modeling that for our children and creating the space for them to start again is one of the great gifts we can give them.

KISS and SNACKS. Those are the core practices for compassioning the crap out of your kids. And you can do all of these things—every single one of them—while also holding your boundaries, rules, and expectations. I have held my daughter in my lap as she sobbed about not getting the cookie she really freaking wanted even as I continued to say no to said cookie, and you can too. It might not always feel good, and it will probably require you to tolerate your child's unhappiness rather than immediately soothing it away, but it will strengthen your relationship with them and teach them the skills, strategies, confidence, and resilience to tackle any challenges they face in life.

One Final Super Important Note About Compassioning the Crap Out Your Kids

In Chapter 7, I said that we don't practice self-compassion so we can feel better. We treat ourselves with compassion because we feel bad. It's a subtle but SUPER important distinction that's worth remembering when you're compassioning the crap out of your kids. You're not doing it to make them feel better, because, as crazy as it may sound, it's not your job to make your kids feel better.

Let's say it one more time together.

It's not your job to make your kids feel better.

Every time we parents get all caught up in how our children feel and trying to make them feel happier, we're setting ourselves up for a whole lotta problems. As anyone who has ever tried to get a newborn to sleep through the night or a toddler to poop on the potty or a teenager to, I don't know, DO ANYTHING AT ALL, trying to control something that is absolutely uncontrollable will wear you down and stress you out faster than a fifth grader with a science project due in the morning. There are very few ways to make yourself crazier faster than trying to fix someone else's feelings, especially when that someone else happens to be your own child who likely has very strong feelings that they express loudly and inappropriately and all over you, which, if you're not careful, is likely to elicit very strong feelings in you that you will also very likely express inappropriately all over your kids.

Your job is to notice when your child is suffering and connect with them with curiosity and kindness. They might end up feeling better; they might not. While I'm definitely on Team Feel Better, that's not your job, and as long as you're showing up for your kids, everyone wins.

Advanced Compassioning the Crap Out of Your Kids Practice: When You're Pissed, Try Loving Kindness Instead

You will get pissed at your kids. I don't care if you just spent a week eating kale and drinking kombucha at a loving-kindness retreat; something will happen and you will feel angry at your children. Fortunately for you, you've read this book and you know now that no feeling is ever wrong, so you're not beating yourself up for feeling angry. And instead of getting swept up in your anger, you're going to notice it and have a whole lot of compassion for yourself in this rough time.

That might be enough to calm you down, but depending on the temperature of your rage and whether or not you've slept in the last week (because we all know you didn't actually go on that kale and kombucha retreat), it might not be. You might still feel like throttling that little punk. And that's when you can send a little loving-kindness their way.

Just take a deep breath, picture your children in a happier moment, and remember your phrases:

May you be happy.

May you be healthy.

May you be safe.

May you live with ease.

May you not be on the receiving end of my epic shit-loss.

Now let me be very clear. This is 100 percent fake it until you make it. That's totally OK. You will make it. Repeat it until you believe it. Or at least until you're feeling a whole lot calmer and clearer.

The Most Important Thing to Remember: It's not your job to make your children feel better. It's your job to notice when they're suffering and respond with compassion.

A Recap of Key Points and How to Make the Magic Happen

Woo-hoo! You made it to the end of a parenting book! Or you knew enough to skip to the summary chapter! Either way, well done, you.

Over the past eight chapters, we went through a HUGE amount of information, during which time I basically asked you to completely rejigger your entire way of thinking about your life and parenting.

It's a lot. I get it. I get it because I've been there and some days I'm still there. And I promise I wouldn't lay this on you if it wasn't important. As in, big-time, majorly life-changing important.

Fortunately, compassion isn't complicated. And the more you practice it, the easier and more natural it will become, and the easier and more fun your life and parenting will be, which is awesome. And whenever you forget to treat yourself with compassion and kindness, that's just another opportunity for you to compassion the crap out of yourself . . . for not practicing your compassion. Sounds crazy, but it actually makes sense when you think about it.

But don't think too hard about it. Seriously. One of the dynamics I've seen time and again in hurried, harried parents (myself included) is that we get all tangled up in the details of getting our latest program or plan just perfectly right, and then if we don't absolutely nail it, we give up. That's bananas. That's like pulling your kids out of school if they don't get an A+ on every single homework assignment and exam. And I know you wouldn't do that because then your kids would be home with you all day long. Oh, and also because it's BONKERBALLS.

Instead, just remind yourself, over and over again, that you can always go back to compassion—for yourself, and your children.

The Most Important Points

Here's a quick review of the most important points of the book and how to put them into practice.

- Shitty Parent Syndrome is the thought, belief, or perception that you're a shitty parent, and that belief leaves us feeling confused and insecure about how to raise our children.
- The first arrows of life are painful, but they're unavoidable. The second arrows of suffering and the third arrows of denial and distraction are completely normal human reactions to our suffering, but they also make life and parenting harder and less fun. Unlike first arrows, these are optional.
- Chaos is the normal, predictable outcome of life with kids. It doesn't necessarily mean we're not parenting well enough or doing anything wrong.
- Far too often in parenting we're stuck choosing between bad and worse, and we have no idea which option is bad and which one is worse. All we can do is make our best guess and have a shitload of compassion for ourselves in the process.

- Compassion is the practice of responding to suffering with connection, curiosity, and kindness instead of isolation, judgment, and self-contempt.
- Self-compassion isn't self-pity, self-indulgence, self-esteem, self-improvement, or letting yourself off the hook. Self-compassion is an incredibly powerful and effective way to respond to the shitty first arrows of life.
- Self-compassion is a practice, and the more you do it, the easier and more naturally it will come to you.
- When we get stressed and don't know how to respond to situations, we often freak out: fight, flight, freeze, flip out, fix, or fawn.
- The more we practice self-compassion, the more we can manage our lives and parent our children from a place of calm clarity, creativity, and confidence.
- We don't practice self-compassion to make ourselves better. Each time we focus on making ourselves feel better, the underlying message we're sending ourselves is that it's not OK to feel bad. But it's OK to feel like crap. We treat ourselves with compassion *because* we feel bad, and our suffering—all suffering—is worthy of kindness. It's OK to not feel better. It's OK to feel bad and take care of ourselves in the process.
- Noticing, or the ability to be aware of the chaos in our own brains and lives without getting swept away by it, is the first and necessary step in the practice of self-compassion.

- Connection is the antidote to shame. Remembering that parenting is incredibly hard for every single one of us and connecting with the people who love us and will be real with us as often as possible are game changers.
- Curiosity, or the ability to get interested in whatever's going on in our lives—and take our responses seriously—is the antidote to judgment. It calms us down and helps us get clarity about whatever is going on.
- Kindness calls on us to treat ourselves with respect rather than contempt, set aside the need to fix ourselves, and respond to our suffering with the arrows of kind self-care.
- Compassioning the crap out of your kids is a highly effective way to resolve difficult situations and respond to your children's hardest moments while also strengthening your relationship and teaching them valuable skills for the future.

Seven Acronyms to Kick-Start Your Self-Compassion Practice

Acronyms are one of my favorite ways to remember an idea or practice without getting all bogged down in the details, which is why I've scattered them throughout this book like glitter. I've gathered all of the acronyms from the book here, and hopefully they'll remind you to put down your second arrow and treat yourself with compassion each time the shit hits the fan.

SNAFU: Shit happens to all of us. No matter how personal it may feel, it's just another SNAFU. Situation Normal, All Fucked Up. Normal. It happens to all of us.

CHAOS: Chaos is just part of the deal, and Compassion Helps Alleviate Our Suffering.

STOP: Noticing our own suffering is the first step toward treating ourselves with compassion. All you need to do is Stop, Take a Breath, Observe, and Proceed.

HALT: If you're having a hard time figuring out how you feel or what you need, ask yourself if you're Hungry, Angry, Lonely, or Tired.

CALM: Your body is an important source of information about how you're doing. Checking in with your Chest, Arms, Legs, and Mind is a great way to get curious about your body.

KISS: Keep It Simple, Sugar. Don't make this more complicated than it needs to be. You got this.

SNACKS: Every time you're suffering or struggling, reach for your SNACKS.

Stop what you're doing,

Notice what's going on,

Accept it (rather than fight with it),

Connect with common humanity and/or real actual people,

Get Curious about your experience, and

Be super Kind to yourself.

Oh, and remember you can always, always, Start Again.

Some Awesome Books That Will Help You Have More Compassion for Yourself and Your Kids

There are a ton of different ways to talk about, think about, and practice self-compassion, and finding a book or teacher or podcast that aligns with your style and preferences is a great place to start. In this section, I've listed a variety of self-compassion and parenting books that offer excellent advice and (hopefully) do it in a way that won't amp up your shame or self-doubt. Having said that, if you find yourself reading one of these books—or any book, for that matter—that triggers your second-arrow thinking, DITCH IT. Ditch it immediately. Do not pass go, do not collect $200 (unless you can actually collect $200, in which case, grab the cash and ditch the book). The point here is that the problem is the book, not you.

Self-Compassion

The Difficult Thing of Being Human: The Art of Self-Compassion by Bodhipaksa (Parallax Press, 2019)

How to Be Nice to Yourself: The Everyday Guide to Self-Compassion by Laura Silberstein-Tirch (Althea Press, 2019)

The Mindful Path to Self-Compassion: Freeing Yourself from Destructive Thoughts and Emotions by Christopher Germer (Guilford Publications, 2009)

Real Love: The Art of Mindful Connection by Sharon Salzberg (Flatiron Books, 2017)

Self-Compassion for Parents: Nurture Your Child by Caring for Yourself by Susan Pollak (Guilford Publications, 2019)

Self-Compassion: The Proven Power of Being Kind to Yourself by Kristin Neff (HarperCollins, 2011)

Parenting

All Joy and No Fun: The Paradox of Modern Parenthood by Jennifer Senior (Ecco, 2014)

*How to Stop Losing Your Sh*t with Your Kids: A Practical Guide to Becoming a Calmer, Happier Parent* by Carla Naumburg (Workman Publishing, 2019)

Mindful Discipline: A Loving Approach to Setting Limits and Raising an Emotionally Intelligent Child by Shauna Shapiro and Chris White (New Harbinger Publications, 2014)

Raising Good Humans: A Mindful Guide to Breaking the Cycle of Reactive Parenting and Raising Kind, Confident Kids by Hunter Clarke-Fields (New Harbinger Publications, 2019)

Ready, Set, Breathe: Practicing Mindfulness with Your Children for Fewer Meltdowns and a More Peaceful Family by Carla Naumburg (New Harbinger Publications, 2015)

Strong as a Mother: How to Stay Healthy, Happy, and (Most Importantly) Sane from Pregnancy to Parenthood: The Only Guide to Taking Care of YOU! by Kate Rope (St. Martin's Griffin, 2018)

There Are Moms Way Worse Than You: Irrefutable Proof That You Are Indeed a Fantastic Parent by Glenn Boozan, illustrated by Priscilla Witte (Workman Publishing, 2022)

ACKNOWLEDGMENTS

This book wouldn't exist without the wise, hilarious guidance of my amazing agent, Gillian MacKenzie, and book coach extraordinaire, Jennie Nash. You two are the best.

So much gratitude to the entire Workman team: my amazing editor, Maisie Tivnan, and the rest of the crew, including Analucia Zepeda; the publicity powerhouse of Rebecca Carlisle, Ilana Gold, and Abigail Sokolsky; and the production and design wizards Doug Wolff, Barbara Peragine, Beth Levy, Sasha Tropp, and Sarah Smith. A special shout-out to the sensitivity reader, Ronica Davis, whose sharp eye and thoughtful perspective helped make my snarky voice as respectful and inclusive as possible.

I wrote this book during the craziest of days of the pandemic, and I never would have made it through without my crew, who made me laugh, kept me grounded, and always showed up with a shitload of compassion: Rachel Pytel, Kathleen Flinton, Abigail Gongora, Kate Rope, Liz Rudnick, my sister Daniela Silverstein, and the Library Squad: Mara Acel-Green, Ana Volpi, Rachel Fish, Nicole Gann, Jenny Gomeringer, and Deb Gaffin.

Finally, to my husband, Josh, and my girls, Frieda and Rose. You're my favorite humans, and I'm grateful for you every single day.

ABOUT THE AUTHOR

Carla Naumburg, PhD, is a clinical social worker, writer, and mother. She is the author of five books, including the bestselling *How to Stop Losing Your Sh*t with Your Kids*. Carla lives in Massachusetts with her husband and two daughters.